CHARMIDE
LYSIS

Œuvres de Platon
dans la même collection

Alcibiade (nouvelle traduction de Chantal Marbœuf et Jean-François Pradeau). – *Apologie de Socrate. Criton* (nouvelle traduction de Luc Brisson). – *Le Banquet* (nouvelle traduction de Luc Brisson). – *Le Banquet. Phèdre.* – *Cratyle* (nouvelle traduction de Catherine Dalimier). – *Euthydème* (nouvelle traduction de Monique Canto). – *Gorgias* (nouvelle traduction de Monique Canto). – *Les mythes de Platon*, textes choisis et présentés par J.-F. Pradeau. – *Ion* (nouvelle traduction de Monique Canto). – *Lachès. Euthyphron* (nouvelles traductions de Louis-André Dorion). – *Lettres* (nouvelle traduction de Luc Brisson). – *Ménon* (nouvelle traduction de Monique Canto). – *Parménide* (nouvelle traduction de Luc Brisson). – *Phédon* (nouvelle traduction de Monique Dixsaut). – *Phèdre* (nouvelle traduction de Luc Brisson). – *Philèbe* (nouvelle traduction de Jean-François Pradeau). – *Platon par lui-même* (textes choisis et traduits par Louis Guillermit). – *Politique* (nouvelle traduction de Luc Brisson et Jean-François Pradeau). – *Protagoras* (nouvelle traduction de Frédérique Ildefonse). – *Protagoras. Euthydème. Gorgias. Ménexène. Ménon. Cratyle.* – *La République* (nouvelle traduction de Georges Leroux). – *Second Alcibiade. Hippias mineur. Premier Alcibiade. Euthyphron. Lachès. Charmide. Lysis. Hippias majeur. Ion.* – *Sophiste* (nouvelle traduction de Nestor L. Cordero). – *Sophiste. Politique. Philèbe. Timée. Critias.* – *Théétète* (nouvelle traduction de Michel Narcy). – *Théétète. Parménide.* – *Timée. Critias* (nouvelles traductions de Luc Brisson).

PLATON

CHARMIDE
LYSIS

Traduction inédite, introduction et notes
par
Louis-André Dorion

Ouvrage traduit avec le concours
du Centre national du livre

GF Flammarion

pour Svetlana

REMERCIEMENTS

Je tiens à remercier, pour leur écoute critique, les étudiants qui ont participé aux séminaires que j'ai consacrés au Charmide et au Lysis. J'ai grandement profité, pour la révision finale du manuscrit, des observations et des suggestions de Luc Brisson, Benoît Castelnérac, Mira Cliche et Geneviève Normandeau. Je remercie enfin Francisco Gonzalez et Antoni Bosch-Veciana de m'avoir fait parvenir leurs plus récents travaux sur le Lysis.

ABRÉVIATIONS

DK	H. DIELS, & H. KRANZ, *Die Fragmente der Vorsokratiker*, Berlin, Weidmann, 1951-52⁶, 3 vol.
DPhA	R. GOULET (éd.), *Dictionnaire des philosophes antiques*, Paris, éd. du CNRS, 1989.
EE	Aristote, *Éthique à Eudème*.
EN	Aristote, *Éthique à Nicomaque*.
GM	Aristote, *Grande Morale*.
LGPN	P. M. FRASER *et al.* (éds.), *A Lexicon of Greek Personal Names*, Oxford, O.U.P., 1987.
SSR	G. GIANNANTONI, *Socratis et Socraticorum Reliquiae*, Naples, Bibliopolis, 1990², 4 vol.

AVANT-PROPOS

> Quand on écrit c'est non seulement pour être compris,
> mais encore pour ne l'être pas. Un livre n'est pas diminué
> parce qu'un quelconque individu le trouve obscur : cette
> obscurité entrait peut-être dans les intentions de l'auteur ;
> il ne voulait pas être compris de n'importe qui. Tout esprit
> un peu distingué, tout goût un peu relevé choisit ses
> auditeurs ; les choisissant il ferme la porte aux autres. Les
> règles délicates d'un style naissent toutes de là : elles sont
> faites pour éloigner, tenir à distance, condamner l'« ac-
> cès » d'un ouvrage ; pour empêcher certains de com-
> prendre, et pour ouvrir l'oreille aux autres, les tympans
> qui nous sont parents [1].

Le *Charmide* et le *Lysis* sont unanimement considérés
comme deux dialogues de jeunesse, c'est-à-dire qu'ils
remontent, selon toute vraisemblance, à la première des
trois grandes périodes que l'on a coutume de distinguer au
sein de la production philosophique de Platon [2]. Afin de
mettre en lumière l'incontestable parenté qui unit ces deux
dialogues, nous présenterons brièvement les principales
caractéristiques qu'ils partagent. *Premièrement*, sur le
plan de la structure narrative, le *Lysis* et le *Charmide* se
présentent l'un et l'autre comme des entretiens dont Socrate

1. F. Nietzsche, *Le Gai Savoir*, § 381 (trad. Vialatte).
2. Pour la classification chronologique des dialogues en trois grandes
périodes (jeunesse, maturité, vieillesse), voir C. Kahn, *Plato and the
Socratic Dialogue*, Cambridge, C.U.P., 1996, p. 42-48.

fait le récit à un tiers qui n'est pas nommé [1]. *Deuxiè-*
mement, les deux dialogues situent l'entretien rapporté par
Socrate dans le cadre de la palestre, qui est un lieu voué à
l'enseignement et à l'exercice corporel, mais qui est également propice aux rapports de séduction, puisque des
liens d'amitié et d'amour peuvent s'y nouer. De fait,
Socrate séduit les deux adolescents éponymes, Charmide
et Lysis, à l'occasion du tout premier entretien qu'il a avec
chacun d'eux. *Troisièmement*, le *Charmide* et le *Lysis* mettent en scène des interlocuteurs qui comptent certainement
parmi les plus jeunes de tout le corpus platonicien. L'on
aurait tort de ne pas tenir compte de cette donnée, puisque
l'échec (apparent) des deux entretiens est en partie imputable au très jeune âge de Charmide, Lysis et Ménexène.
En outre, comme Socrate fut accusé d'avoir corrompu les
jeunes gens [2], le *Lysis* et le *Charmide* peuvent être lus,
dans une perspective apologétique, comme des tentatives
de montrer à quel point l'influence de Socrate était
bénéfique aux jeunes avec lesquels il s'entretenait. *Qua-*
trièmement, les deux dialogues laissent clairement
entendre que le bien est le terme et la clé de toutes nos
aspirations, en ce qu'il est la condition de la vie vertueuse,
de la sagesse, de l'amitié, ainsi que du bonheur.

Cinquièmement, enfin, le *Lysis* et le *Charmide* font partie d'un groupe de dialogues que l'on qualifie parfois
d'« aporétiques » dans la mesure où ils sont en apparence
« sans issue » (*áporos, aporía*), c'est-à-dire qu'ils se ter-
minent apparemment sur une impasse et un constat d'échec.
Le caractère aporétique du *Lysis* et du *Charmide*, ainsi que
des autres dialogues qui appartiennent au même groupe
(*Lachès, Euthyphron, Hippias majeur, Ménon*), est à bien
des égards une énigme que Platon pose à son lecteur. Il
n'est pas étonnant, en un sens, que ces dialogues dressent
un constat d'échec, puisque cet échec est en quelque sorte

---

1. Il n'y a que trois autres dialogues qui sont rapportés par Socrate, soit
le *Protagoras*, l'*Euthydème* et le *Politique*. Du point de vue de la structure narrative, les écrits de Platon se répartissent en trois groupes : 1) les
dialogues directs ; 2) les dialogues racontés ; 3) les exposés continus. À
ce sujet, on consultera le tableau de M. Dixsaut (*Platon : Phédon*, Paris,
GF-Flammarion, 1991, p. 30).

2. Cf. *Apol.* 24b.

prévisible et « programmé ». En effet, si Socrate, comme
il le proclame lui-même, est ignorant des choses les plus
importantes [1], à savoir tout ce qui se rapporte à la nature
des principales vertus, et qu'il est néanmoins le plus
savant des hommes, il en résulte qu'aucun participant au
dialogue ne peut formuler une définition adéquate, ni
même, dans le cas d'une réponse qui est formellement
exacte, en fournir une justification satisfaisante. Si Socrate
ne sait rien, hormis précisément qu'il reconnaît ne rien
savoir, il ne peut pas proposer à ses interlocuteurs un
savoir dont il soit certain ; par ailleurs, si Socrate est
malgré tout le plus savant des hommes, ainsi que l'a pro-
clamé l'oracle de Delphes [2], ses interlocuteurs ne peuvent
pas non plus détenir une connaissance certaine, puisque
sinon ils seraient plus savants que Socrate, ce qui irait à
l'encontre de l'oracle rendu par la Pythie. Mais est-il certain que le *Charmide* et le *Lysis* sont absolument aporétiques et purement négatifs ? Autrement dit, ces deux dialogues se contentent-ils de réfuter les fausses conceptions
de la sagesse (*Charmide*) et de l'amitié (*Lysis*), sans rien
proposer eux-mêmes de positif, fût-ce les grandes lignes
d'une doctrine de la sagesse et de l'amitié ? Ceux-là le
croient qui prennent le constat d'échec au pied de la
lettre [3]. Pour notre part, nous sommes résolument d'avis,
avec de nombreux interprètes, que la dimension aporétique du *Lysis* et du *Charmide* est plus apparente que
réelle. Une lecture patiente et attentive révèle en effet que
ces dialogues contiennent, en filigrane, un enseignement
positif sur la nature de la sagesse et de l'amitié. Tout se
passe comme si ces dialogues se déroulaient sur deux
plans : à un premier niveau, qui correspond à l'échange
oral entre Socrate et ses interlocuteurs, le dialogue se
solde par un échec dans la mesure où les interlocuteurs de

1. Sur la déclaration d'ignorance de Socrate, cf. *Charmide* 165b-c et
Lysis 212a.

2. Cf. *Apol.* 21a.

3. Cf., entre autres, Santas 1973 (voir bibliographie du *Charmide*),
p. 110 : « And we must take the *aporetic* conclusion of the dialogue [*scil.*
le *Charmide*] in a strong sense : not only that the interlocutors at the end
realize that they don't know what temperance is, but also that Plato
decided that the definitions offered are really incorrect. »

Socrate n'ont pas su, pour différentes raisons que nous nous efforcerons d'identifier, tirer parti des indications que leur fournit Socrate, ni échapper aux pièges qu'il leur tend. À un second niveau, qui surplombe le premier et qui correspond à l'échange *écrit* entre Platon et son lecteur, ce qui était impossible, en raison du temps accéléré et irréversible qui caractérise l'échange oral [1], devient désormais possible grâce à la temporalité lente de la lecture, qui permet le recul, les retours en arrière, l'analyse, les rapprochements, etc. En œuvrant sur ces deux plans, Platon poursuit un double objectif : d'une part, préserver la cohérence de sa représentation d'un Socrate qui se prétend ignorant, et surmonter, d'autre part, les défauts et les insuffisances de l'écriture, tels qu'ils sont énoncés et dénoncés à la fin du *Phèdre* (274b-279b). Si l'un des principaux défauts de l'écriture est de priver l'auteur du privilège de choisir les auditeurs qui présentent les qualités nécessaires pour suivre son enseignement [2], le style (faussement) aporétique du *Lysis* et du *Charmide* apparaît comme une ruse dont Platon use pour décourager les lecteurs impatients et superficiels, et pour s'adresser à ceux, plus patients, qui ne désespèrent pas de reconstituer, à la façon d'un puzzle, les éléments disjoints d'une doctrine cohérente [3]. Autrement dit, le style aporétique est un artifice littéraire qui permet à Platon, en dépit du caractère ouvert et accessible de l'écriture, de choisir ses lecteurs.

---

1. Les entretiens rapportés dans le *Lysis* et le *Charmide* sont à ce point tortueux que leur déroulement, en temps réel, donnerait le tournis même à l'auditeur le plus attentif.

2. Cf. *Phèdre* 275e et *Lettre VII* 344d.

3. Dans l'introduction à sa traduction du *Lysis*, Victor Cousin a magnifiquement exprimé cette idée, à savoir que Platon attend de son lecteur qu'il soit vigilant et qu'il joue un rôle actif : « Il est vrai que Platon exige au plus haut degré un lecteur attentif et intelligent ; car il se garde bien de vous avertir, comme les modernes et les mauvais artistes, de ses procédés et de son but. Il se garde bien de vous exposer didactiquement ses résultats, il se contente de vous en donner le pressentiment et l'avant-goût, et vous abandonne à vous-même ; il écarte l'erreur, et vous laisse l'exercice utile de suivre vous-même les perspectives qu'il vous ouvre, et d'arriver par vos propres forces à la vérité ; il veut que vous ne la deviez qu'à vous, et au lieu de vous l'imposer dogmatiquement, il lui suffit de vous l'indiquer d'un sourire. [...] c'est à vous à le suivre et à le comprendre » (*Œuvres de Platon*, t. 4, Paris, 1827, p. 21-23).

Le paradoxe des dialogues aporétiques tient à ce qu'ils se présentent comme les transcriptions d'une dialectique orale dont le maître incontesté, Socrate, n'a rien écrit, alors qu'ils sont en fait de prodigieux exercices de lecture.

Ces deux dialogues renferment une telle quantité de fausses pistes, d'embûches et de chausse-trapes que le lecteur en vient à se demander si Socrate ne se joue pas de ses interlocuteurs et si Platon, de façon analogue, ne joue pas avec lui. Ces dialogues aporétiques ont peut-être été conçus, après tout, comme des exercices ludiques propres à éprouver les aptitudes philosophiques du lecteur, à la façon d'un « jeu » auquel Platon compare lui-même l'écriture dans le *Phèdre* (277e). Si tel est le but du jeu, à nous, maintenant, de jouer…

INTRODUCTION

[...] nous n'avons pas encore atteint l'âge où seuls les
mathématiciens, les physiciens ou les ingénieurs
détiendraient le savoir nécessaire au gouvernement d'une
société scientifique. Les grandes décisions, stratégiques
ou économiques, peuvent et doivent être prises par des
hommes sages, non pas nécessairement par des techni-
ciens. [...] De même qu'un directeur d'entreprise s'en-
toure d'experts dont plusieurs détiennent un savoir ésoté-
rique, intelligible aux seuls spécialistes, celui qui gouverne une nation interroge les experts, écoute leurs
conseils. Il ne deviendra jamais un expert dans tous les
domaines où il devra intervenir. Homme de culture, non
homme de science. Je suis de ceux qui se réjouissent
qu'une société dite scientifique ne soit pas gouvernée par
des savants [1].

La *sōphrosúnē*, qui fait l'objet du *Charmide*, est l'une
des quatre vertus « cardinales », les trois autres étant la
sophía, la justice et le courage. Comme l'origine de la liste
canonique des quatre vertus cardinales se trouve chez
Platon lui-même, plus précisément au livre IV de la *République* [2], il ne fait aucun doute que l'auteur du *Charmide*
accorde à cette vertu une importance toute particulière.
Dans l'éthique grecque traditionnelle, où elle joue éga-

1. R. Aron, *Les Désillusions du progrès*, Paris, 1969, p. 70.
2. Cf. North 1966, p. 151, dont l'ouvrage demeure la principale
synthèse sur la notion de *sōphrosúnē* dans la littérature grecque.

lement un rôle de premier plan, la *sōphrosúnē* désigne la santé de l'esprit, soit la saine disposition intellectuelle qui permet à l'homme de juger droitement, de faire preuve de maîtrise de soi, de sagesse, de réserve et de retenue. La signification du terme *sōphrosúnē* oscille ainsi entre deux pôles, intellectuel et éthique, qui ne s'excluent pas nécessairement [1]. Si l'on considère l'évolution sémantique du terme *sōphrosúnē*, on observe une tendance qui va très nettement dans le sens de l'intellectualisation de cette notion. La même évolution se vérifie, en raccourci, dans la progression du *Charmide*, puisque les définitions à l'étude insistent de plus en plus, au cours du dialogue, sur la dimension intellectuelle de la *sōphrosúnē*, au point même que la dernière définition la présente comme « la science d'elle-même et des autres sciences » (166c). On retrouve également dans le *Charmide* l'oscillation décrite ci-dessus, puisque Critias défend une conception exclusivement et exagérément intellectualiste de la *sōphrosúnē*, et que Socrate est le seul qui parvient à réconcilier et à unifier ses composantes éthique et intellectuelle. En raison de la polysémie du terme *sōphrosúnē*, le traducteur est confronté à l'épineux problème de trouver un terme qui traduise le plus fidèlement possible la richesse sémantique de cette notion [2]. Or comme Platon fait l'impasse, dans le *Charmide*, sur ce qui apparente la *sōphrosúnē* à l'*egkráteia*, à savoir la maîtrise de soi à l'égard des plaisirs corporels [3], nous avons préféré aux termes « modération » et « tempérance » celui de « sagesse », qui comprend la double dimension, à la fois et indissociablement cognitive et morale, que Platon intègre à la conception de la *sōphrosúnē* exposée dans le *Charmide* [4].

---

1. Cf. G.J. de Vries, « σωφροσύνη en grec classique », *Mnemosyne*, 1943 (11) p. 81-101 (ici, p. 84, 99-100).

2. Sur les problèmes que pose la traduction du terme *sōphrosúnē*, cf. Taylor 1929, p. 48 ; Tuckey 1951, p. 8-9 ; Guthrie 1975, p. 157 ; Hyland 1981, p. 3, 104-105 ; Hazebroucq 1997, p. 10-12.

3. Cf. *infra*, p. 37-41.

4. La traduction par « sagesse » convient non seulement à la conception même de la *sōphrosúnē* défendue par Socrate, mais aussi à certaines des définitions proposées par ses interlocuteurs. Ainsi, lorsque Charmide définit la *sōphrosúnē* comme une sorte de calme et de tranquillité (158e), la traduction par « sagesse » s'impose dans la mesure où l'on dit d'un enfant calme et tranquille, comme l'est Charmide, qu'il est « sage ».

1. Les personnages

Les interlocuteurs de Socrate sont censés, dans les dialogues réfutatifs, incarner la vertu qui fait l'objet de l'entretien. Ainsi Socrate s'entretient-il du courage, dans le *Lachès*, avec deux généraux ; de la piété, dans l'*Euthyphron*, avec un devin ; de l'amitié, dans le *Lysis*, avec deux jeunes amis, etc. Le *Charmide* ne fait pas exception à la règle. Comme nous le verrons sous peu, Charmide est un adolescent ; or les Grecs considéraient que la *sōphrosúnē* est la vertu par excellence des jeunes gens, ainsi que des femmes [1]. Aussi est-il un interlocuteur tout désigné pour s'entretenir de cette vertu avec Socrate. Qu'en est-il de Critias ? Comme il n'est plus un jeune homme à l'époque de l'entretien rapporté dans le *Charmide*, à quel titre est-il qualifié pour discuter de la sagesse ? Si Charmide et Critias sont des interlocuteurs idoines pour un entretien sur la sagesse, ce n'est pas tant en raison de leur âge que des responsabilités politiques qu'ils assumeront l'un et l'autre environ trente ans après la date de l'entretien rapporté par Platon. La sagesse est en effet, aux yeux de Platon, une vertu indispensable au citoyen en général, et au dirigeant en particulier. Or comme Critias et, dans une moindre mesure, Charmide furent des figures de premier plan du régime tyrannique connu sous le nom de « Tyrannie des Trente », dont le règne fut aussi sanglant [2] qu'éphémère (404-403), c'est en tant que futurs dirigeants politiques qu'ils se qualifient au titre d'interlocuteurs d'un entretien sur la sagesse. De plus, comme ils furent l'un et l'autre des disciples de Socrate, et que les démocrates, après leur retour au pouvoir, ont tenu Socrate responsable de la formation qu'avait reçue Critias [3], le choix de Critias et de

---

1. Cf. 159b et n. 62 ; *Rép.* III 389d ; *Lois* VII 802e ; Homère, *Odyssée* IV 158-160 ; Xénophon, *Écon.* VII 14 ; *Rép. Lac.* III 4 ; *Cyropédie* I 2, 8 ; Isocrate, *A Demonicos* [I] 15 ; Tuckey 1951, p. 4 ; North 1966, p. 131 n. 24.

2. Cf. Xénophon, *Helléniques*, II 4, 21.

3. Cf. Xénophon, *Mém.* I 2, 12 : « Mais, ajoutait l'accusateur, Critias et Alcibiade, qui ont tous deux fréquenté Socrate, ont causé les plus grands torts à la cité. » ; Eschine I 173 : « Vous avez mis à mort Socrate le sophiste parce qu'on a montré qu'il avait instruit Critias. » Cf. aussi Schmid 1998, p. 125.

Charmide, comme interlocuteurs de Socrate dans un entretien consacré à la sagesse, obéit sans doute à une intention
apologétique. Si la sagesse est une qualité essentielle au
dirigeant politique [1], Platon aurait pu choisir, pour s'entretenir avec Socrate, n'importe quel magistrat ou aspirant à
l'exercice du pouvoir. Si son choix s'est finalement arrêté
sur Charmide et Critias, eux qui comptent parmi les principaux protagonistes de l'une des pages les plus noires de
l'histoire athénienne, et dont le compagnonnage avec
Socrate était notoire, c'est donc, peut-on croire, qu'il cherchait non seulement à transmettre un enseignement sur la
sagesse, mais aussi à disculper Socrate des accusations
dont il fut la cible et qui circulaient encore après sa mort.

Certes, la dimension apologétique du *Charmide* n'est
pas évidente, du moins à la première lecture. Si Platon
cherche à défendre Socrate contre ceux qui lui reprochent
d'avoir exercé une mauvaise influence sur Critias et Charmide, on s'attendrait à ce que Socrate, dans le dialogue,
prenne nettement ses distances vis-à-vis de ces deux futurs
tyrans. C'est le genre de stratégie apologétique que
Xénophon, par exemple, adopte dans les *Mémorables* (I 2,
12-48). Force est de constater que ce n'est pas du tout la
stratégie de Platon, car on ne peut pas dire qu'il cherche à
noircir à tout prix les portraits de Charmide et de Critias.
La stratégie apologétique de Platon consisterait-elle,
plutôt qu'à désavouer ces deux personnages, à les réhabiliter [2] ? Car enfin, celui qui cherche à défendre Socrate
peut également s'appliquer à montrer que les prétendus
criminels dépeints par les démocrates étaient en réalité des
hommes sensés et sages, et que l'on a donc tort, par voie
de conséquence, de reprocher à Socrate d'avoir été leur
maître. Une telle stratégie apologétique, de la part de
Platon, paraît toutefois improbable en raison du trop grand
risque qu'elle comporte. Une réhabilitation de Critias se
retournerait vraisemblablement contre Socrate et contre
Platon lui-même. Étant donné que l'on reproche à Socrate
d'avoir été le mauvais génie de Critias, une réhabilitation

---

1. Cf. *Alc.* 134c-d ; *Prot.* 324e-325a ; *Gorg.* 519a ; *Ménon* 73a-b ;
Phédon 82b ; *Banq.* 209a ; *Rép.* VI 500d ; *Lois* I 632c, IV 710a-b, 712a.
2. Ainsi que le suggère Chambry 1967, p. 270.

de ce dernier aurait pour effet de renforcer le lien entre Socrate et son disciple maudit et donc d'accentuer la responsabilité de Socrate à son endroit. De plus, comme Platon lui-même condamne ouvertement, dans la *Lettre VII* (324d-325a), les violences et les injustices perpétrées par les Trente, notamment par ses parents Charmide et Critias, il semble improbable qu'il cherche à réhabiliter Critias.

La stratégie apologétique de Platon ne ressemble en rien à celle de Xénophon, qui consiste à affirmer, de façon répétée, que Critias et Alcibiade ne furent pas de véritables disciples de Socrate, qu'ils l'ont fréquenté uniquement pour se donner les moyens d'assouvir leurs ambitions politiques et que leurs relations furent tendues et de courte durée [1]. Animé par son zèle apologétique, Xénophon pèche sans doute par excès, c'est-à-dire qu'il jette délibérément le voile sur l'intensité, l'étroitesse et la durée des liens qui ont pu unir Socrate à ses disciples honnis. Plutôt que de chercher à démontrer, au mépris des faits, que Critias et Alcibiade ne furent pas de véritables disciples de Socrate – la stratégie apologétique de Xénophon, qui abuse de ce genre de dénégation, s'apparente ainsi à une opération de camouflage –, Platon ne dissimule rien de l'affection et de l'amitié qui régnaient entre Socrate et ses disciples, y compris ceux qui ont par la suite « mal tourné ». Cet aveu n'équivaut pas pour autant à une réhabilitation. Tout le dialogue s'applique à démontrer, grâce à une mise en scène d'une grande finesse et à une argumentation subtile, que Charmide et Critias ne savent pas en quoi consiste la sagesse et qu'ils ne sont pas encore, pour cette raison, habilités à gouverner [2]. Comme la sagesse est un réquisit qui ne souffre pas d'exception, et que le dialogue montre non seulement qu'ils ne sont pas sages, mais encore que c'est Socrate qui s'évertue à leur faire reconnaître que leurs conceptions de la sagesse sont erronées, il n'en faut sans doute pas plus, aux yeux de Platon, pour disculper Socrate. En tout état de cause, une interprétation adéquate du

---

1. Cf. *Mém.* I 2, 12-48.

2. Socrate cherche à montrer à Alcibiade, dans le dialogue du même nom, qu'il n'est pas encore prêt à se lancer en politique puisqu'il ne se connaît pas lui-même et qu'il n'est pas sage. De même, Xénophon affirme à plusieurs reprises que la *sōphrosúnē* est une condition préalable à la formation politique (cf. *Mém.* I 2, 17 et IV 3, 1).

Charmide exige que l'on prenne en compte la visée apologétique du dialogue.

1.1 *Critias*

Cousin de la mère de Platon [1], Critias est né en 460, dix ans après Socrate, et il est mort en 403 dans des circonstances dramatiques que nous évoquerons dans un instant. On ne sait rien de la carrière politique de Critias avant 415, alors qu'il compte au nombre de ceux qui ont été emprisonnés pour complicité dans l'affaire de la mutilation des Hermès [2]. Hostile à la démocratie et sympathique à la cause spartiate, il fait peut-être partie, en 411, du régime oligarchique des Quatre-Cents [3] qui avait renversé la démocratie [4]. Il ne fut pas exilé immédiatement après la chute de ce régime éphémère, mais quelques années plus tard, en 407 ou 406, alors qu'il partit pour la Thessalie où il encouragea la révolte des Pénestes contre leurs maîtres [5]. Il rentra à Athènes après la victoire de Sparte, en 404, et il fut l'un des principaux dirigeants des « Trente », un régime oligarchique prospartiate. Il fut tué en 403 lors des combats qui opposèrent les Trente et leurs partisans aux Athéniens désireux de rétablir la démocratie.

Critias est également l'auteur d'une œuvre littéraire plutôt abondante, dont nous avons conservé une cinquantaine de fragments. Le seul fragment qui puisse présenter un certain intérêt pour l'interprétation du *Charmide* [6] est un assez long extrait d'un drame satyrique intitulé *Sisyphe*, dans lequel un

1. Voir Tableau généalogique, p. 301.
2. Cf. Andocide, *Sur les mystères*, I 47 et 68 (= Critias DK A 5) ; O. Aurenche, *Les Groupes d'Alcibiade, de Léogoras et de Teucros. Remarques sur la vie politique athénienne en 415 av. J.-C.*, Paris, 1974, p. 69-70.
3. Cf. Ps.-Démosthène, *Contre Théocrinès* [LVIII] 67 et G. Adeleye, « Critias, member of the four hundred », *Transactions and Proceedings of the American Philological Association*, 1974 (104) p. 1-9.
4. Cf. Thucydide VIII 3.
5. Cf. Xénophon, *Helléniques*, II 3, 36 ; *Mém.* I 2, 24.
6. Le fragment de l'élégie où Critias loue la modération des Spartiates, dans le boire et le manger (DK B 6) ne nous paraît pas d'un très grand secours pour l'interprétation du *Charmide*, puisqu'il s'agit d'une conception courante de la *sōphrosúnē* qui n'est même pas discutée dans le dialogue (cf. *infra*, p. 37-41).

personnage explique que les dieux sont une fiction forgée de toutes pièces par des législateurs qui avaient besoin, pour assurer le respect des lois, d'une puissante menace propre à dissuader les criminels qui seraient tentés d'enfreindre les lois. C'est ainsi et pour cette raison, explique le personnage du *Sisyphe*, que l'on a inventé des dieux qui savent, voient et entendent toutes choses, y compris les pensées les plus secrètes, et qui peuvent donc sanctionner, après la mort, les délits qui auraient échappé à la justice des hommes. Si Critias est l'auteur du *Sisyphe*, l'interprète du *Charmide* pourrait difficilement ne pas en tenir compte car la piété, pour les Anciens, est étroitement liée à la sagesse [1]. Cela dit, il est peut-être abusif de conclure, sur la base du fragment conservé, que l'auteur du *Sisyphe* était athée. Il ne faut pas perdre de vue que les propos d'un personnage, dans une œuvre littéraire, ne sont pas nécessairement endossés par l'auteur. De plus, l'attribution du *Sisyphe* à Critias est contestée [2], si bien qu'il est hasardeux d'interpréter le *Charmide*, fût-ce partiellement, à partir d'un fragment que l'érudition la plus récente refuse d'attribuer à Critias [3]. Enfin, la

1. Cf. *Gorg.* 507a-b ; *Timée* 27c ; *Lettre VIII* 354e-355a ; Xénophon, *Mém.* IV 3, 9 ; Cicéron, *De finibus*, IV 11.

2. À la suite de A. Dihle (« Das Satyrspiel "Sisyphos" », *Hermes*, 1977 (105) p. 28-42), plusieurs commentateurs récents attribuent le fragment du *Sisyphe* à Euripide : cf., entre autres, C. Kahn, « Greek religion and philosophy in the Sisyphus fragment », *Phronesis*, 1997 (42) p. 247-262 (ici, p. 249 n. 5). L'incertitude concernant l'auteur du *Sisyphe* remonte déjà à l'Antiquité, puisque Sextus Empiricus (*Contre les Physiciens*, I 54) l'attribue à Critias, et le Ps.-Plutarque (*Opinions des philosophes*, I 6, 880E-F) à Euripide. La réputation d'athée que Critias s'est méritée auprès d'auteurs tardifs (cf. Plutarque, *Moralia* 171c ; Sextus Empiricus, *Hyp. pyrrh.* III 218) se fonde essentiellement sur le *Sisyphe*. Selon D. Sutton (« Critias and atheism », *Classical Quarterly*, 1981 (31) p. 33-38), aucun auteur du Ve ou du IVe siècle n'a vu en Critias un athée, pas même Xénophon, qui est pourtant très dur à son endroit (cf. *Mém.* I 2, 12-16 et 29-38).

3. Tuckey (1951, p. 16), Hazebroucq (1997, p. 26 n. 2 ; 32 n. 5 ; 44 n. 3 ; 136 ; 166 n. 1) et Schmid (1998, p. 12) n'hésitent pas à interpréter le personnage et les définitions de Critias, dans le *Charmide*, à la lumière du *Sisyphe*. Hazebroucq (1997, p. 233) se fonde ainsi sur le *Sisyphe* pour affirmer que Critias était un athée notoire et qu'il ne pouvait donc pas croire sincèrement à l'origine divine du « connais-toi toi-même » (cf. aussi Schmid 1998, p. 37-38). Or bien que l'interprétation que Critias donne de la fameuse maxime delphique soit assez triviale (cf. 165a et n. 126), rien ne nous autorise à croire, si l'on s'en tient au *Charmide*, que Critias était athée.

décision de compter Critias au nombre des sophistes ne fait
plus du tout l'unanimité [1]. Outre que les fragments
conservés – une fois retranché le fragment du *Sisyphe* –
n'attestent en rien l'appartenance de Critias à la
sophistique [2], le témoignage même de Platon, dans le *Charmide*, ne permet pas d'identifier Critias à un sophiste. En
effet, ni les définitions avancées par Critias, « ni la discussion critique à laquelle elles donnent lieu […] ne permettent
de supposer que Critias défend des thèses sophistiques [3] ».
Dans le *Charmide*, Critias est présenté sous les traits d'un
aristocrate [4] qui entretient des relations avec Socrate (cf.
156a), mais qui n'a pas une bonne connaissance de la doctrine socratique, ainsi que le prouve son incapacité à rendre
raison des définitions dont la formulation ne saurait être
récusée par Socrate [5]. En fait, Philostrate est le premier et le
seul auteur de l'Antiquité qui ait expressément associé Critias à la sophistique [6] ; or Philostrate est un auteur tardif,
puisqu'il a vécu au IIIe siècle après J.-C. Avant Philostrate,
Critias était plutôt considéré comme un disciple de Socrate,
ainsi qu'en témoignent sa présence dans le *Protagoras* [7] et
les accusations qui reprochaient à Socrate d'avoir été son
maître [8]. C'est probablement le texte de Philostrate, d'une
autorité douteuse, qui a motivé la décision de H. Diels de

1. Cf. L. Brisson, *DPhA*, II, p. 517-519 ; Notomi 2000, p. 239.
2. « Dans l'hypothèse où ce drame [*scil.* le *Sisyphe*] n'aurait pas été
composé par Critias, il ne resterait plus grand-chose des raisons permettant
de le classer parmi les sophistes » (G.B. Kerferd, *Le Mouvement sophistique* [1981], Paris, 1999, p. 102). Kerferd ajoute qu'« il convient peut-être
d'exclure Critias des listes traditionnelles des sophistes » (p. 102).
3. Cf. L. Brisson, « Critias », *DPhA*, II, p. 518. Les autres passages du
Charmide qui sont parfois interprétés comme des indices de l'appartenance de Critias à la mouvance sophistique ne sont pas concluants (cf.
161c, 162b-d, 163d et n. 87 et 113).
4. Cf. 157e-158a, 163b-c.
5. Cf. *infra*, p. 44-45.
6. Cf. *Vies des Sophistes*, I 16 (= Critias DK A 1).
7. Cf. 316a, où la mention du patronyme (« fils de Callaischros »)
confirme que l'on a bien affaire au même Critias que dans le *Charmide*
(153c). On a longtemps cru que le Critias qui figure dans le *Timée*, et en
l'honneur duquel Platon a intitulé un autre dialogue, était le même Critias
que celui qui apparaît dans le *Charmide*, mais cette identification est
aujourd'hui contestée (cf. L. Brisson, « Critias », *DPhA*, II, p. 512-515 et
Timée/Critias, Paris, GF-Flammarion, 1992, p. 328-333).
8. Cf. *supra*, p. 19 n. 3.

compter Critias au nombre des sophistes dont il rapporte les
fragments. Bref, si l'appartenance de Critias aux cercles
sophistiques est très incertaine, il est imprudent d'interpréter le personnage de Critias, dans le *Charmide*, comme
s'il était un digne représentant de la sophistique [1]. Il est toutefois incontestable que si Critias était un sophiste, la tâche
de l'interprète s'en trouverait grandement facilitée, puisque
l'opposition entre Critias et Socrate, dans le *Charmide*,
deviendrait alors un épisode parmi d'autres du débat inces-
sant qui oppose Socrate aux sophistes [2]. Mais si Critias est
d'abord et avant tout un Socratique qui a « mal tourné », la
tâche de Platon, et par voie de conséquence celle de son
interprète, devient plus délicate, en ce que le défi à relever
est de montrer comment, sans rien occulter de l'étroitesse
des liens entre Critias et Socrate [3], celui-ci n'est pas responsable des errements futurs de son disciple.

À l'époque de l'entretien rapporté dans le *Charmide* [4], il
semble que Critias connaît Socrate depuis une dizaine
d'années, soit depuis 440 environ. Critias et Socrate se
connaissaient donc de longue date lorsque, sous la Tyrannie des Trente (404), ils entrèrent en conflit l'un avec
l'autre [5]. Dans le cours du dialogue, il y a certains indices
qui laissent assez clairement entendre que Critias a peine
à se contrôler et qu'il n'est pas sage [6]. C'est cependant en
vain que l'on chercherait dans le *Charmide*, au sujet de
Critias, un jugement aussi péremptoire et négatif que celui
formulé par Xénophon dans les *Mémorables* : « Critias fut
le plus cupide, le plus violent et le plus meurtrier de tous
ceux qui ont fait partie de l'oligarchie » (I 2, 12).

1. Et pourtant, de nombreux commentateurs n'hésitent pas à faire de
Critias un sophiste (cf. Tuckey 1951, p. 5 ; Friedländer 1964, p. 72-73 ;
North 1966, p. 155 n. 5 ; Santas 1973, p. 107 ; Sprague 1973, p. 55 ;
Méron 1979, p. 102 ; Hyland 1981, p. 83 ; Hazebroucq 1997, p. 77 et
passim ; Schmid 1998, p. 14).
2. Cf. Hazebroucq 1997, p. 9 : « Le *Charmide* est sans doute le dialogue où la rivalité entre le philosophe et le sophiste est à son comble » ;
cf. aussi p. 141.
3. Cf. 156a.
4. Cf. *infra*, section 2.2.1.
5. Cf. *Apol.* 32c-d ; *Lettre* VII 324d-325a ; Xénophon, *Mém.* I 2, 29-
38 ; IV 4, 3.
6. Cf. 162c-e, 169d, 176b et n. 98, 163 et 229. Cf. aussi *infra*, section 1.3.

1.2 *Charmide*

Comme son cousin Critias, Charmide appartient à la famille de Platon. Frère de Périctionè, la mère de Platon, il est donc l'oncle maternel de celui-ci [1]. Bien que le *Charmide* soit le seul dialogue où il joue le rôle d'un interlocuteur de Socrate, Charmide est mentionné dans plusieurs dialogues du *corpus platonicum* [2]. La mention de Charmide dans le *Banquet* (222b) mérite d'être soulignée. Alcibiade, qui se plaint d'avoir été séduit par Socrate sans que ce dernier, par la suite, ait accepté les faveurs qu'il était prêt à lui accorder, cite Charmide au nombre des jeunes gens auxquels Socrate a réservé le même traitement. L'épisode de la séduction de Charmide est peut-être l'entretien rapporté dans le *Charmide*. C'est en effet à l'occasion d'entretiens dialectiques, au cours desquels il les réfutait et leur révélait à eux-mêmes leur ignorance et, partant, leur besoin de recevoir l'enseignement d'un maître, que Socrate « séduisait » les jeunes gens [3]. En tout état de cause, il ne fait aucun doute que Charmide fut un disciple de Socrate [4].

Il ne semble pas que Charmide soit intervenu dans les affaires de la cité avant 404, alors qu'il compte au nombre des Dix qui sont responsables de l'administration du Pirée et qui collaborent avec le régime des Trente qui fait régner la terreur à Athènes. Un même destin tragique unit Charmide et son cousin Critias : ils furent l'un et l'autre tués à la bataille de Mounychie (403), dont l'issue précipita la chute de la tyrannie et permit le rétablissement de la démocratie [5].

---

1. Voir Tableau généalogique, p. 301.
2. Cf. *Prot.* 315a et *Banq.* 222b. Il est également mentionné dans deux dialogues apocryphes (cf. *Théagès* 128d-129a ; *Axiochos* 364a). Les différents témoignages sur Charmide sont rassemblés dans *SSR* VI B 22-28.
3. Cf. aussi *Lysis* 210e et la note 67 ; Xénophon, *Mém.* IV 2 et *infra*, Introduction au *Lysis*, p. 180-181.
4. En plus des références signalées *supra* (n. 2), cf. *Mém.* III 7 et *Banq.* I 3, III 1, III 9, IV 29-33.
5. Cf. Xénophon, *Helléniques* II 4, 19.

1.3 *L'asymétrie entre Charmide et Critias*

Le traitement que Xénophon réserve aux personnages de Charmide et de Critias, dans les *Mémorables*, se caractérise par une très nette asymétrie. Pour défendre Socrate contre l'accusation d'avoir été le maître de Critias, Xénophon cherche à montrer que Critias ne fut pas un vrai disciple de Socrate, qu'il ne fut jamais en bons termes avec lui [1] et qu'il était entièrement dépourvu de la *sōphrosúnē* qui est indispensable au dirigeant politique [2]. Or le Charmide de Xénophon est aux antipodes de son cousin Critias. Dans un entretien assez troublant (III 7), Socrate exhorte Charmide à faire de la politique, à se mêler activement des affaires d'Athènes et à ne plus se préoccuper de l'opinion de la populace, que Charmide redoute au point qu'il préfère se tenir à l'écart de la vie politique. Mais Charmide doit surtout cesser de s'ignorer lui-même, c'est-à-dire de méconnaître les qualités et les aptitudes qui sont les siennes et qui le destinent à faire de la politique. Même si Xénophon ne le mentionne pas expressément, Socrate considère certainement que Charmide est sage [3] ; comme la sagesse est indispensable au dirigeant, et que Socrate formait lui-même ses disciples à la sagesse avant de leur transmettre une formation politique [4], il ne fait aucun doute, puisque Socrate encourage Charmide à faire de la politique, que celui-ci fait déjà preuve de sagesse. Les *Mémorables* nous offrent donc, de Critias et de Charmide, des portraits en chiasme : alors que Critias est dépourvu de sagesse et qu'il se lance en politique de façon prématurée, sans le consentement de Socrate, Char-

---

1. Cf. I 2, 29-39.
2. Cf. *Mém.* I 2, 15-16. Xénophon rapporte également une anecdote qui vise à montrer que Critias était dépourvu de *sōphrosúnē* dans ses rapports amoureux (cf. *Mém.* I 2, 29-31).
3. Si Charmide ne se connaît pas bien lui-même (cf. *Mém.* III 7, 9), on pourrait en conclure qu'il n'est pas sage et qu'il n'est donc pas apte à faire de la politique. Or la sagesse (*sōphrosúnē*), pour Xénophon, ne consiste pas en la connaissance de soi, mais en la maîtrise de soi (*egkráteia*). Charmide ne se connaît pas lui-même pour autant qu'il méconnaît les aptitudes et les compétences qu'il possède déjà. Il suffit donc qu'il en prenne conscience pour devenir aussitôt apte à faire de la politique.
4. Cf. *Mém.* IV 3, 1.

mide est sage, mais il répugne à assumer des responsabilités politiques et il faut, pour l'y résoudre, que Socrate
l'exhorte à s'occuper des affaires d'Athènes.

Si l'on se tourne vers le *Charmide*, il ne semble pas, du
moins à première vue, que Platon réserve un tel traitement
asymétrique aux personnages de Critias et de Charmide.
Le fait même que Socrate discute avec eux ensemble, dans
un même entretien où il leur démontre à l'un comme à
l'autre qu'ils ne savent pas en quoi consiste la sagesse, est
un indice suffisant qu'il ne les considère sages ni l'un ni
l'autre. De ce point de vue, l'opposition avec Xénophon
est frappante, puisque Platon considère que ni Charmide [1]
ni Critias ne sont encore en mesure de faire de la politique.

Cela dit, on peut détecter dans le *Charmide* quelques
éléments d'un traitement asymétrique, encore que cette
asymétrie n'est pas aussi prononcée qu'elle ne l'est dans
les *Mémorables*. *Premièrement*, alors que Critias donne
quelques signes de son manque de retenue et de sagesse [2],
ce qui contribue à le rendre antipathique [3], Charmide a au
contraire la modestie et la réserve qui siéent à un jeune
homme [4]. Certes, il ne s'agit pas encore de la sagesse telle
que la conçoit Socrate, mais il n'empêche que Charmide
est déjà « sage » selon les standards la société athénienne [5]. *Deuxièmement*, la différence d'âge qui sépare les
deux cousins permet à Platon de marquer en quoi ils se
distinguent relativement à leurs chances respectives d'avoir
accès à la sagesse : alors que Critias est un adulte d'une

---

1. De toute façon, Charmide est encore trop jeune, à l'époque de
l'entretien rapporté dans le *Charmide*, pour faire de la politique.

2. Cf. *supra*, p. 25 n. 6.

3. Plusieurs commentateurs croient, à tort, que Platon brosse de Critias
un portrait flatteur et propre à nous le rendre sympathique (cf. Tuckey
1951, p. 4 ; Chambry 1967, p. 270 ; Dusanic 2000, p. 53 ; Tuozzo 2000 ;
M. Untersteiner, *Les Sophistes*, tome 2, Paris, 1993, p. 170). Schmid
(1998, p. 174 n. 22 ; 2002, p. 238 n. 8) a tout à fait raison de s'étonner de
ce que l'on a pu ainsi croire que Platon présentait Critias sous un jour
favorable. Certes, Critias se comporte parfois comme un bon interlocuteur (cf. 165e-166a et n. 132), mais il est le plus souvent arrogant, suffisant et pédant (cf. surtout 163b-c, 164d-165b, 169c-e et les notes *ad loc.*).
Sur la représentation de Critias dans le *Charmide*, cf. aussi Tsouna 1997,
p. 64 n. 4, 66-69 ; Press 2002, p. 256-257.

4. Cf. 158c et 175e.

5. Cf. 157d.

trentaine d'années dont l'éducation est déjà achevée et dont on ne voit pas, pour cette raison, comment il pourrait acquérir la sagesse dont il est manifestement dépourvu, Charmide n'est encore qu'un jeune adolescent [1] auquel on ne saurait reprocher, en raison de son âge, de ne pas avoir la sagesse telle que la conçoit Socrate. Si l'on s'en tient au dialogue, rien n'est encore joué dans le cas de Charmide, alors qu'il est probablement déjà trop tard en ce qui concerne Critias. Charmide est sage selon les vœux de l'éthique traditionnelle, mais il ne l'est pas encore – et sans doute est-il de toute façon trop jeune pour l'être déjà – au sens où l'entend Socrate. La chance lui est offerte d'avoir accès à la sagesse socratique, pour peu qu'il se dégage de l'emprise de Critias et qu'il fréquente assidûment Socrate. Or la fin du dialogue semble suggérer, dans une conclusion qu'il faut probablement lire comme un texte prémonitoire, ou plutôt comme une prophétie *ex eventu* [2], que Charmide ne s'est jamais vraiment émancipé de la tutelle qu'exerce sur lui son autoritaire cousin. Bref, le dialogue, en ce qui concerne la sagesse de Charmide, est délibérément ambigu [3] : d'une part, Charmide est peint sous les traits d'un jeune homme modeste, plein de promesses et ardent à suivre l'enseignement de Socrate [4] ; d'autre part, comme il ne peut pas échapper à son destin qui est déjà scellé et qui est bien connu de tous les lecteurs de Platon, on pressent que Charmide, en dépit de sa bonne

1. Selon 154a-b et 156a, Charmide n'était encore qu'un enfant (*paîs*) lorsque Socrate a quitté Athènes pour remplir ses obligations militaires. Comme le siège de Potidée a duré trois ans (432-429), et que Charmide est dépeint comme un adolescent au retour de Socrate (154a-b), il ne peut donc être, à l'époque de l'entretien rapporté dans le *Charmide*, qu'un tout jeune adolescent, et non pas un jeune homme qui « a un peu plus de 20 ans » (Brisson 2000, p. 278). Cette impression est confirmée par 160a et 161d, où Socrate s'adresse à Charmide comme s'il assistait encore aux leçons du maître d'écriture et de lecture (cf. Méron 1979, p. 99 n. 74).

2. Cf. 176c-d et n 232. Tuckey (1951, p. 4) a tort d'affirmer que le dialogue ne renferme aucune allusion aux crimes que commettront Charmide et Critias.

3. Cf. Tsouna 1997, p. 64 n. 5.

4. Ces heureuses dispositions de Charmide, à l'endroit de la philosophie, expliquent sans doute pourquoi le dialogue s'intitule précisément *Charmide*, et non pas *Critias*. Les raisons qui président au choix du titre sont probablement les mêmes que pour le *Lysis* (cf. *infra*, p. 166).

volonté et de ses bonnes intentions, suivra la voie de Critias plutôt que celle de Socrate. *Troisièmement*, la progression même du dialogue semble confirmer l'hypothèse d'un traitement asymétrique réservé aux deux interlocuteurs de Socrate. Alors que Charmide gagne en sagesse au cours du dialogue [1], Critias ne fait aucun progrès sous ce rapport puisqu'il ne consent jamais à reconnaître qu'il ne sait pas en quoi consiste la sagesse [2]. Or si la sagesse consiste à reconnaître ce que l'on sait et ce que l'on ne sait pas (167a), celui qui s'entête à croire qu'il sait ce qu'est la sagesse, alors qu'on lui démontre à répétition qu'il ne le sait pas, s'interdit lui-même l'accès à cette vertu.

1.4 *Socrate*

Contrairement à Xénophon, qui n'hésite pas à prendre la parole pour attribuer à Socrate des qualités et des vertus, notamment la *sōphrosúnē* [3], Platon n'intervient jamais directement pour affirmer de Socrate qu'il possède telle ou telle vertu [4]. Cette discrétion peut aisément se comprendre dans la mesure où l'attribution à Socrate d'une vertu, quelle qu'elle soit, est rendue problématique en raison de sa déclaration d'ignorance et de sa conviction que la vertu est une forme de connaissance. Comme Socrate affirme qu'il ne sait pas en quoi consiste la sagesse (165b), il s'ensuit, du moins en principe, qu'il n'est pas sage, puisque la présence de la sagesse en lui devrait lui permettre de dire ce qu'elle est (159a). Est-ce à dire que Socrate n'est pas sincère lorsqu'il affirme qu'il ne sait pas en quoi consiste la sagesse ? De deux choses l'une : ou bien Socrate est sincère, mais alors il n'est pas sage, ce qui semble démenti par le portrait que Platon brosse de son maître ; ou bien il est sage, auquel cas sa déclaration

---

1. Cf. 176a et n. 228.
2. Cf. 176b et n. 229.
3. Cf. *Mém.* I 2, 1 ; I 2, 14 ; I 3, 5-14 ; I 5, 1 ; I 6, 8 ; III 14 ; IV 5, 9 et IV 8, 11.
4. Le passage de la *Lettre VII* (324e) où Platon affirme de Socrate qu'il fut « l'homme le plus juste de son temps » constitue à cet égard une exception.

d'ignorance est une feinte, ce que refusent d'admettre certains commentateurs [1]. Par ailleurs, si la reconnaissance de son ignorance est une forme de sagesse (167a), Socrate est sage alors même qu'il reconnaît qu'il ne sait pas en quoi la sagesse consiste ! En dépit de toutes les difficultés théoriques que soulève l'attribution à Socrate d'une vertu, on a peine à croire que Platon ne propose pas Socrate comme un modèle de sagesse [2], ni qu'il le présente ailleurs comme un modèle de piété (*Euthyphron*), de courage (*Lachès*), ou encore comme l'ami par excellence (*Lysis*). Qui plus est, Socrate incarne au moins deux sortes de sagesse, soit la maîtrise de soi à l'égard des plaisirs et des désirs corporels [3], et la connaissance de soi. Si la conception de la sagesse comme connaissance de soi, qui consiste à son tour en la reconnaissance de sa propre ignorance (167a), est une conception qui n'est pas désavouée par Platon dans le *Charmide* [4], Socrate apparaît comme le modèle de ce type de sagesse. Enfin, Socrate est le seul participant à la discussion qui comprenne le caractère architectonique de la sagesse et qui associe cette dimension à la connaissance du bien et du mal. Comme cette connaissance est indispensable à ceux qui assument des responsabilités politiques, et que Socrate affirme, dans le *Gorgias* (521d), qu'il est le seul véritable politicien, pour autant qu'il est le seul à se soucier de rendre ses concitoyens meilleurs plutôt que prospères, il s'ensuit que Socrate semble posséder la connaissance du bien et du mal et qu'il est, par conséquent, « sage » au sens platonicien du terme.

1. Cf. T. Irwin, *Plato's Moral Theory*, Oxford, 1979, p. 39-40 ; G. Vlastos, « Socrates'disavowal of Knowledge », *The Philosophical Quarterly*, 1985 (35) p. 1-31 (ici, p. 11).

2. Parce qu'il croit, à tort, que Socrate réfute la conception de la sagesse qu'il expose lui-même en 167a (cf. *infra*, p. 64-68), McKim (1985, p. 63-64) soutient que Socrate n'incarne pas la sagesse dans le *Charmide* (en sens contraire, cf. Tarrant 2000, p. 258).

3. Cf. 155d et n. 24. La maîtrise dont il témoigne, à l'endroit des charmes de Charmide, rappelle également celle qu'Alcibiade lui reproche d'avoir conservée à son égard (cf. *Banq.* 217a-219e). Lors du siège de Potidée, qui précède immédiatement l'entretien rapporté dans le *Charmide*, Socrate aurait fait preuve, selon le récit d'Alcibiade (cf. *Banq.* 219e-220d), d'une modération exemplaire.

4. Cf. *infra*, section 4.2.2.4.

Enfin, Socrate est non seulement sage, mais il est également celui qui permet aux autres de le devenir. Si la philosophie est le soin de l'âme, Socrate est précisément le médecin qui connaît le traitement propre à « assagir » l'âme. On aurait tort de considérer que le thème du médecin de l'âme [1] n'est qu'une simple métaphore : si la *sōphrosúnē*, conformément à l'une de ses significations les plus usuelles, est la santé de l'esprit, l'âme n'a pas moins besoin de son médecin que le corps du sien, et ce d'autant plus que la santé de l'âme est la condition de la santé du corps [2].

2. Le cadre spatio-temporel

2.1 *Le lieu*

Le cadre de la discussion entre Socrate, Charmide et Critias est la palestre de Tauréas. Le *Charmide* s'apparente ainsi à d'autres dialogues, dont le *Lysis*, l'*Euthydème* et peut-être le *Lachès*, qui se déroulent également dans des palestres. Nous savons par ailleurs que Socrate passait le plus clair de son temps dans les gymnases et les palestres [3], où il aimait à s'entretenir avec les jeunes gens qui venaient s'y exercer. En fait, le gymnase est aussi, en Grèce ancienne, un lieu d'éducation et de vie intellectuelle [4], ce qui en fait un cadre désigné pour des entretiens philosophiques qui traitent souvent d'éducation. Le choix de la palestre s'explique peut-être pour une autre raison, qui tient, paradoxalement, à l'importance que Socrate accorde à… l'âme. Il est en effet assez frappant de constater que dans ce lieu où l'on se préoccupe, avant tout, de l'exercice et du soin du corps, Socrate discute le plus souvent, avec des jeunes gens d'une grande beauté, du soin

---

1. Cf. 155e-157c, 158e.
2. Cf. 156e-157a. Voir aussi *Rép.* III 403d et 408e.
3. Cf. Xénophon, *Mém.* I 1, 10 ; Platon, *Euthyd.* 271a ; *Banq.* 223d ; *Lysis* 203a et *Euthyp.* 2a.
4. Cf. J. Delorme, *Gymnasion. Étude sur les monuments consacrés à l'éducation en Grèce*, Paris, 1960, en particulier chap. XI : « Le gymnase, institution intellectuelle », p. 316-336. Cf. aussi *Lysis* 204a et la n. 8.

que l'on doit accorder à l'âme [1]. Ce serait donc, paradoxalement, pour mieux faire ressortir la préséance de l'âme
que Socrate se plaît à fréquenter les gymnases, ces
« temples » du soin corporel.

2.2 Les dates

2.2.1 Date dramatique

La date dramatique du dialogue, c'est-à-dire la date à
laquelle est censée avoir eu lieu la discussion rapportée
dans le *Charmide*, peut être déterminée avec une assez
grande précision, puisque Socrate mentionne, tout au
début du dialogue, qu'il rentre de Potidée (153a et b). Or
nous savons que Potidée fut assiégée par les Athéniens de
432 à 429 ; comme la cité tomba finalement entre les
mains des Athéniens en 429, et que Socrate ne fait pas
mention de la victoire finale des Athéniens, le dialogue
doit donc se situer avant la fin du siège [2]. Platon n'étant
pas encore né à l'époque de l'entretien qu'il rapporte dans
le *Charmide*, il serait naïf de croire qu'il joue ici le rôle
d'un secrétaire fidèle qui rédige le procès-verbal d'un
entretien qui a réellement eu lieu [3]. La date dramatique n'a
pas été choisie au hasard et elle peut éclairer, jusqu'à un
certain point, les motivations apologétiques de Platon. Il
n'a pas échappé aux commentateurs que la date dramatique coïncide avec le début de la fameuse guerre du Péloponnèse (431-404), qui fut fatale non seulement à la puissance et à la grandeur d'Athènes, mais aussi aux trois
principaux personnages du dialogue. Le procès intenté à
Socrate en 399 est sans aucun doute une conséquence de la
défaite athénienne et il s'apparente, à bien des égards, à une
espèce de règlement de comptes ou d'« épuration ». La
mise en présence de Socrate, de Charmide et de Critias,
tout au début de la guerre du Péloponnèse, place d'emblée

---

1. Cf. 154e et n. 15.
2. Cf. 153b et n. 7. Nous ne savons rien, en revanche, de la date de nar-
ration, c'est-à-dire de la date à laquelle Socrate fait le récit de cet entretien entre Charmide, Critias et lui-même.
3. Sur le caractère fictif des dialogues socratiques (*logoi sokratikoi*),
cf. aussi Introduction au *Lysis*, p. 169.

le lecteur dans l'atmosphère de la fin de cette même guerre [1], puisque les deux interlocuteurs de Socrate furent deux des principaux dirigeants de la tyrannie sanglante qui s'instaura, avec le soutien des Spartiates vainqueurs, à la fin de la guerre. Autrement dit, la date dramatique et l'identité des interlocuteurs renvoient immédiatement le lecteur à la fin de la guerre du Péloponnèse, à la défaite d'Athènes, à la tyrannie des Trente, à la fin tragique de Charmide et de Critias et, finalement, au procès de Socrate, qui fut condamné à mort, entre autres raisons, pour avoir été le maître de Critias [2].

La date dramatique du *Charmide* est donc très rapprochée de la date de l'entretien rapporté dans l'*Alcibiade*, que l'on situe également autour de 432 [3]. Il ne s'agit peut-être que d'une coïncidence, mais il est néanmoins troublant de constater que Platon a choisi le contexte du début de la guerre du Péloponnèse pour situer deux entretiens au cours desquels Socrate s'entretient de la *sōphrosúnē* et de la connaissance de soi avec des disciples « maudits » auxquels on a reproché d'avoir trahi la cause d'Athènes pendant ou à la fin de cette guerre. Comment ne pas croire que ce « détail » de mise en scène est un indice, parmi d'autres, de la visée apologétique de ces deux dialogues ?

2.2.2 Date de composition

Au début de notre ère, le grammairien Thrasylle d'Alexandrie a classé les œuvres de Platon en neuf tétralogies [4]. Cette classification s'est vite imposée et elle est demeurée en vigueur jusqu'au XIXᵉ siècle, et même au-delà [5]. Cette classification n'avait cependant pas l'ambition d'établir la chronologie des œuvres de Platon, c'est-à-dire de déterminer la séquence temporelle de leur composition. Le *Charmide* appartient à la cinquième tétralogie,

1. Cf. Hazebroucq 1997, p. 79-80, 93.
2. Cf. Schmid 1998, p. 3.
3. Cf. J.-F. Pradeau, Introduction à l'*Alcibiade*, Paris, GF-Flammarion, 1999, p. 20.
4. Cf. Diogène Laërce III 57-61.
5. Au XXᵉ siècle, deux grandes éditions des œuvres de Platon ont conservé la classification tétralogique. Il s'agit de la *Loeb Classical Library* et de l'*Oxford Classical Texts*.

laquelle comprend, outre le *Charmide*, le *Lachès*, le *Lysis* et le *Théagès* [1].

De façon générale, on s'entend à reconnaître que le *Charmide* compte parmi les premiers dialogues de Platon. Peut-on avancer une date ? Le *Charmide* remonte sans doute à une période qui se situe entre 399 (mort de Socrate) et 388/387 (premier voyage de Platon en Sicile). Certains interprètes avancent des dates plus précises [2], mais elles demeurent toutes hypothétiques. En l'absence d'arguments vraiment convaincants en faveur d'une datation ou d'une autre, il paraît plus prudent de ne pas proposer une date trop précise.

3. Plan du dialogue

Avant d'entreprendre l'analyse des principales sections du dialogue, il est utile que le lecteur prenne connaissance du plan du *Charmide*.

I. Prologue (153a-158e)

II. Les définitions de Charmide (158e-162b)

    A. 1re définition : le calme (158e-160d)

    B. 2e définition : la pudeur (160d-161b)

    C. 3e définition : faire ses propres affaires (161b-162b)

III. Les définitions de Critias (162b-175a)

    A. Reprise de la 3e définition (162c-163d)

    B. 4e définition : faire le bien (163d-164d)

    C. 5e définition : la connaissance de soi (164d-166c)

    D. 6e définition : la science d'elle-même et des autres sciences (166c-175a)

IV. Conclusion (175a-176d) [3]

---

1. Ce dialogue est traditionnellement considéré « suspect », c'est-à-dire que son authenticité est douteuse.

2. Hazebroucq (1997, p. 79) situe la composition du *Charmide* entre 399 et 390 ; Kahn (1988, p. 541 n. 1), entre 386 et 380 ; Solère-Queval (1993, p. 4), vers 388 ; Dusanic (2000, p. 59), en 382, etc.

3. Le plan que nous proposons ne fera sans doute pas l'unanimité, car les commentateurs ne s'entendent même pas sur le nombre exact de définitions examinées par Socrate et ses interlocuteurs. Certains en comptent quatre (cf. Hazebroucq 1997, p. 203 n. 1), d'autres sept (cf. Santas 1973, p. 108) ou même huit (cf. Notomi 2000, p. 245-246). Sur le plan du *Charmide*, cf. aussi Van der Ben 1985, p. 4-8 ; Solère-Queval 1993, p. 9-10 ; Schmid 1998, p. 153-158.

4. Interprétation du dialogue

4.1 *Le prologue (153a-158e)*

Le prologue du *Charmide* est d'une grande richesse et il mériterait, à lui seul, un commentaire approfondi [1]. Ce serait une grave erreur de considérer que le prologue n'est qu'une exquise mise en scène dépourvue d'intérêt philosophique, car il contient déjà plusieurs indications essentielles sur la nature de la sagesse. Ainsi établit-il un lien entre la sagesse, l'âme et la dialectique. Si l'âme est le siège de la sagesse [2], toute tentative de rendre compte de la sagesse indépendamment de l'âme semble vouée à l'échec, ainsi que le démontre, d'une certaine façon, la suite du dialogue. Comme nous nous efforcerons de le mettre en lumière, la principale cause de l'échec de Critias à justifier ses définitions, qui sont formellement exactes, c'est son « oubli de l'âme », c'est-à-dire sa méconnaissance du fait que la sagesse ne peut se définir que par rapport à l'âme [3]. Un relevé des occurrences du terme *psukhế* (« âme ») est à cet égard extrêmement révélateur : sur les onze occurrences du terme, il y en a sept dans le prologue [4] et quatre dans la section consacrée aux tentatives de définition, dont une seule (175d), plus précisément, alors que Critias est le principal interlocuteur de Socrate. Charmide et Critias n'ont donc pas retenu la leçon énoncée dès le prologue : l'âme est le siège obligé de la sagesse [5], de sorte que toute tentative de définir celle-ci sans tenir compte de celle-là est promise à l'échec [6].

Un autre enseignement du prologue concerne le rôle déterminant de la dialectique dans la genèse de la sagesse. La sagesse ne peut se manifester dans l'âme qu'à la faveur d'une certaine altérité qui révèle l'âme à elle-même et qui

1. Sur le prologue, voir en particulier Coolidge 1993 ; Hazebroucq 1997, p. 75-150 ; Schmid 1998, p. 1-19 ; Brisson 2000 ; Murphy 2000.
2. Cf. 157a et n. 37.
3. Cf. 157d et n. 42.
4. Cf. 154e, 156e (bis), 157a (bis), 157b, 157c.
5. C'est la doctrine constante de Platon que la vertu réside dans l'âme (cf. *Gorg.* 504e ; *Ménon* 88c).
6. Cf. Hazebroucq 1997, p. 78-79 ; Waugh 2002, p. 287, 296-297.

la rend, par cette connaissance qu'elle acquiert d'elle-même, sage. Cette altérité indispensable à la connaissance de soi, c'est bien la dialectique, sous la forme de la réfutation (*élegkhos*), qui l'incarne [1]. Cette leçon du prologue sera à nouveau exposée par Socrate dans la suite du dialogue [2], sans, toutefois, que ses interlocuteurs saisissent la signification profonde de cette doctrine. Avant même que Socrate et ses interlocuteurs n'entreprennent de définir la *sōphrosúnē*, le prologue présente déjà celle-ci comme la santé de l'âme [3] et Socrate comme le médecin qui connaît le traitement approprié – l'*élegkhos* [4] – pour guérir et « assagir » l'âme.

4.2 *Les définitions (158e-175a)*

Les interlocuteurs du *Charmide* proposent six définitions distinctes de la sagesse ; or, assez curieusement, et ainsi que plusieurs commentateurs l'ont déjà souligné [5], aucune de ces définitions ne fait référence à la sagesse entendue comme *egkráteia*, c'est-à-dire comme « maîtrise de soi », notamment à l'égard des désirs et des plaisirs corporels. Cette absence est singulière non seulement parce qu'il s'agit là d'une conception commune et répandue de la *sōphrosúnē* [6] – et, à ce titre, elle mériterait d'être discutée –, et que Socrate était précisément réputé, selon le témoignage de Xénophon, pour être un modèle d'*egkráteia* [7], mais aussi, mais surtout parce que Platon, dans les dialogues postérieurs au *Charmide*, semble lui-

1. Cf. 157a et la n. 37.
2. Cf. 167a et *infra*, p. 60-64.
3. Cf. Waugh 2002, p. 289.
4. Cf. *Soph.* 230c-d, où Platon rapproche à nouveau l'*élegkhos* et la médecine.
5. Cf., entre autres, Friedländer 1964, p. 80 ; North 1966, p. 158 ; Santas 1973, p. 105 ; Hazebroucq 1997, p. 10.
6. Platon souligne souvent le caractère « populaire » de cette conception de la *sōphrosúnē* (cf. *Gorg.* 491d ; *Phédon* 68c ; *Rép.* II 364a, III 389d-e, IV 430d-e ; *Lois* IV 710a). Le simple rappel du caractère populaire de cette conception n'équivaut pas nécessairement à un rejet ou à un désaveu de cette même conception.
7. Cf. *Mém.* I 2, 1 ; I 2, 14 ; I 3, 5-14 ; I 5, 1 ; I 6, 8 ; III 14 ; IV 5, 9 ; IV 8, 11 ; *Apol.* 16.

même souscrire à cette conception de la *sōphrosúnē* [1]. Si
l'on considère que Socrate fut peut-être l'inventeur du
terme même d'*egkráteia* [2], on mesure à quel point est singulière l'absence de toute référence explicite, dans le
Charmide, à la sagesse entendue comme maîtrise de soi à
l'endroit des plaisirs corporels. La question se pose évidemment de savoir pour quelle raison Platon a choisi de
faire l'impasse sur cette conception, largement répandue,
de la *sōphrosúnē*. Il est assez difficile de trouver une
réponse satisfaisante à ce problème. Étant donné que la
sagesse entendue comme maîtrise de soi et maîtrise des
plaisirs serait une conception commune, voire vulgaire de
la *sōphrosúnē*, et que Charmide et Critias appartiennent à
l'aristocratie athénienne, il n'y a pas lieu de s'étonner,
selon certains commentateurs [3], de ce qu'ils ne proposent
pas, comme définition de la sagesse, cette acception populaire. Certes, les interlocuteurs de Socrate proposent habituellement des définitions qui correspondent à leurs
opinions et à leurs valeurs personnelles, mais rien n'empê-
chait, en l'occurrence, que Socrate examinât cette conception « populaire » en compagnie de deux aristocrates.
Dans le *Lysis*, par exemple, Socrate introduit et discute des
opinions qui ne sont ni les siennes ni celles de ses
interlocuteurs [4]. Il aurait pu faire de même dans le *Charmide*. Par ailleurs, même si la maîtrise de soi est une
conception populaire de la *sōphrosúnē*, les aristocrates
sont-ils pour autant dispensés de faire preuve de maîtrise à
l'égard des plaisirs ? Dans l'*Alcibiade*, Socrate rappelle à
son interlocuteur, qui est issu de l'aristocratie athénienne,
que la *sōphrosúnē* entendue comme maîtrise des plaisirs
est indispensable au futur dirigeant [5]. Plus fondamentale-

1. Cf. North 1966, p. 158 ; *Gorg.* 491d, 507a-d ; *Banq.* 196c ; *Rép.* III
389d, 402e-403a, IV 430e, 431b, d, IX 573b ; *Phèdre* 237e ; *Phil.* 12d,
45d ; *Lois* I 647d, II 673e, III 696b-c, IV 710a, V 733e-734d, VII 814e,
VIII 840a.
2. Selon W. Jaeger, *Paideia*, vol. II, New York, 1943, p. 54.
3. Cf. Witte 1970, p. 39.
4. Cf. 213e-214a, 215c-d.
5. Dans la « fable royale » (121a-124b), Socrate explique à Alcibiade
en quoi consiste l'éducation des futurs rois de la Perse. Les enfants sont
confiés à quatre pédagogues royaux qui incarnent chacun l'une des principales vertus (*sophía*, justice, *sōphrosúnē* et courage). Le plus savant

ment, le fait même que d'autres Socratiques, notamment Xénophon et les Cyniques, aient accordé un rôle prépondérant à l'*egkráteia*, au point même, dans le cas de Xénophon, d'en faire le fondement de la vertu [1], rend encore plus mystérieux, sinon incompréhensible, le silence de Platon sur cette acception de la *sōphrosúnē*. Car enfin, il ne s'agit pas, en l'occurrence, d'une simple acception vulgaire pour laquelle Platon n'aurait eu que du mépris, mais d'une conception dont certains Socratiques faisaient de Socrate le héraut ! Au reste, même s'il est vrai que Platon semble avoir éprouvé un certain mépris [2] pour cette compréhension de la *sōphrosúnē*, force est de constater que ce ne fut pas toujours sa position et qu'il s'est lui-même rallié à cette conception [3]. S'il est difficile, voire impossible, d'identifier avec certitude les raisons qui motivent l'absence de la conception qui assimile la *sōphrosúnē* à la maîtrise de soi [4], il est toutefois plus facile de mettre en lumière les raisons pour lesquelles Platon, à l'époque de la composition du *Charmide*, considère que l'*egkráteia* est inutile.

L'absence de l'*egkráteia* [5], dans les dialogues de jeunesse, est le corollaire de la thèse selon laquelle il n'y a pas d'*akrasía* [6]. L'*akrasía* est niée en raison de son incompatibilité avec la doctrine de la vertu-science ; en effet, si l'on admet la possibilité de l'*akrasía*, on reconnaît du même coup que le savoir, en quoi consiste la vertu d'après

---

enseigne ce qui se rapporte au métier de roi, alors que le plus modéré (*ho sōphronéstatos*, 122a) enseigne à l'enfant royal « à ne se laisser gouverner par aucun plaisir, afin qu'il s'habitue à être libre et vraiment roi, gouvernant d'abord à ses penchants intimes, plutôt que de s'en rendre esclave ».

1. Cf. *Mém.* I 5, 4.

2. Cf. *Phédon* (68e-69b), où Socrate traite la *sōphrosúnē*, entendue comme maîtrise des plaisirs, de vertu « réellement servile qui ne comporte rien de sain ni de vrai » (69b).

3. Cf. *supra*, p. 38 n. 1.

4. Mahoney (1996, p. 184) risque une explication qui demeure très hypothétique. Cf. aussi Hazebroucq 1997, p. 165-166.

5. Non seulement la maîtrise de soi n'est pas une condition d'acquisition de la vertu, mais elle n'apparaît pas dans les listes des principales vertus (justice, *sophía*, *sōphrosúnē*, courage et piété) et le terme même d'*egkráteia* est absent des dialogues de jeunesse.

6. Cf. *Prot.* 352b-d.

Socrate, n'est pas une condition suffisante pour assurer un comportement vertueux. Or si l'on soutient, comme Socrate, que la connaissance est une condition nécessaire et suffisante pour adopter une conduite vertueuse, on rejette non seulement l'*akrasía*, mais l'*egkráteia* également, en tant qu'elle est une disposition distincte de la vertu et du savoir, c'est-à-dire en tant qu'elle consiste en une maîtrise des passions qui permet à l'agent de demeurer fidèle à sa résolution d'agir en conformité avec sa connaissance du bien et de la vertu. En d'autres termes, l'*akrasía* et l'*egkráteia* sont solidaires et indissociables l'une de l'autre, ce sont l'envers et l'endroit d'une même position qui consiste à soutenir que le savoir n'est pas une condition suffisante pour être vertueux et qu'il faut, en plus du savoir, être en mesure de se contrôler soi-même. Aussi longtemps que Platon a nié la possibilité de l'*akrasía*, il a donc également rejeté l'*egkráteia*. Si la connaissance suffit à nous rendre vertueux, qu'avons-nous besoin en plus d'être maîtres de nous-mêmes ? S'il faut être maître de soi, en plus d'être savant [1], cela signifie que la connaissance ne suffit pas à rendre vertueux. De la dénégation de l'*akrasía* découle donc nécessairement l'inutilité de l'*egkráteia* : si l'*akrasía* est impossible lorsque le savoir est présent, l'*egkráteia* est superflue. Ce n'est sans doute pas un hasard si la réhabilitation de l'*egkráteia*, entendue comme maîtrise des plaisirs corporels, coïncide avec la reconnaissance de la possibilité de l'*akrasía*. À partir du moment où Platon, dans la *République*, développe une conception tripartite de l'âme, il reconnaît la possibilité de l'*akrasía* [2], puisque rien n'empêche que l'homme, dominé par les désirs qui logent dans la partie inférieure de l'âme, agisse à l'encontre de sa connaissance du bien [3]. Si le savoir ne suffit plus à garantir une conduite vertueuse, l'*egkráteia* retrouve sa raison d'être, qui est d'être une

---

1. Pour Platon, la maîtrise de soi n'est pas distincte du savoir, puisque c'est la *sophía* qui fait que l'on se domine soi-même (cf. *Prot.* 358c). Autrement dit, la maîtrise de soi n'est pas une disposition ou une capacité indépendante du savoir, puisqu'elle n'est en réalité qu'un simple *effet* du savoir.

2. Cf. *Rép.* IV 439e-440b.

3. Cf. G. Vlastos, *Socrate : ironie et philosophie morale* [1991], Paris, 1994, p. 145.

auxiliaire indispensable du savoir et de la raison [1]. Après avoir boudé l'*egkráteia* dans les dialogues de jeunesse, sous prétexte qu'elle était inutile et que le savoir suffisait, Platon finit par se réconcilier avec elle et par lui accorder une importance qui n'est pas sans rappeler celle que Xénophon, dont l'éthique est beaucoup moins intellectualiste que celle exposée dans les premiers dialogues de Platon, lui reconnaît déjà dans les *Mémorables*.

Cette interprétation des motifs pour lesquels Platon, à l'époque de la composition du *Charmide*, juge l'*egkráteia* inutile, voire absurde [2], permet d'expliquer qu'une définition de la *sōphrosúnē* en termes de « maîtrise de soi » ou « maîtrise des plaisirs » ne puisse pas être retenue, mais elle ne rend pas compte de l'absence même d'une telle définition. Cette absence demeure, à bien des égards, un mystère.

4.2.1 *Les définitions de Charmide (158e-162b)*

Charmide propose trois définitions de la sagesse, mais il n'y a que les deux premières dont il soit véritablement l'auteur, puisque la troisième (« faire ses propres affaires ») revient en réalité à Critias (cf. 162b-d). Aussi ne considérerons-nous, dans cette section, que les deux premières définitions. Avant de les examiner, il importe de rappeler que Charmide n'est qu'un adolescent [3]. Il ne faut donc pas s'étonner si ses opinions sur la nature de la sagesse correspondent à celles qu'un jeune adolescent se forge spontanément, en raison de son éducation et des conventions sociales.

La première définition – le calme – est illustrée par des comportements extérieurs : marcher dans la rue, s'entretenir avec quelqu'un, etc. La réfutation de cette définition laisse beaucoup à désirer [4], mais elle a néanmoins le mérite de contraindre Charmide à prendre en considéra-

---

1. Cf. *Rép.* IV 431a-b.
2. Cf. 168c-d et n. 154.
3. Cf. *supra*, p. 29 n. 1.
4. Cf., entre autres, 159c et la note 67. L'argumentation qui permet à Socrate de réfuter Charmide a été sévèrement jugée par les commentateurs (cf. Tuckey 1951, p. 19 ; Chambry 1967, p. 266-267 ; Santas 1973, p. 113-117 ; Hyland 1981, p. 57-62).

tion, en plus des comportements extérieurs et des activités corporelles (lutter, courir), les actes qui relèvent directement de l'âme (lire, écrire, apprendre).

La position de Platon sur la tranquillité (*hēsukhiótēs*) semble ambivalente si l'on prend en considération d'autres dialogues. Dans l'*Apologie*, Socrate reconnaît qu'il a été condamné parce qu'il n'a pas su se tenir tranquille [1] ni se mêler de ses propres affaires [2], alors qu'il affirme, dans la *République*, que le philosophe est précisément celui qui se tient tranquille (*hēsukhían ékhōn*) et qui se mêle de ses propres affaires (*tà hautoû práttōn*) [3] ! Si Platon, en fin de compte, est prêt à reconnaître la vertu et le bien-fondé de la tranquillité, c'est pour autant qu'il ne s'agit pas de la tranquillité imposée par les conventions sociales, mais plutôt de l'assurance tranquille que confèrent le savoir et l'harmonie entre les différentes parties de l'âme.

La deuxième définition comporte également une dimension sociale puisque la pudeur (*aidós*), ou la réserve, est un sentiment qui est étroitement lié à la vie en société. Dans le mythe de Protagoras [4], c'est l'un des deux éléments – l'autre étant le sens de la justice – que Zeus a envoyés aux hommes pour qu'ils puissent enfin cesser de s'entretuer et vivre ensemble. La deuxième définition marque néanmoins un certain progrès par rapport à la première ; en effet, alors que la première définition renvoie à des attitudes et à des comportements extérieurs (marcher dans la rue) qu'une personne pourrait adopter de façon purement mécanique, sans que ces comportements obéissent à une conviction intime, la deuxième définition désigne un sentiment intérieur qu'on peut difficilement simuler et qui est donc plus authentique que la tranquillité du comportement extérieur [5].

1. Cf. 36b et 37e-38a.
2. Cf. 31b-c.
3. Cf. VI 496d. Dans la *République*, la douceur est associée à la sagesse et elle est une qualité du naturel philosophe (cf. III 410d-411a ; VI 486b).
4. Cf. *Prot.* 322c-d.
5. Cf. Tuckey 1951, p. 19. On peut retrouver les deux premières définitions de Charmide dans cette description de la tempérance : « si la délicatesse morale (*pudor*), si la mesure (*modestia*), si la pudicité (*pudicitia*), si, pour tout dire d'un mot, la tempérance (*si uno verbo temperantia*) » (Cicéron, *De finibus*, II 22, 73, trad. Martha).

La deuxième définition est probablement celle qui se prêtait le mieux à une discussion de la sagesse conçue comme maîtrise de soi. Comme la pudeur est étroitement liée à la maîtrise des désirs et des plaisirs, elle est souvent associée à la *sōphrosúnē* et à l'*egkráteia*, notamment dans ce passage de la *Cyropédie* :

> En affichant sa modération (*sōphrosúnēn*), Cyrus obtenait mieux qu'elle fût l'objet d'un exercice général. Quand on voit en effet que fait preuve de modération (*sōphronoûnta*) celui qui, plus que quiconque, peut oublier la mesure, alors, de leur côté, les moins sûrs d'eux-mêmes évitent davantage de se montrer oublieux de la mesure. Il fondait sa distinction entre la honte (*aidṑ*) et la modération (*sōphrosúnēn*) sur l'idée que ceux qui ont honte (*aidouménous*) évitent peut-être de faire le mal apparent, tandis que les hommes modérés (*sṓphronas*) évitent le mal même caché. Il croyait encore qu'on exercerait la maîtrise de soi (*egkráteian*) surtout s'il affichait une conduite que les jouissances du moment ne détournaient jamais de la vertu, mais qui consentait des efforts préalables ouvrant la voie aux plaisirs dans l'honneur [1].

L'impuissance de Charmide à formuler une définition adéquate de la sagesse apporte la confirmation qu'il n'est pas sage, bien qu'il ait la réputation d'être le plus sage des jeunes de son âge (157d). En vertu du principe énoncé en 159a, la présence de la vertu dans l'âme produit un effet qui ne peut pas passer inaperçu, de sorte que celui qui possède une vertu est nécessairement en mesure, en raison même de cet effet, de formuler en quoi consiste la vertu qui réside en lui. Le mal de tête dont souffre Charmide est un indice de son manque de sagesse [2] ; son impuissance à définir la sagesse est une indication supplémentaire qu'il n'est pas réellement sage [3].

---

1. VIII 1, 30-32 ; trad. Delebecque modifiée. Cf. aussi 160e et n. 77.
2. Cf. 157a et n. 38.
3. Cf. Tuckey 1951, p. 19, 20, 22.

4.2.2 *Les définitions de Critias (162b-175a)*

Si l'on considère que la troisième définition proposée par
Charmide – « faire ses propres affaires » – est en fait
empruntée à Critias, ce dernier est donc responsable de quatre
des six définitions examinées dans le *Charmide*. On ne peut
manquer d'être frappé, à l'examen de ces définitions, de ce
que deux d'entre elles – la troisième et la cinquième – sont
présentées, dans d'autres dialogues, comme des formulations
adéquates de la sagesse [1]. De plus, la quatrième et la sixième
définition peuvent l'une et l'autre être comprises en un sens
que ne désavouerait pas Socrate. D'où l'inévitable question :
pourquoi Socrate les rejette-t-il dans le *Charmide* ? Doit-on
faire l'hypothèse que la pensée de Platon a évolué et qu'il a
finalement adopté, dans des dialogues plus tardifs, des définitions ou des formulations qui lui avaient paru inadéquates
dans le *Charmide* [2] ? Le principal défaut de cette hypothèse
est qu'elle ne tient pas compte d'une caractéristique essentielle de la dialectique socratique. Il faut se garder de conclure
précipitamment, de ce qu'une définition est en apparence
réfutée, rejetée ou abandonnée, que cette définition est intrinsèquement fausse. Une proposition soutenue par un interlocuteur de Socrate peut être réfutée non pas en raison de sa
fausseté, mais de la compréhension déficiente qu'en a celui
qui la propose et la défend – mal. Autrement dit, Socrate ne se
satisfait pas de ce que son interlocuteur lui soumet une
définition qui, dans sa formulation même, est correcte. Il faut
en outre, et même surtout, s'assurer que les raisons qui sous-
tendent cette définition sont bien comprises et parfaitement
maîtrisées par celui qui la formule. Car s'il suffisait, pour que
Socrate approuve une définition, que sa formulation soit en
apparence correcte, une simple connaissance par ouï-dire
serait d'emblée à l'abri de la réfutation, alors qu'elle serait
impuissante à se justifier et à rendre compte d'elle-même [3].

---

1. Pour les références, voir *infra*, p. 46 n. 3-4 et 54 n. 1.
2. Cf. Santas 1973, p. 109-110.
3. Dans le *Lachès* (194e-195a), Nicias donne du courage une définition
qu'il tient, de son propre aveu, de Socrate lui-même (cf. 194d). Or Socrate
réfute cette définition. Faut-il en conclure qu'il ne souscrit plus à la définition
qu'il a lui-même exposée dans le *Protagoras* (360c-d) ? Ne faut-il pas plutôt
considérer que la réfutation découle, non pas de la fausseté intrinsèque de la
définition, mais de la compréhension déficiente qu'en a Nicias ?

Aussi faut-il se garder de conclure, du simple fait qu'une définition est en apparence réfutée, qu'elle est également fausse
et que Platon ne peut y souscrire. En outre, si le *Charmide*
doit être lu dans une perspective apologétique, il n'y a pas
lieu de s'étonner de ce que les définitions de Critias, dont
certaines correspondent mot pour mot à des définitions
que Platon reprend à son compte dans d'autres dialogues,
soient repoussées par Socrate. En prêtant à Critias plusieurs définitions qui sont socratiques, mais qu'il est
impuissant à justifier parce qu'il n'en comprend pas la
signification profonde, Platon poursuit sa visée apologétique : d'une part il reconnaît – ce qu'il ne saurait nier –
que Critias fut lié à Socrate et qu'il a retenu des bribes de
son enseignement [1], mais, d'autre part, il montre surtout
que Critias n'avait qu'une connaissance superficielle de
l'enseignement de Socrate – puisqu'il est impuissant à
rendre compte [2] de définitions qui sont justes – et qu'il
n'était pas sage, puisqu'il ignore en quoi consiste la
sagesse et qu'il se montre impétueux dans le cours du dialogue. Or comme la sagesse est une vertu indispensable au
dirigeant politique, il s'ensuit que Critias n'était pas apte à
assumer des responsabilités politiques et que Socrate ne
peut être tenu responsable des crimes commis par son disciple, puisqu'il s'est efforcé de lui faire comprendre qu'il
n'était pas sage [3].

Les définitions avancées par Critias sont justes, mais
comme il ne comprend pas en quel sens elles sont vraies,
il est prêt à les laisser tomber dès la première difficulté que
Socrate soulève à leur sujet [4], de sorte qu'elles sont plutôt
abandonnées en cours d'examen que réfutées en bonne et

---

1. En plus des définitions qu'il propose et qui sont sans doute d'inspiration socratique, Critias avance parfois, sans non plus les comprendre,
des positions qui sont probablement empruntées à Socrate (cf. 163c-d,
173d, 174b et n. 109, 198 et 206).

2. De ce point de vue, Critias n'est pas un bon dialecticien, puisque la
compétence dialectique consiste, pour le questionneur, à s'emparer d'un
argument (*lógon lambánein*) pour le mettre à l'épreuve (cf. *Ménon* 75d ;
Rép. I 337e) et, pour le répondant, à rendre raison (*dídonai lógon* ou
hupékhein lógon) de la position qu'il défend (cf. 162c7, 165b3 ; *Prot.*
336c-d, 338d, 341d ; *Lachès* 187c, e ; *Crat.* 390c ; *Phédon* 76b, 95d,
101d ; *Rép.* VII 533c).

3. Cf. Schmid 1998, p. 13.

4. Cf. surtout 164c-d, 165b et 166b-c.

due forme. Si le propre du savoir et de la philosophie est
de toujours dire la même chose sur les mêmes sujets [1],
l'inconstance de Critias, qui ressemble à une véritable
girouette [2], est le signe probant de son ignorance ; et
comme il ne reconnaît jamais son ignorance en ce qui a
trait à la nature de la sagesse, bien qu'il passe allègrement
d'une opinion à l'autre, il s'ensuit qu'il n'est pas non plus
sage.

4.2.2.1 Troisième définition : « faire ses propres affaires » (161b-163d)

Cette nouvelle définition peut difficilement être balayée
du revers de la main dans la mesure où c'est en ces termes
que Platon, dans d'autres dialogues, définit la justice [3] et la
sagesse [4]. En outre, c'est également à cette expression que
Platon a recours pour caractériser la vie que mène le
philosophe [5] ou encore celle de la divinité [6]. Ce qui est
rejeté, dans le *Charmide*, ce n'est pas que la sagesse
consiste à faire ses propres affaires, mais la justification
que Critias donne à l'appui de cette définition [7]. Cette justification se situe, pour l'essentiel, dans le passage 163b-c,
où Critias s'efforce d'expliquer, dans un exposé dont le
caractère obscur et alambiqué trahit son incompréhension,
ce qu'il entend par « faire ses propres affaires ». Comme
la dimension apologétique de ce passage a échappé à la
très grande majorité des interprètes du *Charmide*, il nous
paraît nécessaire d'en proposer une analyse approfondie.

1. Cf. *Alc.* 117a ; *Hipp. min.* 372d-e, 376c ; *Gorg.* 482a, 490e, 527d-e ;
Banq. 221e ; *Timée* 40b.
2. Cf. Santas 1973, p. 107-108 ; Tsouna 1997, p. 64 n. 4.
3. Cf. *Alc.* 127c ; *Rép.* IV 433a-b, d, 434c, 435b, 441d-e, 443b, 443d ;
IX 586e. Que la même formule – « faire ses propres affaires » – puisse
définir aussi bien la justice que la *sōphrosúnē* est à rapprocher du fait que
ces deux vertus sont très étroitement liées entre elles (cf. *Alc.* 134d ;
Lach. 198a ; *Gorg.* 478d, 492c, 504d, 507d, 508a, b, 519a ; *Ménon* 73a,
b ; *Banq.* 196c, 209a ; *Rép.* II 364a, VI 490c, 500d, IX 591b ; *Lois* III
696c, etc.).
4. Cf. *Alc.* 131b-c ; *Timée* 72a.
5. Cf. *Gorg.* 526c ; *Rép.* VI 496d.
6. Cf. *Phèdre* 247a.
7. Cf. Solère-Queval 1993, p. 18, 63-64.

Rappelons le contexte : Critias soutient qu'il est possible, pour celui qui fabrique les choses d'autrui, de faire ses propres affaires. Autrement dit, on peut faire ses propres affaires quand bien même on fabrique les affaires d'autrui. À Socrate qui lui demande s'il établit une distinction entre « faire » (*práttein*) et « fabriquer » (*poieîn*), Critias ne se contente pas de répondre « oui » et, tombant inutilement dans la surenchère [1], il répond qu'il distingue également « travailler » de « faire » et « fabriquer ». Il se lance alors dans un exposé tortueux où il s'efforce péniblement de distinguer les sens des termes suivants : *ergázesthai* (« travailler »), *ergasía* (« travail »), *érgon* (« travail »), *poieîn* (« fabriquer »), *poíēsis* (« fabrication »), *poíēma* (« objet fabriqué »), *práttein* (« faire ») et, enfin, *prâxis* (« action »). Alors que Socrate lui demande quelle est la distinction qu'il établit entre deux termes, Critias multiplie les distinctions entre huit termes ! Il résulte de son exposé, passablement confus [2] et incohérent [3], que la *poíēsis* est tantôt belle, tantôt laide. La belle *poíēsis* se nomme *érgon*, ou encore *prâxis* et *ergasía*. Mais en quoi la belle *poíēsis* se distingue-t-elle de la laide ? Il appert que le critère discriminant n'est rien d'autre qu'un préjugé d'aristocrate [4]. Critias mentionne, comme exemples de laides *poíēseis*, le travail du cuir, le commerce du poisson et la prostitution. Ces métiers sont à coup sûr jugés infamants par un aristocrate tel que Critias, mais cette liste restreinte d'occupations ne fournit pas un critère du beau, si bien que la distinction entre belle et laide *poíēsis* demeure arbitraire et à la merci de préjugés sociaux. De plus, si la sagesse permet de faire de belles choses, comme Critias le soutient (163c), mais que par ailleurs la cordonnerie, la vente de poissons et la prostitution ne sont pas de belles activités, il s'ensuit que plusieurs catégories d'artisans et de travailleurs ne peuvent pas être modérés, et qu'ils se voient donc interdits d'accès à cette vertu fondamentale qu'est la *sōphrosúnē*. Or Socrate, dans la *Répu-*

---

1. Cette surenchère préfigure la fuite en avant de 166c.
2. Cf. 163d-e et n. 115 et 117.
3. Cf. notamment 163c et n. 108.
4. Cf. aussi Tuckey 1951, p. 16, 21, 96 et 104 ; Hyland 1981, p. 84-85 ; Hazebroucq 1997, p. 216, 224 n. 2.

blique (IV 431e-432a), soutient au contraire que tous les citoyens de la cité, y compris les artisans, ont accès à la *sōphrosúnē* et doivent la pratiquer. C'est donc une conception aristocratique et élitiste de la *sōphrosúnē* que défend Critias.

Au début de son exposé sur les distinctions qu'il établit entre « faire », « produire » et « travailler », Critias cite un vers d'Hésiode, tiré des *Travaux et les Jours* (311) : « aucun travail ne mérite la honte, mais l'oisiveté est honteuse ». En fait, Critias ne cite que la première moitié de ce vers, ce qui lui permet, comme nous le verrons sous peu, de refuser à certains métiers l'honorabilité du travail. Ce vers d'Hésiode inscrit d'emblée l'exégèse qu'en fait Critias dans un contexte apologétique [1]. Nous savons en effet que le sophiste Polycrate, auteur d'un pamphlet intitulé *Accusation de Socrate* [2], avait reproché à Socrate l'exégèse qu'il faisait de ce vers. Suivant Polycrate, Socrate l'aurait interprété dans une perspective hostile à la démocratie : comme aucun travail ne mérite la honte, et que seule l'oisiveté est honteuse, toute entreprise visant à renverser la démocratie ne saurait encourir le blâme. Xénophon, qui rapporte cette accusation de Polycrate, ne conteste pas que Socrate se plaisait à citer et à commenter ce vers [3] ; ce qu'il conteste, c'est l'interprétation que Socrate, au dire de Polycrate, en aurait donnée [4]. Comme on le voit, ce vers d'Hésiode était l'objet d'une vive polémique qui opposait les disciples de Socrate à ses adversaires. Pour défendre Socrate contre l'accusation d'avoir interprété ce vers dans un sens hostile à la démocratie, Xénophon et Platon ont recours à des stratégies apologétiques très différentes.

1. Ce vers est également cité par Libanius (IVᵉ siècle apr. J.-C.) dans son *Apologie de Socrate* (§86).
2. Cf. Isocrate, *Busiris* [XI] 1-4. On situe habituellement vers 393 la date de publication de l'*Accusation de Socrate* de Polycrate.
3. Cf. *Mém.* I 2, 56-57.
4. Contrairement à ce que soutiennent plusieurs commentateurs (cf. Sprague 1973, p. 73 n. 38 ; Hazebroucq 1997, p. 217), et à ce que nous avons nous-même soutenu ailleurs (cf. Xénophon : *Mémorables*, tome I : *Introduction et Livre I*, Paris, Les Belles Lettres, 2000, p. 24 n. 170), l'interprétation que Xénophon prête à Socrate n'est pas identique à celle développée par Critias. Le cadre de cette Introduction ne se prête pas à une analyse détaillée des différences entre ces deux interprétations du vers des *Travaux*.

Alors que Xénophon choisit de présenter l'interprétation inoffensive que Socrate aurait donnée de ce vers – reconnaissant par le fait même que Socrate affectionnait ce passage des *Travaux* –, Platon choisit plutôt de le placer dans la bouche de Critias et de lui en prêter une interprétation qui est nettement hostile à la démocratie. Ce n'est donc pas Socrate qui mésinterprétait ce vers d'Hésiode, mais Critias, de sorte que le lecteur du *Charmide* a l'impression que la responsabilité et l'initiative de la mésinterprétation du vers 311 des *Travaux* incombent à Critias seul. Car il ne fait aucun doute que l'interprétation de Critias est antidémocratique ; en effet, alors qu'Hésiode écrit : « Aucun travail (*érgon*) ne mérite la honte, mais l'oisiveté seule est honteuse », auquel cas tous les métiers sont honorables, y compris les plus humbles comme la cordonnerie et la vente de poissons, Critias ne cite, de façon significative, que la première moitié du vers, dont il fournit une interprétation qui est d'emblée démentie par la moitié du vers qu'il passe sous silence. S'il n'y a que les belles *poiḗseis* qui aient droit à la qualité d'*érgon*, alors que la cordonnerie et la vente de poissons ne sont pas – l'on ne sait trop pourquoi – de belles *poiḗseis*, il résulte que plusieurs métiers ne sont pas honorables, ce qui est tout à fait contraire à l'intention d'Hésiode, qui est de fustiger l'idéal aristocratique d'oisiveté [1]. Chose certaine, on aurait tort de ne pas tenir compte, pour l'interprétation de ce vers d'Hésiode, du contexte de la défense de Socrate [2].

Socrate se montre assez indifférent [3] aux distinctions sémantiques laborieuses et embrouillées que lui soumet Critias, sans doute parce que celui-ci se préoccupe exclusivement du « faire » et néglige ainsi d'éclaircir ce qu'il faut entendre par « ses propres affaires ». L'exposé de Critias, concernant les « choses qui sont nôtres », trahit une fois de plus une mécompréhension de la doctrine socratique [4]. Pour Critias, ce qui nous est propre (*oikeîon*) n'est

---

1. Plusieurs commentateurs sont d'avis que Critias mésinterprète le vers d'Hésiode (cf. Taylor 1929, p. 52 ; Tuckey 1951, p. 20-21 ; Robin 1950, p. 266 n. 2 ; Schmid 1998, p. 33-34).
2. Cf. Witte 1970, p. 81-82.
3. Cf. 163d.
4. Cf. 163c-d et n. 109.

rien de plus, en définitive, qu'une belle action dont la beauté est sujette à l'arbitraire des préjugés sociaux ; pour Socrate, en revanche, ce qui nous est propre (*oikeîon*) est directement lié au bien et à l'âme [1], soit deux éléments que l'on chercherait en vain dans l'exposé de Critias. Pour déterminer ce qui nous est propre (*tà heautoû*), il faut au préalable déterminer en quoi consiste le « soi » (*heautó*). Sur ce point, il n'y a aucun doute possible : le soi, pour Socrate, n'est rien d'autre que l'âme [2], de sorte que s'occuper de ses propres affaires, c'est se préoccuper de tout ce qui se rapporte à l'âme [3]. L'*Apologie* apporte ici un éclairage précieux. De son propre aveu, Socrate se mêle des affaires de tout le monde [4] en exhortant sans cesse ses concitoyens à se préoccuper davantage de leur âme, et des moyens de la rendre la meilleure possible, que de leur corps et de leur fortune (30a-b). Incapable de se tenir tranquille [5], Socrate aborde sans relâche ses concitoyens pour les interroger sur la vertu et pour leur démontrer, à chacun, qu'ils ne connaissent pas ce qu'ils s'imaginent connaître. Véritable trouble-fête, Socrate, qui se compare lui-même à un taon attaché à la ville (30e), ne sait pas se tenir tranquille et il reconnaît lui-même qu'il a négligé ses propres affaires [6]. Or Socrate affirme qu'en réfutant ses concitoyens, il ne fait pas autre chose qu'obéir au dieu et s'occuper de ses propres affaires (*tà emautoû práttontos*,

1. Cf., outre 163d, *Lysis* 221e-222e.
2. Cf. *Alc.* 129b-131a. Cette lecture traditionnelle de l'*Alcibiade* a été récemment contestée par J. Brunschwig (« La déconstruction du "Connais-toi toi-même" dans l'*Alcibiade majeur* », *Recherches sur la philosophie et le langage*, n° 18, 1996, p. 61-84). Sur le bien-fondé d'un rapprochement entre le *Charmide* et l'*Alcibiade* en ce qui a trait à l'identification du soi à l'âme, cf. *infra*, p. 57.
3. Cf. Hazebroucq 1997, p. 192.
4. Pour désigner cet « affairisme » de Socrate, Platon emploie le verbe *polupragmoneîn* (31c), qui exprime habituellement l'attitude opposée à celle qui consiste à s'occuper de ses propres affaires (cf. aussi *infra*, 161d et n. 92). Socrate affirme également, alors qu'il s'adresse à ses concitoyens, qu'il n'a rien fait d'autre que s'« occuper en permanence de vous (*tò dè huméteron prátten aeí*), en jouant auprès de chacun de vous en particulier le rôle d'un père ou d'un frère plus âgé, dans le but de le convaincre d'avoir souci de la vertu » (31b, trad. Brisson).
5. Cf. *Apol.* 36b, 37e-38a.
6. Cf. *Apol.* 23b, 31b et 36b.

33a). Y a-t-il donc contradiction dans le texte de l'*Apologie* ? En réalité, la contradiction n'est qu'apparente puisque ce n'est pas dans le même sens que Socrate admet qu'il s'est mêlé des affaires de tout le monde et qu'il déclare, par ailleurs, qu'il s'est appliqué à faire ses propres affaires. Si l'on considère, comme Socrate, que le soi est l'âme, et que « nos propres affaires » désignent tout ce qui se rapporte à l'âme, notamment les moyens de la rendre meilleure, Socrate n'a pas fait autre chose que de s'occuper de ses propres affaires en veillant à ce que ses concitoyens se soucient davantage de leur âme et de la vertu que de leur corps et des richesses[1]. Présente dès l'*Apologie*, cette compréhension de l'expression « faire ses propres affaires » se trouve également dans l'*Alcibiade* (131b-c) et dans la *République* (IV 443d-e). La sagesse consiste donc bien à s'occuper de ses propres affaires, pourvu que l'on entende, par « ses propres affaires », non pas des biens extérieurs ou des biens du corps, ni des produits ou des œuvres qui satisferaient au canon, arbitraire, de la beauté aristocratique, mais l'âme et le soin constant qu'elle exige. Ce n'est pas la seule occasion où il faut mettre au compte d'un « oubli de l'âme » l'impuissance de Critias à rendre raison d'une définition (formellement) correcte.

4.2.2.2 *Quatrième définition : faire le bien (163d-164d)*

La quatrième définition peut être comprise comme une reformulation de la troisième définition[2], laquelle n'a pas été réfutée, mais plutôt délaissée. Si la sagesse consiste à faire ses propres affaires, et que ce qui est nôtre, suivant Critias, est l'activité qui produit une belle chose, il s'ensuit, en raison de l'identité du beau et du bien[3], que la sagesse fait le bien.

---

1. Cf. Mahoney 1996, p. 187-188. Cf. aussi Épictète, *Entretiens*, III 22, 97 : « Car ce ne sont pas les affaires des autres dont il se mêle (*tà allótria polupragmoneî*) quand il inspecte les choses humaines, mais les siennes propres (*tà ídia*) » (trad. Souilhé-Jagu).

2. D'aucuns considèrent même que la quatrième définition est en fait la bonne interprétation de la troisième définition (cf. Friedländer 1964, p. 72 et Mahoney 1996, p. 185).

3. Cf. 163d et n. 111.

Mais de quelle nature est le bien produit ? Le bien auquel songe Socrate n'est pas assimilable au résultat ou à l'œuvre (*érgon*) que produit un savoir de type technique. Par exemple, le médecin qui applique les règles de l'art médical produit un effet (*érgon*), à savoir la santé et la guérison du malade. Au regard de la définition précédente et des distinctions sémantiques exposées par Critias, la médecine apparaît comme une belle *poíēsis* et la santé comme un résultat (*érgon*) utile. Le médecin serait sage selon les critères de Critias, puisqu'il se livre à une activité utile qui produit le bien et, partant, il fait preuve de sagesse. C'est du moins la conclusion qui semble s'imposer si l'on considère que la santé est un bien ; or Socrate ne tient pas la santé pour un bien [1]. En outre, il peut arriver que le médecin apporte la guérison à un malade dont il aurait mieux valu, pour lui-même, qu'il ne guérît pas de son mal [2]. D'où l'objection que Socrate adresse à Critias : si le médecin qui guérit un malade ne sait pas si cette guérison est en réalité utile, et que l'homme sage est celui qui s'adonne à une activité qui engendre le bien, il s'ensuit que le médecin qui guérit utilement, mais sans le savoir, ignore qu'il est sage (164b-c). Or en vertu du principe énoncé en 159a, il est impossible qu'un homme soit sage à son insu.

L'exemple de la médecine vise donc à montrer, ou plutôt à suggérer, que le savoir moral, en quoi consiste la sagesse, n'est pas de même nature que le savoir technique, ici représenté par la médecine. La médecine sait produire un *érgon*, la santé, qui est en apparence une bonne chose, de sorte que la médecine illustrerait la définition de Critias : une activité qui fait le bien. Mais le médecin ne sait pas, en tant que médecin, s'il ne vaut pas mieux, dans certains cas et pour certaines personnes, s'abstenir de favoriser le retour à la santé, car la santé serait alors un mal. Le médecin ne sait donc pas pour quel patient ni dans quelles circonstances l'*érgon* qu'il sait produire est bon ou mauvais. Cette connaissance du bien et du mal surplombe le savoir technique qui ne sait pas déterminer avec assurance si l'*érgon* qu'il produit est réellement un bien.

1. Cf. *Lysis* 218e et n. 148.
2. Cf. *Lachès* 195c-d et *Gorg.* 511e-512a.

La quatrième définition n'est pas réfutée [1], mais plutôt abandonnée en raison de l'impuissance de Critias à la justifier. Critias confond la finalité technique d'un savoir (la santé pour la médecine) et le bien auquel doit se subordonner ce savoir technique. Comme Critias est visiblement ignorant de la distinction entre les deux, et que son concept de beauté repose sur des préjugés aristocratiques, il regardera comme bonnes des activités dont il est impuissant à justifier la « bonté ». Cette confusion qui règne dans l'esprit de Critias ne suffit cependant pas à invalider la définition à l'étude : faire le bien. Comme la sagesse est une bonne chose et que c'est par elle que les hommes sont bons [2], il serait étonnant que la sagesse ne consiste pas à faire le bien. Tout le problème est de déterminer en quoi consiste ce bien [3], ce que Critias n'est manifestement pas en mesure de faire. À ce stade de la discussion, la définition à l'étude semble donc prématurée, pour autant qu'elle est suspendue à une question préalable, celle de la nature du bien [4].

4.2.2.3 Cinquième définition : la connaissance de soi (164d-166c)

La discussion entourant la quatrième définition a montré qu'un homme pourrait faire le bien tout en ignorant qu'il est sage, de sorte qu'il ne se connaîtrait pas lui-même. C'est là une conséquence que Critias se refuse d'admettre, car il considère que la sagesse peut justement se définir comme la connaissance de soi. Après avoir proposé deux définitions qui présentent la sagesse comme une pratique extérieure – faire ses propres affaires et faire le bien –, Critias définit maintenant la sagesse en termes de connaissance. Les premières définitions de Critias effectuent ainsi, entre extériorité et intériorité, le même passage que nous avons déjà relevé entre la première et la deuxième définition de Charmide [5]. Ce va-et-vient entre

---

1. Cf. Tuckey 1951, p. 87.
2. Cf. 160e-161a.
3. Cf. Tuckey 1951, p. 25.
4. Cf. Kahn 1996, p. 110.
5. Cf. Tuckey 1951, p. 24 ; Solère-Queval 1993, p. 62.

l'extérieur et l'intérieur, entre l'action et l'âme, vise sans doute à rappeler que l'action doit toujours être reconduite à son principe, à savoir la pensée, et que celle-ci, à son tour, ne doit pas se replier sur elle-même et qu'elle doit inspirer des actions vertueuses. D'où, peut-être, le rejet de la deuxième définition de Charmide : la pudeur relève certes de l'âme, mais elle n'est pas une connaissance.

La définition de la sagesse en termes de connaissance de soi est familière aux lecteurs de Platon, puisqu'on la retrouve dans plusieurs dialogues [1]. De plus, et cet aspect de la question n'a pas reçu de la part des commentateurs toute l'attention qu'il mérite, l'assimilation de la sagesse à la connaissance de soi nous situe d'emblée dans un contexte apologétique. Le *Charmide* doit en effet être rapproché d'autres textes où Socrate présente la connaissance de soi comme la condition indispensable de toute responsabilité politique.

Dans l'*Alcibiade*, Socrate cherche à dissuader Alcibiade, qui est à peine âgé de vingt ans, de se lancer sans préparation dans la carrière politique. Pour le convaincre que cet engagement serait prématuré, et sans doute funeste à lui-même et à la cité, Socrate lui démontre que non seulement il ignore des choses élémentaires, notamment le juste et l'identité du juste et de l'utile, mais aussi qu'il ne se connaît pas lui-même. Or la connaissance de soi est étroitement liée à la sagesse et à la connaissance du bien et du mal (133c), de sorte que le dirigeant qui ne se connaît pas lui-même court le risque, en se lançant dans une entreprise dont il s'imagine qu'elle est bonne, que cette politique s'avère désastreuse pour la cité et pour lui-même. La connaissance de soi apparaît ainsi comme la condition *sine qua non* de tout engagement politique. La dimension apologétique de l'*Alcibiade* ne fait aucun doute, pour peu qu'on se rappelle que Socrate a été accusé d'avoir été le maître d'Alcibiade [2], dont la politique, en particulier l'expédition de Sicile, a été funeste à Athènes ; or la mise

1. Cf. *Alc.* 131b, 133c ; *Timée* 72a ; *Philèbe* 19c ; [Platon], *Rivaux* 138a. Le lien entre la connaissance de soi et la *sōphrosúnē* apparaît déjà dans ce fragment d'Héraclite : « Il est donné à tous les hommes de se connaître eux-mêmes et d'être sages (*sōphroneîn*) » (DK B 116).
2. Cf. Xénophon, *Mém.* I 2, 12.

en scène imaginée par Platon a pour effet de montrer que Socrate, lors de sa toute première conversation avec Alcibiade (103a-b), a en fait cherché à le dissuader de faire de la politique sous prétexte qu'il ne se connaissait pas lui-même. Étant donné que l'on a également reproché à Socrate d'avoir été le maître de Critias, et que ce dernier, dans le *Charmide*, est incapable de définir en quoi consiste la connaissance de soi, il en découle que Critias n'est pas plus apte qu'Alcibiade à assumer des responsabilités politiques.

Le lien entre la connaissance de soi et l'aptitude à gouverner est également présent dans les *Mémorables* de Xénophon. Lorsqu'il s'entretient avec le jeune Euthydème, qui est impatient de sauter dans l'arène politique, Socrate lui démontre qu'il ne se connaît pas lui-même dans la mesure où il ne connaît pas encore ses capacités et ses aptitudes [1]. Or celui qui aspire à occuper les plus hautes magistratures, sans être parvenu à la connaissance de soi, risque de causer la ruine de la cité [2]. En III 7, alors qu'il s'entretient avec Charmide – celui-là même que Platon met en scène dans le dialogue du même nom –, la connaissance de soi apparaît une fois de plus comme un réquisit de la carrière politique. Conformément au scénario bien connu, Socrate s'applique à montrer à son interlocuteur (Charmide) qu'il ne se connaît pas lui-même. Toutefois, contrairement à ce qui est le cas avec les autres jeunes gens (Alcibiade, Euthydème, Glaucon [3]) auxquels Socrate démontre qu'ils sont ignorants de leur ignorance ou de leurs lacunes, Socrate s'évertue plutôt, dans le cas de Charmide, à lui démontrer qu'il méconnaît son savoir et

---

1. Cf. IV 2. La conception de la connaissance de soi, dans les *Mémorables*, diffère à plusieurs égards de celle qui est exposée dans l'*Alcibiade* et le *Charmide*, mais cela importe peu pour notre propos. Il nous suffit de souligner le lien étroit que Platon et Xénophon établissent, de façon répétée, entre le thème de la connaissance de soi et les conditions de l'engagement politique.

2. Cf. *Mém.* IV 2, 24-29.

3. En *Mém.* III 6, Socrate s'applique à dissuader le jeune Glaucon, le frère de Platon, de briguer les plus hautes magistratures. Socrate finit par lui faire reconnaître qu'il n'a pas encore les connaissances requises, ce qui, dans la perspective de Xénophon, trahit une absence de connaissance de soi.

ses capacités, de sorte qu'il est d'emblée prêt, une fois qu'il a pris conscience de ses aptitudes grâce à Socrate, à embrasser la carrière politique. Loin de freiner les ambitions politiques de Charmide, comme il invite Alcibiade, Euthydème et Glaucon à réfréner les leurs, Socrate l'exhorte au contraire à embrasser sans plus tarder la carrière politique. Dans tous ces cas, Socrate joue le rôle d'un véritable catalyseur, c'est-à-dire qu'il est celui qui révèle les individus à eux-mêmes : face à des interlocuteurs qui se méconnaissent eux-mêmes, il intervient pour leur révéler tantôt leur ignorance ou leur incompétence (Alcibiade, Euthydème, Glaucon), tantôt leurs aptitudes (Charmide).

Il apparaît évident, à la lumière de tous ces textes, que le *Charmide* s'inscrit dans le même contexte apologétique. Loin d'avoir été un corrupteur de la jeunesse et un maître funeste qui flattait les ambitions politiques de jeunes ambitieux qui ne détenaient pas encore les compétences ou les aptitudes nécessaires pour occuper les plus hautes magistratures, Socrate a au contraire insisté sans relâche, auprès de tous ces jeunes, pour qu'ils se connaissent eux-mêmes. Qu'on l'assimile, comme Platon, à une connaissance de l'âme qui débouche elle-même sur la connaissance du bien et du mal, ou qu'on la comprenne plus prosaïquement, à l'exemple de Xénophon, comme la simple reconnaissance de ses propres capacités techniques, la connaissance de soi apparaît toujours, aux yeux de Socrate, comme la condition préalable à l'engagement politique.

En définissant la sagesse en termes de connaissance de soi, Critias propose à nouveau une définition qui est (formellement) exacte. Si cette définition est finalement abandonnée en cours d'examen, plutôt que rejetée au terme d'une réfutation en bonne et due forme, c'est en raison de l'incapacité de Critias à justifier en quel sens la sagesse consiste en la connaissance de soi. L'incompréhension de Critias, relativement à la connaissance de soi, se manifeste surtout en deux passages. Le premier est celui où il expose une interprétation pédante et triviale de la maxime delphique « connais-toi toi-même [1] ». Mais son incompré-

---

1. Cf. 164d-165a et n. 126.

hension est encore plus flagrante dans un second passage (165c-166c), où il se montre incapable de déterminer, en réponse à une question que lui pose Socrate avec insistance, quel est l'objet précis de la sagesse entendue comme connaissance de soi. Si la sagesse est une connaissance, et que toute connaissance est connaissance d'un objet distinct d'elle-même, elle doit elle aussi porter sur un certain objet. Or si la sagesse est connaissance de soi, son objet semble correspondre au « soi », c'est-à-dire à l'âme. Voilà la réponse que l'on attend en vain de Critias. De même qu'il s'est montré incapable, lors de la discussion sur le sens de l'expression « faire ses propres affaires », de déterminer en quel sens il faut comprendre « ses propres affaires » (*tà heautoû*), de même il ne parvient pas, dans la discussion sur la connaissance de soi, à déterminer en quoi consiste le « soi » (*heautó*). Critias a décidément bien du mal à identifier le « soi ». On pourrait nous objecter que cette interprétation suppose un détour par l'*Alcibiade*, où le soi est clairement identifié à l'âme (129b-131a), alors que cette identification n'est pas explicite dans le *Charmide*. Or si on lit bien le prologue du *Charmide*, on y trouve un lien très étroit non seulement entre la sagesse et l'âme, mais aussi entre l'âme et l'homme. Si l'âme représente le « tout » de l'homme [1], comment peut-on douter que le *Charmide* assimile l'âme au « soi » ?

4.2.2.4 Sixième définition : la science d'elle-même et des autres sciences (166c-175a)

Pressé et embarrassé tout à la fois par les questions de Socrate, qui lui demande avec insistance de nommer l'objet de la sagesse, Critias donne une réponse qui a tout l'air d'une dérobade. À la différence de toutes les autres connaissances, qui portent sur des objets distincts d'elles-mêmes [2], la sagesse, soutient Critias, est à la fois science d'elle-même et des autres sciences. Cette réponse est doublement incompréhensible : 1) alors qu'il avait affirmé, dans un premier temps, que la sagesse est la connaissance de soi (*heautoû*, 165c), il soutient maintenant qu'elle est

1. Cf. 156e et n. 34.
2. Cf. aussi *Ion* 537c.

science d'elle-même (*heautês*, 166c). Rien n'autorise ce passage de « soi-même » à « elle-même »[1], sinon l'entêtement inutile à ne pas vouloir reconnaître, avec Socrate, que les connaissances se ressemblent toutes entre elles sur au moins un point, celui d'avoir un objet distinct d'elles-mêmes. 2) Non content d'affirmer que la sagesse se distingue de toutes les autres sciences par le fait qu'elle seule est science d'elle-même, Critias ajoute, sans doute pour mettre encore plus en relief la singularité de la sagesse, qu'elle est aussi la science des autres sciences (166c). Cette seconde affirmation, qui ressemble fort à une fuite en avant et à une surenchère désespérée[2], va engager la suite du dialogue dans un cul-de-sac. Il est toutefois exact, si l'on nous permet d'anticiper quelque peu sur la suite du dialogue, que la sagesse domine les autres connaissances, puisqu'elle fixe à chacune la tâche à accomplir pour parvenir au bien ; mais cette suprématie de la sagesse sur les autres connaissances n'entraîne pas, comme le croit Critias, qu'elle soit une espèce de science universelle. En tant qu'elle est la connaissance du bien et du mal (174b-d), la sagesse commande aux autres sciences dans la mesure où elle sait ce que chacune doit accomplir pour réaliser le bien ; mais elle ne sait pas pour autant ce que chacune sait, contrairement à ce que s'imagine Critias.

Dans le passage de la « connaissance de soi » à la « science d'elle-même », y a-t-il réellement substitution d'objet ? Les commentateurs sont ici divisés : d'aucuns[3] croient que les deux formulations ont une résonance platonicienne et que le changement d'objet, plus apparent que réel, est légitime ; d'autres[4], en revanche, soutiennent que seule la connaissance de soi intéresse Platon et que la science de la science est, sinon une aberration, à tout le

1. Tuckey (1951, p. 37-38) soutient que Socrate est responsable de cette substitution d'« elle-même » à « soi-même ». Or les questions de Socrate sont une invitation à élucider en quoi consiste le soi, et non pas à lui substituer un autre objet.

2. Cf. McKim 1985, p. 61.

3. Cf. Tuckey 1951, p. 109-111 ; Dyson 1974, p. 102-105 ; Guthrie 1975, p. 169 ; Solère-Queval 1993, p. 34 ; Stalley 2000, p. 271 ; Tuozzo 2000, p. 303-305.

4. Cf. Bonitz 1886 ; Pohlenz 1913, p. 52-53 ; Hazebroucq 1997, p. 243-244.

moins une vaine réflexivité [1]. Toute connaissance suppose
en effet un sujet qui la détient, et ce support obligé de la
connaissance ne peut être que l'âme. En affirmant que la
sagesse est la science de la science, Critias isole la
connaissance de son support et vide ainsi la sagesse de
toute dimension morale [2]. La conception de la sagesse
défendue par Critias, qui nous apparaît intellectualiste à
outrance, a ceci de paradoxal qu'elle est à la fois conqué-
rante dans ses intentions, puisqu'elle ambitionne rien de
moins que de s'assimiler tous les savoirs, et désespérément impuissante dans les faits, puisque, ainsi que la suite
de l'entretien le révèle (cf. 169d-171c), elle est incapable
de se substituer aux différents savoirs qui portent sur des
objets précis. La science d'elle-même et des autres
sciences apparaît finalement pour ce qu'elle est : une
réflexivité vaine et sans objet qui tourne à vide. De plus, si
l'on interprète la connaissance de soi dans le sens de la
déclaration d'ignorance [3], la polymathie tous azimuts exprimée par la formule « science d'elle-même et des autres
sciences » est nécessairement rejetée par Socrate, puisqu'une telle conception de la sagesse exclut d'emblée que le
sage puisse ignorer quelque chose. C'est dire que la même
formule donne lieu à deux interprétations diamétralement
opposées : selon Socrate, la connaissance de soi est la reconnaissance de sa propre ignorance ; selon Critias, au
contraire, la connaissance de soi est la science d'elle-même
et de toutes les autres sciences, donc une espèce de science
universelle, omnisciente et hégémonique [4]. Si, néanmoins,
la sagesse est aussi la science de ce qui n'est pas de la
connaissance, ainsi que Socrate finit par le faire admettre à
Critias dans un passage déterminant [5], il ne peut s'agir, dans
l'optique de Critias, que de la reconnaissance de l'ignorance
d'autrui, et non pas de sa propre ignorance, puisque le sage,
par définition, détient le savoir de tous les savoirs. La
conception de la sagesse défendue par Critias exclut donc *a*

1. Cf. Hazebroucq 1997, p. 241.
2. Cf. Tsouna 1997, p. 72, 74-75 ; 2001, p. 46-47, 49. Voir aussi 174e
et n. 211.
3. Cf. 167a et *infra*, p. 60-64.
4. Cf. Tsouna 2001, p. 47.
5. Cf. 166e et n. 140.

priori que la sagesse puisse être la reconnaissance de sa propre ignorance. Faut-il s'étonner, dès lors, de ce que Critias, malgré ses échecs répétés, ne reconnaît jamais qu'il ne sait pas en quoi consiste la sagesse ?

La discussion à laquelle donne lieu la sixième définition est de loin la plus étendue, la plus complexe et aussi la plus obscure de tout le dialogue. Cette discussion s'ordonne autour de deux questions principales que Socrate et Critias examinent successivement[1] : a) une science de la science est-elle possible (167c-171d) ? ; b) dans l'hypothèse où une telle science existerait, quelle serait son utilité (171d-175a) ? Cette argumentation se présente donc sous la forme d'une *reductio ad absurdum* : pour démontrer l'absurdité d'une science d'elle-même et des autres sciences, Socrate démontre non seulement qu'une telle science est improbable, mais qu'elle est également inutile dans l'hypothèse même où elle serait possible. Cette démonstration met en lumière la nécessité, pour la sagesse, d'être utile, car Platon ne peut admettre que la vertu puisse ne pas être utile à celui qui la possède[2]. Mais juste avant qu'il ne formule ces deux questions, et alors même que Critias semble avoir abandonné la connaissance de soi au profit de la science d'elle-même et des autres sciences, Socrate renoue avec la connaissance de soi et définit la sagesse en ces termes :

> Le sage est donc le seul qui se connaîtra lui-même et qui sera en mesure d'examiner (*exetásai*) ce qu'il se trouve savoir et ce qu'il ne sait pas, et il aura pareillement la capacité d'examiner autrui sur ce qu'il sait et croit savoir, lorsqu'il le sait, et inversement sur ce qu'il croit savoir, alors qu'il ne le sait pas ; et personne d'autre n'aura cette capacité. C'est donc en cela que consistent le fait d'être sage, la sagesse et se connaître soi-même : savoir ce que l'on sait et ce que l'on ne sait pas (167a).

Ce passage est remarquable pour plusieurs raisons. *Premièrement*, il se présente comme une résurgence de la cin-

---

1. Pour l'analyse de ces deux questions, nous renvoyons le lecteur aux notes qui accompagnent la traduction. Sur le plan de la sixième définition, cf. 167b et n. 146 ; McKim 1985, p. 66 ; Hazebroucq 1997, p. 263-267.
2. Cf. 169b et n. 158.

quième définition au sein de la sixième, comme si Socrate cherchait à indiquer à Critias qu'il avait eu tort de tourner le dos à la connaissance de soi. *Deuxièmement*, cette description de la connaissance de soi, en quoi consiste la sagesse, rappelle irrésistiblement l'*anthrōpínē sophía* de l'*Apologie*, c'est-à-dire la déclaration d'ignorance de Socrate [1]. La sagesse consisterait donc bien dans la connaissance de soi et celle-ci, à son tour, serait indissociable de la reconnaissance de ce que l'on sait et de ce que l'on ne sait pas. *Troisièmement*, ce passage établit un lien étroit entre l'*élegkhos* [2], la connaissance de soi et la sagesse. Aussi longtemps qu'elle n'est pas soumise à l'*élegkhos*, l'âme peut s'imaginer détenir des connaissances qu'en réalité elle ne possède pas. Et cette présomption de savoir est cause de ce que l'âme devient suffisante et orgueilleuse. Pour que l'âme puisse se connaître elle-même, c'est-à-dire prendre l'exacte mesure de ce qu'elle sait ou ne sait pas, un rapport à autrui est nécessaire ; tant qu'elle demeure seule avec elle-même, l'âme entretient complaisamment son illusion de connaître et rien, en elle, ne peut la détromper ni lui dessiller les yeux. La connaissance de soi suppose donc la médiation d'autrui, laquelle prend ici la forme de l'*élegkhos*. En démontrant à l'âme, par la mise en lumière des propos contradictoires qu'elle tient sur le même sujet, qu'elle s'illusionne sur ses connaissances réelles, l'*élegkhos* favorise la connaissance de soi et, partant, la sagesse [3]. L'âme qui a été guérie, par les

1. Ce rapprochement entre 167a et l'*Apologie* (21a-23b, notamment 21d) a été proposé par de nombreux commentateurs (cf., entre autres, Tuckey 1951, p. 40 ; Schmid 1983, p. 342 ; 1998, p. vii, 59, 112 ; McKim 1985, p. 63 ; Kahn 1996, p. 193 ; Carone 1998, p. 269-270).

2. Certes, le terme *élegkhos* n'apparaît pas en 167a, mais il s'occurrence du verbe *exétazein* (« examiner ») suffit à établir qu'il s'agit bien de l'*élegkhos* socratique (cf. n. 141 de la traduction). Voir aussi 166d et la n. 138.

3. Cf. North 1966, p. 155-156 ; Schmid 1983, p. 342-345. Le lien entre l'*élegkhos* et la connaissance de soi est clairement reconnu par Proclus dans son commentaire sur l'*Alcibiade* : « Les exhortations, donc, les dissuasions, les réfutations (*élegkhoi*), les procédés de la maïeutique, les éloges et les blâmes jouent le rôle de conditions *sine qua non* : sans eux, en effet, impossible de se connaître soi-même. On a besoin [...] de réfutation pour être purifié de la double ignorance » (8.15-21 ; trad. Segonds). Ce que Proclus appelle la « double ignorance », c'est le fait d'ignorer qu'en réalité l'on ne connaît pas ce que l'on croit à tort connaître.

soins de l'*élegkhos*, de sa présomption de savoir, devient
immédiatement plus réservée et plus sage, puisqu'elle ne
s'imagine plus, de façon présomptueuse, qu'elle connaît ce
dont elle n'a en réalité aucune connaissance. Ce lien entre
l'*élegkhos*, la connaissance de soi et la *sōphrosúnē* apparaît
ailleurs chez Platon. Dans le fameux passage du *Sophiste*
où le « sophiste », qui est en réalité Socrate, est décrit
comme un réfutateur, l'*élegkhos* est l'instrument pédagogique qui favorise la connaissance de soi et la sagesse.
L'*élegkhos* permet d'éradiquer ce que les interlocuteurs
« avaient sur eux-mêmes d'opinions orgueilleuses et
cassantes » et, surtout, il conduit l'âme « à l'état de pureté
manifeste et à croire savoir tout juste ce qu'elle sait, mais
pas davantage ». Il s'agit là, répond aussitôt Théétète, de
« la disposition la meilleure et la plus sage (*sōphro-
nestátē*) [1] ». De même, tout à la fin du *Théétète*, alors qu'il
s'apprête à prendre congé de son jeune interlocuteur dont
il a réfuté les différentes propositions de définition de la
science, Socrate explique à Théétète : « Eh bien, si tu
cherches, après cela, à te trouver en gestation d'autre
chose, Théétète, si tu t'y trouves, c'est de choses meilleures que tu seras plein, grâce à l'examen auquel nous
venons de procéder (*dià tēn nûn exétasin*) ; et si tu n'as
rien en toi, tu seras moins pesant pour ceux qui te fréquen-
teront, et plus doux, puisque tu auras la sagesse
(*sōphrónōs*) de ne pas croire savoir ce que tu ne sais
pas [2]. »

C'est également grâce à l'*élegkhos* que Socrate accède à
la connaissance de lui-même dans l'*Apologie*. Son incré-
dulité face à l'oracle qui le proclame le plus savant des
hommes démontre que Socrate ne se connaît pas lui-
même, non pas parce qu'il s'imaginerait connaître ce
qu'en réalité il ne connaît pas, mais plutôt parce qu'il ne se
doute pas qu'il possède une forme de sagesse qui est pour
ainsi dire inconnue des autres hommes. Incrédule, mais
confiant en la véracité du dieu, Socrate entreprend de
tester l'oracle. En fait, il se soumet lui-même à l'*élegkhos*
dans la mesure où il s'examine lui-même en examinant

1. 230c-d, trad. Diès légèrement modifiée.
2. 210b-c, trad. Narcy.

autrui [1]. L'*élegkhos* auquel il soumet ses interlocuteurs lui permet de prendre en même temps la mesure de son savoir et de son ignorance sur les sujets qui font l'objet de la discussion. La connaissance de soi ne s'acquiert pas à la faveur d'une introspection conduite dans la solitude, mais à l'occasion d'un échange dialectique et d'un examen poursuivi en commun.

Si la sagesse consiste en la connaissance de soi, et que celle-ci n'est rien d'autre que la reconnaissance de son ignorance, c'est par un effet immédiat que l'*élegkhos* engendre une vertu. De ce point de vue, la sagesse fait figure d'exception car on ne voit pas quelle autre vertu pourrait être directement induite par l'*élegkhos*. Celui dont la fausse conception de la piété, du courage ou de la justice se trouve réfutée ne deviendra pas instantanément pieux, courageux ou juste, puisqu'il lui reste encore à acquérir la connaissance de ce en quoi consistent ces différentes vertus. La sagesse aurait ainsi préséance sur toutes les autres vertus, pour autant que la connaissance de soi, directement induite par l'*élegkhos*, apparaît comme la condition préalable à l'acquisition de toutes les autres vertus [2].

Le succès de l'*élegkhos*, eu égard à la connaissance de soi, apparaît toutefois assez limité, puisqu'il est plutôt rare que l'*élegkhos* ait pour résultat d'assagir les interlocuteurs de Socrate. Plutôt que d'accepter le verdict de l'*élegkhos* et de reconnaître leur ignorance, qui est le préalable à tout progrès véritable sur le chemin qui mène à la connaissance de soi, la plupart des « victimes » d'une réfutation se mettent en colère contre Socrate et elles lui gardent rancune de les avoir humiliées en public [3]. Socrate avoue même ouvertement, dans l'*Apologie*, que les réfutations auxquelles il a soumis les riches et les puissants lui ont valu de solides inimitiés qui ont finalement conduit à sa mise en accusation [4]. D'aucuns ont souligné, à juste titre, que

---

1. Cf. *Apol.* 28e, 38a ; *Prot.* 333c ; *Charmide* 166d et n. 138.
2. Cette préséance de la sagesse sur les autres vertus n'est pas sans rappeler, encore que ce soit pour d'autres raisons, le rôle principiel que Xénophon accorde à la maîtrise de soi (cf. *Mém.* I 5, 4 et *Cyropédie* III 1, 16).
3. Cf. *Théétète* 161c-d, *Gorg.* 506b-c, *Apol.* 23c.
4. Cf. 21c-d, 21e, 22e-23a, 23c.

l'efficacité de l'*élegkhos* est assez réduite puisque les interlocuteurs qui acceptent son verdict sont déjà modérés. Bref, l'*élegkhos* ne contribuerait à rendre modérés que les interlocuteurs qui sont déjà disposés à la sagesse [1]. Au reste, Platon reconnaît lui-même l'échec de l'*élegkhos* dans la *République* (VII 539c-d) lorsqu'il stipule qu'on ne doit pas le pratiquer avec le premier venu et qu'il faut réserver son usage aux interlocuteurs qui sont déjà mesurés et fermes.

Pour déterminer si la conception de la *sōphrosúnē* qui est exposée en 167a correspond à une position platonicienne, il faut examiner le sort qui lui est réservé dans la suite du dialogue. Or tout se passe comme si Critias et Socrate rejetaient la position énoncée en 167a, sous prétexte que l'homme sage ne pourrait pas mettre à l'épreuve ceux qui prétendent détenir des savoirs particuliers, à moins que d'aventure le sage ne possède lui-même la compétence que revendique celui qu'il met à l'épreuve. Autrement dit, l'entretien entre Socrate et Critias démontrerait que le seul qui soit en mesure de mettre à l'épreuve un savoir particulier est celui qui détient réellement la compétence en question. Si tel est le cas, Platon estimerait désormais qu'un homme qui se reconnaît lui-même ignorant n'est pas en mesure de contrôler la prétention au savoir de son interlocuteur. Aussi paradoxal que cela puisse paraître, Platon, par la bouche même de Socrate, critiquerait la pratique de l'*élegkhos* socratique et il prendrait ainsi ses distances par rapport à Socrate. Si la position exposée en 167a correspond bien à la *sophía* de Socrate dans l'*Apologie*, et que cette position est réfutée dans la suite du *Charmide*, il faut apparemment en conclure que Platon est désormais méfiant à l'endroit de l'*élegkhos* socratique [2].

L'effacement progressif de l'*élegkhos* dans les dialogues du deuxième et du troisième groupe (maturité et

1. Cf. Schmid 1983, p. 344.
2. C'est la conclusion que tirent plusieurs commentateurs (cf. Tuckey 1951, p. 34, 42-49, 66 ; Santas 1973, p. 110 ; Guthrie 1975, p. 164, 168, 170 ; McKim 1985, p. 63 et 65 ; Kahn 1988, p. 546-549 ; 1996, p. 197-203). Kahn (1996, p. 184) soutient même que le *Charmide* ne peut pas, en raison de sa critique de Socrate, être considéré comme un véritable dialogue socratique.

vieillesse) semble confirmer que Platon s'est finalement détourné de l'*élegkhos* pour le remplacer par d'autres modes d'argumentation [1]. Mais est-on justifié de soutenir, comme certains, que cette rupture intervient dans le *Charmide* ? C'est là une position à laquelle nous refusons de souscrire car elle nous paraît démentie par l'argumentation même du *Charmide*, pour peu que l'on en respecte la logique, la complexité et l'intégrité. Contre ceux qui soutiennent que Platon critique l'*élegkhos* socratique dans le *Charmide*, on peut élever les objections suivantes :

a) La position qui est rejetée en 171c correspond non pas à la conception de la sagesse exposée par Socrate en 167a, mais à la compréhension fautive que Critias a de cette conception [2]. Comme Critias s'entête à concevoir la sagesse comme une science d'elle-même et des autres sciences – ce qui n'est pas la conception exposée par Socrate en 167a –, Socrate lui démontre que le sage, ainsi compris, ne pourra mettre à l'épreuve le savoir d'autrui que s'il détient lui-même le savoir en question. La tâche de l'interprète consiste donc à montrer qu'entre la position énoncée en 167a, et l'apparente réfutation de cette position en 171c, Critias, en raison de son entêtement et de son incompréhension, a progressivement « trafiqué » la position de Socrate jusqu'à la rendre vulnérable à une réfutation [3].

b) Ce que 171c conteste, c'est la possibilité qu'un homme ignorant dans un domaine particulier de nature technique (médecine, architecture, pilotage, etc.) puisse mettre à l'épreuve celui qui prétend détenir le savoir technique en question. Or les positions que l'*élegkhos* socratique met à l'épreuve ne ressortissent pas aux différentes techniques, mais au savoir moral [4]. Pour apprécier

1. La meilleure étude sur le sujet demeure celle de G. Vlastos, « *Elenchus* et mathématique : un tournant dans le développement philosophique de Platon » [1988], in M. Canto (éd.), *Les Paradoxes de la connaissance. Essais sur le* Ménon *de Platon*, Paris, 1991, p. 51-88. Cf. aussi *infra*, Introduction au *Lysis*, p. 182-183.

2. Cf. Schmid 1998, p. 60.

3. Nous nous sommes appliqués, dans les notes de la traduction, à identifier les « glissements » successifs qui infléchissent progressivement la position de 167a jusqu'à la version qui est finalement réfutée en 171c (cf. 167c, 169b, 170a-d, 171c-d et les n. 147, 160-161, 169, 171-172, 176, 178).

4. Cf. Schmid 1983, p. 346.

un savoir technique, on ne fait pas appel à une mise à l'épreuve dialectique, mais plutôt à une évaluation des œuvres produites ou des résultats obtenus par celui qui prétend posséder la compétence technique. Celui qui ne détient pas le savoir technique ne peut pas, de façon dialectique, au moyen de l'*élegkhos*, contrôler le bien-fondé de la compétence technique revendiquée par autrui ; la seule façon de s'assurer de cette compétence, c'est d'examiner les produits et les œuvres réalisés par celui qui se reconnaît une compétence technique ; s'il s'avère que ces œuvres sont réussies – celui qui se prétend médecin a bel et bien guéri des malades ; celui qui se dit pilote a réellement effectué avec succès plusieurs traversées en mer, etc. –, on pourra reconnaître que la personne est compétente [1]. C'est ainsi que Socrate, dans l'*Apologie*, ne réfute pas la compétence technique (*sophía*) que possèdent les artisans (22d) ; il constate que les artisans détiennent une *sophía* technique et ce qu'il réfute, c'est leur prétention à connaître des sujets plus importants, qui outrepassent le champ de leur compétence technique [2]. Si l'*élegkhos* socratique ne s'est jamais assigné comme tâche de contrôler le savoir technique, l'on voit bien, en revanche, que c'est là une tâche obligée, mais aussi impossible, de la conception de la sagesse défendue par Critias. La sagesse étant en effet comprise comme une science universelle, elle doit nécessairement connaître tous les objets des savoirs individuels, d'où, en principe, l'aptitude à mettre à l'épreuve tous les savoirs techniques. Mais si, comme Socrate le démontre à Critias, on ne peut pas détenir des connaissances particulières autrement que par l'apprentissage des différentes sciences dont relèvent ces connaissances particulières, la seule façon de mettre à l'épreuve le savoir technique d'autrui est de détenir soi-même la même compétence. Par où l'on voit que la réfutation de 171c porte non pas sur la capacité de l'*élegkhos* à éprouver le savoir moral et à induire la connaissance de soi, mais sur

1. Cf. *Lachès* 185e-186b ; *Gorg.* 514a-e, *Ménon* 91d-e ; Labarge 1997.
2. Cf. *Apol.* 22d-e. L'expression *tà mégista* (« les sujets les plus importants ») désigne clairement, dans l'*Apologie* (22d) et dans l'*Alcibiade* (118a), les sujets qui relèvent de la connaissance morale.

l'aptitude d'une science des sciences, dépourvue d'objet propre, à mettre à l'épreuve des connaissances particulières qui relèvent nécessairement de savoirs particuliers.

Les deux objections qui précèdent nous paraissent les plus importantes car elles montrent que la section du texte qui fait suite à 167a ne doit pas être lue comme une critique, voire une réfutation de la conception de la sagesse exposée par Socrate en 167a. Ces objections peuvent être complétées et renforcées par des arguments qui prennent en considération le rôle de l'*élegkhos* dans l'ensemble du dialogue :

c) Le prologue apparaît déjà comme une anticipation de la position développée en 167a puisque Socrate attribue aux incantations – qui ne désignent pas autre chose que les réfutations dialectiques [1] – le pouvoir d'engendrer la sagesse au sein de l'âme. Il serait étonnant que la doctrine du prologue, qui est à l'évidence une préfiguration métaphorique de la position exposée en 167a, soit désavouée dans la suite du dialogue. On pourrait certes nous objecter que l'un des buts du dialogue est justement de mettre en lumière les insuffisances d'une position que Platon évoque dans le prologue et qu'il développe de façon plus détaillée en 167a. Soit, mais étant donné que Socrate réaffirme à la fin du dialogue sa confiance dans le pouvoir et la vertu des incantations [2], il semble bien que Platon n'ait pas lui-même retiré sa confiance à l'*élegkhos* socratique.

d) On peut également invoquer, en faveur de l'*élegkhos*, un argument de type performatif : s'il est vrai que Platon prend ses distances vis-à-vis de l'*élegkhos* socratique, comment se fait-il que le *Charmide* soit lui-même un dialogue réfutatif [3] ? Car enfin, Socrate n'accomplit pas autre chose, dans le *Charmide*, que ce qu'il décrit dans l'*Apologie* et met en pratique dans les autres dialogues réfutatifs, c'est-à-dire qu'il réfute ses interlocuteurs pour qu'ils reconnaissent leur ignorance, qui est la source de tous les

1. Cf. 157a et n. 37.
2. Cf. 175e et n. 226.
3. C'est précisément en raison de son caractère réfutatif que le *Charmide* a été classé, dès l'Antiquité, dans la catégorie des dialogues « peirastiques », comme l'indique l'un de ses deux sous-titres (cf. Diogène Laërce III 51 et 59).

maux. Ne serait-il pas étrange, voire incohérent, que Platon critique l'*élegkhos* socratique dans un dialogue où il met en scène Socrate qui réfute l'une après l'autre les différentes définitions de la sagesse que lui soumettent ses interlocuteurs ? Enfin, le *Charmide* est une excellente illustration de l'utilité et de l'efficacité de l'*élegkhos*, ainsi qu'en témoignent les progrès que Charmide réalise, grâce à l'*élegkhos*, sur la voie de la connaissance de soi [1].

e) Si le *Charmide* a bien une visée apologétique, il nous paraît improbable que Platon ait pu courir le risque de critiquer Socrate dans un dialogue où il cherche au contraire à le défendre contre ceux qui lui reprochent d'avoir été le mauvais génie de Critias et de Charmide. Platon ne ferait-il pas le jeu des adversaires de Socrate s'il se permettait de critiquer ouvertement le mode d'argumentation préféré de son maître ? Dans l'hypothèse où le *Charmide* est un dialogue apologétique, ne serait-ce pas une stratégie suicidaire que de renier l'*élegkhos* socratique, alors que la critique de l'utilité et de la finalité de l'*élegkhos* est précisément l'un des principaux chevaux de bataille des adversaires de Socrate [2] ?

f) Si nous avons raison de considérer que les définitions proposées par Critias sont des positions authentiquement socratiques qui ne sont pas réellement réfutées, mais plutôt abandonnées en raison de la compréhension déficiente qu'en a Critias et, par voie de conséquence, de son incapacité à les défendre, pourquoi en irait-il différemment avec la position exprimée en 167a ? À l'instar des définitions précédentes formulées par Critias, il s'agit d'une autre position socratique qui est en apparence rejetée, mais ce rejet apparent est attribuable non pas à la thèse elle-même, en ce qu'elle serait intrinsèquement fausse, mais plutôt à la mauvaise compréhension qu'en a Critias.

---

1. Cf. 176a-b et n. 228.
2. Cf. Xénophon, *Mém.* I 4, 1 et les critiques adressées à Socrate dans le *Clitophon*, qui est probablement apocryphe.

5. Conclusion : la connaissance du bien et du mal

Nous n'avons aucune bonne raison de considérer que Platon désavoue la conception de la sagesse formulée par Socrate en 167a, mais nous ne pouvons pas pour autant y voir le dernier mot de Socrate, et de Platon, sur la nature de la sagesse. S'il n'y a pas de sagesse véritable, ni de connaissance de soi authentique, aussi longtemps que l'âme abrite en elle, à son insu, des illusions de savoir et de connaissance sur les sujets les plus importants pour la conduite de la vie humaine, il ne suffit pas non plus, pour devenir entièrement sage, de soumettre son âme à l'*élegkhos* et d'en accepter le rude verdict avec humilité.

Si la sagesse requiert en outre un savoir positif, propre à garantir le bonheur et la véritable utilité à la conduite de notre vie, seule la connaissance du bien et du mal semble être en mesure de remplir les tâches que Platon assigne à la sagesse. La connaissance du bien et du mal [1], qui est la dernière conception de la sagesse examinée dans le dialogue [2], est en un sens une science des sciences, non pas parce qu'elle serait une science universelle qui engloberait toutes les sciences particulières ainsi que leurs objets de connaissance respectifs, mais en ce sens qu'elle seule connaît les fins que doivent poursuivre les autres sciences pour contribuer au bien réel et au bonheur de l'homme. La sagesse se rapporte donc bien aux autres connaissances, mais ce rapport n'est pas celui auquel songe Critias. Alors que ce dernier pense la sagesse comme une espèce de science universelle qui intègre, en les additionnant les uns aux autres, tous les savoirs particuliers, Socrate la pense plutôt comme un savoir architectonique, c'est-à-dire un savoir qui, en tant qu'il est seul détenteur de la connaissance du bien et du mal, est le seul qui soit en mesure de fixer aux autres sciences, ignorantes

1. Cf. 174b-d et n. 206, 209 et 210.
2. Même si la connaissance du bien et du mal est une définition acceptable de la sagesse, on aurait tort, comme Guthrie (1975, p. 173) et Notomi (2000, p. 246), de la compter pour une définition à proprement parler, car cette conception de la sagesse n'est jamais proposée, ni *a fortiori* acceptée, comme une définition de la sagesse (cf. 174d et n. 210).

de ce qui est bien ou mal, les finalités qu'elles doivent
poursuivre en vue de la réalisation du bien. L'assimilation
de la sagesse à la connaissance du bien et du mal n'est pas
une conclusion inattendue, puisque plusieurs passages du
dialogue anticipent sur cette position et laissent présager
que telle est l'issue logique de l'entretien [1]. Cette conclusion, qui échappe à nouveau à Critias, n'exclut pas les
définitions précédentes, pour autant qu'elles soient correctement comprises et défendues, mais elle apparaît plutôt
comme leur complément ou leur condition : si la sagesse
consiste à faire ses propres affaires, à faire le bien et à se
connaître soi-même, c'est dans la mesure où elle est
orientée par la connaissance du bien.

1. Cf. 156e, 160e, 161a, 163d-e et n. 35, 79, 82 et 111. Au vu des liens
étroits entre d'une part la connaissance du bien et du mal, et, d'autre part,
les passages précédents qui anticipent sur cette conception de la sagesse,
nous devons donner tort aux commentateurs qui considèrent que la dernière partie du dialogue (166c-175a) est une section autonome, sans lien
réel avec ce qui précède (cf. Chen 1978, p. 13 ; Van der Ben 1985, p. 2).

BIBLIOGRAPHIE

La bibliographie qui suit est très sélective. Pour la compléter, on consultera l'indispensable bibliographie des études platoniciennes amorcée par H. Cherniss et poursuivie par L. Brisson : cf. H. Cherniss, « Plato 1950-1957 », *Lustrum* (4 & 5) 1959 & 1960 ; L. Brisson, « Platon 1958-1975 », *Lustrum* (20) 1977 ; L. Brisson (avec la collaboration de H. Ioannidi), « Platon 1975-1980 », *Lustrum* (25) 1983, p. 31-320 ; « Platon 1980-1985 », *Lustrum* (30) 1988, p. 11-294 ; « Platon 1985-1990 », *Lustrum* (34) 1992, p. 7-329 ; L. Brisson (avec la collaboration de F. Plin), *Platon 1990-1995 : bibliographie*, Paris, Vrin, 1999, 415 p.

Dans l'introduction et les notes de la traduction, nous avons fait référence aux études qui apparaissent dans cette bibliographie en indiquant uniquement le nom de l'auteur, l'année de publication et la page concernée (e.g. « Schmid 1998, p. 130 »).

1. *Éditions, traductions et commentaires*

BURNET, J. (1903), *Platonis opera*, [texte], Oxford, vol. 3.

CHAMBRY, E. (1967), *Platon : Second Alcibiade, Hippias mineur, Premier Alcibiade, Euthyphron, Lachès, Charmide, Lysis, Hippias majeur, Ion* [1937], [traduction et notes], Paris, GF-Flammarion, 442 p.

COUSIN, V. (1827), *Œuvres de Platon*, tome 5, Paris [*Charmide* = p. 265-329].

CROISET, A. (1921), *Platon : Hippias majeur, Charmide, Lachès, Lysis*, [texte et traduction], Paris, Les Belles Lettres, 155 p.

HAZEBROUCQ, M.-F. (1997), *La Folie humaine et ses remèdes. Platon :* Charmide *ou de la modération*, [traduction et commentaire], Paris, Vrin, 360 p.

LAMB, W.R.M. (1927), *Plato : Charmides, Alcibiades I and II, Hipparchus, The Lovers, Theages, Minos, Epinomis*, [texte et traduction], Cambridge (Ma.), Harvard University Press (The Loeb Classical Library).

ROBIN, L. (1950), *Platon : œuvres complètes*, [traduction et notes], 2 vol., Paris, Gallimard (Bibliothèque de la Pléiade), XIX-1448 et 1671 p. [*Charmide* = vol. I, p. 253-286].

SPRAGUE, R.K. (1973), *Plato : Laches and Charmides*, [traduction, introduction et notes], Indianapolis/New York, Bobbs Merrill Co., x-102 p.

WATT, D., (1987), *Charmides*, [introduction et traduction], in T.J. SAUNDERS (éd.), *Plato : Early Socratic Dialogues*, Londres, Penguin Books, p. 163-209.

WEST, G.S. & WEST, T.G. (1986), *Charmides*, [traduction], Indianapolis, Hackett, 56 p.

2. *Études*

BALTES, M. (2000), « Zum Status der Ideen in Platons Frühdialogen *Charmides, Euthydemos, Lysis* », in Brisson & Robinson 2000, p. 317-323.

BARKER, A. (1995), « Problems in the *Charmides* », *Prudentia* (27) p. 18-33.

BENSON, H.H. (2003), « A note on Socratic self-Knowledge in the *Charmides* », *Ancient Philosophy* (23) p. 31-47.

BONITZ, H. (1886), « Bemerkung zu dem Abschnitt des Dialogs *Charmides* 165-172 », *Platonische Studien*, Berlin, p. 243-253.

BRISSON, L. & ROBINSON, T.M. (2000) (éds.), *Plato : Euthydemus, Lysis, Charmides*, Proceedings of the V Symposium Platonicum, (International Plato Studies, vol. 13), Sankt Augustin, Academia Verlag, VII-402 p.

BRISSON, L. (2000), « L'incantation de Zalmoxis dans le *Charmide* (156d-157c) », in Brisson & Robinson 2000, p. 278-286.

CARONE, G.R. (1998), « Socrates' Human Wisdom and *Sophrosune* in *Charmides* 164c ff. », *Ancient Philosophy* (18) p. 267-286.

CHEN, C.-H. (1978), « On Plato's *Charmides* 165c4-175d5 », *Apeiron* (12) p. 13-28.

COOLIDGE, F.P. JR. (1993), « The Relation of Philosophy to σωφροσύνη : Zalmoxian Medicine in Plato's *Charmides* », *Ancient Philosophy* (13) p. 23-36.

DUSANIC, S. (2000), « Critias in the *Charmides* », *Aevum* (74) p. 53-63.

DYSON, M. (1974), « Some Problems Concerning Knowledge in Plato's *Charmides* », *Phronesis* (19) p. 102-111.

FRIEDLÄNDER, P. (1964), *Plato*, vol. II : *The Dialogues (first period)*, New York, Pantheon Books, 389 p. [cf. chap. 4 : « Charmides », p. 67-81].

GUTHRIE, W.K.C. (1975), *A history of Greek Philosophy*, vol. IV : *Plato, the Man and his Dialogues : earlier period*, Cambridge, Cambridge University Press, XVIII-603 p. [p. 155-174 : « The *Charmides* »].

HALPER, E. (2000), « Is Knowledge of Knowledge Possible ? *Charmides* 167a-169d », in Brisson & Robinson 2000, p. 309-316.

HOGAN, R.A. (1976), « Soul in the *Charmides* : an Examination of T.M. Robinson's Interpretation », *Philosophy Research Archives* (2) p. 633-645.

– (1977), « The Techne Analogy in the *Charmides* », *Philosophy Research Archives* (3) p. 702-708.

HYLAND, D.A. (1981), *The Virtue of Philosophy. An Interpretation of Plato's* Charmides, Athens (Ohio), Ohio University Press, XII-156 p.

KAHN, C.H. (1988), « Plato's *Charmides* and the Proleptic Reading of Socratic Dialogues », *The Journal of Philosophy* (85) p. 541-549.

– (1996), *Plato and the Socratic Dialogue. The Philosophical Use of a Literary Form*, Cambridge, Cambridge University Press, XXI-431 p. [cf. chap. 7 : « *Charmides* and the Search for Beneficial Knowledge », p. 183-209].

KETCHUM, R.J. (1991), « Plato on the Uselessness of Epistemology : *Charmides* 166e-172a », *Apeiron* (24) p. 81-98.

KOSMAN, L.A. (1983), « Charmides' First Definition : Sophrosyne as Quietness », in J.P. Anton & A. Preus (éds.), *Essays in Ancient Greek philosophy*, Albany (N.Y.), SUNY Press, vol. II, p. 203-216.

LABARGE, S. (1997), « Socrates and the Recognition of Experts », *Apeiron* (30) p. 51-62.

LANDY, T. (1998-1999), « The Limitations of Political Philosophy : an Interpretation of Plato's *Charmides* », *Interpretation* (26) p. 183-200.

LUCKHURST, K.W. (1934), « Note on Plato, *Charmides* 153b », *Classical Review* (48) p. 207-208.

MADIGAN, A. (1985), « *Laches* and *Charmides* v. the Craft Analogy », *The New Scholasticism* (59) p. 377-397.

MAHONEY, T.A. (1996), « The *Charmides* : Socratic *sôphrosunê*, Human *sôphrosunê* », *The Southern Journal of Philosophy* (34) p. 183-199.

MCAVOY, M. (1996), « Carnal Knowledge in the *Charmides* », *Apeiron* (29) p. 63-103.

MCKIM, R. (1985), « Socratic Selfknowledge and "Knowledge of Knowledge" in Plato's *Charmides* », *Transactions of the American Philological Association* (115) p. 59-77.

MÉRON, É. (1979), *Les Idées morales des interlocuteurs de Socrate dans les dialogues platoniciens de jeunesse,* Paris, Vrin, 234 p. [cf. « Le *Charmide* », p. 98-110].

MORRIS, T.F. (1989), « Knowledge of Knowledge and of Lack of Knowledge in the *Charmides* », *International Studies in Philosophy* (21) p. 49-61.

MURPHY, D.J. (2000), « Doctors of Zalmoxis and Immortality in the *Charmides* », in Brisson & Robinson, p. 287-295.

NORTH, H. (1966), *Sophrosyne, Selfknowledge and Self Restraint*, Ithaca, Cornell University Press, [sur le *Charmide*, cf. p. 153-158].

NOTOMI, N. (2000), « Critias and the Origin of Plato's Political Philosophy », in Brisson & Robinson, 2000, p. 237-250.

OSTENFELD, E.N. (1999), « Hypothetical Method in the *Charmides* and in the *elenchus* », *Classica & Mediaevalia* (50) p. 67-80.

PLANEAUX, C. (1999), « Socrates, Alcibiades and Plato's τὰ ποτειδεατεκά. Does the *Charmides* have an Historical Setting ? », *Mnemosyne* (52) p. 72-77.

POHLENZ, M. (1913), *Aus Platos Werdezeit*, Berlin, 427 p. [cf. chap. III : « Charmides » p. 40-57].

PRESS, G.A. (2002), « The *elenchos* in the *Charmides*, 162-175 », in G.A. Scott (éd.), *Does Socrates Have a Method ?*

Rethinking the elenchus in Plato's Dialogues and Beyond, University Park (Pa.), The Pennsylvania State University Press, p. 252-265.

REECE, A. (1998-1999), « Drama, Narrative and Socratic *Erôs* in Plato's *Charmides* », *Interpretation* (26) p. 65-76.

SANTAS, G. (1973), « Socrates at Work on Virtue and Knowledge in Plato's *Charmides* », in E.N. Lee, A.P.D. Mourelatos & R.M. Rorty (éds.), *Exegesis and Argument. Studies in Greek Philosophy Presented to Gregory Vlastos,* Assen, Van Gorcum, p. 105-132.

SCHAMP, J. (2000), « L'homme sans visage. Pour une lecture politique du *Charmide* », *L'Antiquité classique* (69) p. 103-116.

SCHMID, W.T. (1980-1981), « Socrates'Practice of elenchus in the *Charmides* », *Ancient Philosophy* (1) p. 141-147.

– (1983), « Socratic Moderation and Self-knowledge », *Journal of the History of Philosophy* (21) p. 339-348.

– (1998), *Plato's* Charmides *and the Socratic Ideal of Rationality,* Albany (N.Y.), SUNY Press, xv-225 p.

– (2002), « Socratic Dialectic in the *Charmides* », in G.A. Scott (éd.), *Does Socrates Have a Method ? Rethinking the* elenchus *in Plato's Dialogues and Beyond*, University Park (Pa.), The Pennsylvania State University Press, p. 235-251.

SCHOFIELD, M. (1973), « Socrates on Conversing with Doctors », *The Classical Review* (23) p. 121-123.

SOLÈRE-QUEVAL, S. (1993), « Lecture du *Charmide* », *Revue de philosophie ancienne* (11) p. 3-65.

SPRAGUE, R.K. (1976), *Plato's Philosopher-king. A study of the Theoretical Background*, Columbia, U. of South Carolina Press, XVII-129 p. [cf. chap. III : « Charmides », p. 29-42].

STALLEY, R.F. (2000), « *Sôphrosunê* in the *Charmides* », in Brisson & Robinson 2000, p. 265-277.

TARRANT, H. (2000), « Naming Socratic Interrogation in the *Charmides* », in Brisson & Robinson 2000, p. 251-258.

TAYLOR, A.E. (1929), *Plato, the Man and his Work* [1926], Londres, Methuen, XII-562 p. [cf. p. 47-57].

TELOH, H. (1986), *Socratic Education in Plato's Early Dialogues*, Notre Dame University Press, VII-241 p. [cf. chap. 4 : « Natural Virtue and Education in the *Charmides* », p. 57-68].

TSOUNA, V. (1997), « Socrates'Attack on Intellectualism in the *Charmides* », in M.L. McPherran (éd.), *Wisdom, Ignorance and Virtue. New Essays in Socratic Studies* (= *Apeiron* 1997 (40) n° 4), p. 63-78.

– (2001), « Socrate et la connaissance de soi : quelques interprétations », *Philosophie antique* (1) p. 37-64.

TUCKEY, G.T. (1951), *Plato's Charmides*, Cambridge, Cambridge University Press, XIV-116 p. ; réimpression : Amsterdam, Hakkert, 1968.

TUOZZO, T. (2000), « Greetings from Apollo : *Charmides* 164c-165b, *Epistle III*, and the Structure of the *Charmides* », in Brisson & Robinson 2000, p. 296-305.

VAN DER BEN, N. (1985), *The* Charmides *of Plato. Problems and Interpretation*, Amsterdam, Grüner, VI-107 p.

VORWERK, M. (2001), « Plato on Virtue : Definitions of σωφροσύνη in Plato's *Charmides* and in Plotinus *Enneads* 1.2 (19) », *American Journal of Philology* (122) p. 29-47.

WAUGH, J.B. (2002), « Questioning the Self : a Reaction to Carvalho, Press, and Schmid », in G.A. Scott (éd.), *Does Socrates have a Method ? Rethinking the* elenchus *in Plato's Dialogues and Beyond*, University Park (Pa.), The Pennsylvania State University Press, p. 281-297.

WELLMAN, R.R. (1964), « The Question Posed at *Charmides* 165a-166c », *Phronesis* (9) p. 107-113.

WENZEL, S. (1995), La σωφροσύνη chez Platon. Essai sur le *Charmide* », *Études classiques* (7) p. 28-70.

WITTE, B. (1970), *Die Wissenschaft vom Guten und Bösen*, Interpretation zu Platons Charmides, Berlin, De Gruyter, x-166 p.

REMARQUES SUR LE TEXTE TRADUIT

Le texte traduit est celui établi par J. Burnet, *Platonis opera*, tome III, Oxford, 1903. Voici une liste des quelques points sur lesquels nous ne suivons pas cette édition :

	Burnet	nous lisons
155a1	*heautôi*	*hemautôi*
156d7	[*iatroì*] *hoi Héllēnes*	*hoi Héllēnes iatroí*
156e4	*toû hólou ameloîen*	*tò hólon agnooîen*
157b6	*sōphrosúnēs te kaì hugieías*	[*sōphrosúnēs te kaì hugieías*]
170a3-4	*tò autó, hà oîden eidénai kaì há tis mè oîden eidénai*	*tò autó*
170e6	*ou dialéxetai*	*dialéxetai*

Pour la division du texte en pages (153-176) et en paragraphes (a, b, c, d, e), qui remonte à l'édition d'Henri Estienne (Genève, 1578), nous avons également suivi l'édition de J. Burnet.

CHARMIDE [1]

[ou : sur la sagesse, genre peirastique [2]]

SOCRATE

[153a] Nous étions rentrés du camp devant Potidée [3] la veille au soir et, comme je fus longtemps absent, c'est avec plaisir que j'ai renoué avec mes occupations habituelles. Je me suis donc rendu à la palestre de Tauréas [4], qui est située en face du temple de Basilè [5], et là je suis tombé sur une foule nombreuse : les uns m'étaient inconnus, mais la plupart étaient de ma connaissance. Quand ils me **[153b]** virent entrer à l'improviste, aussitôt ils me saluèrent de loin, chacun depuis un endroit différent. Mais Chéréphon, vu qu'il est un peu fou [6], bondit hors du groupe, courut vers moi et, me prenant la main, il me demanda :

« Socrate, comment t'es-tu tiré de la bataille ? »

Peu avant notre départ, nous avions livré bataille à Potidée [7] et ils venaient tout juste d'en être informés. Et moi de lui répondre : « Comme tu vois ! » lui dis-je.

« On nous a pourtant rapporté ici, reprit-il, que la bataille a été féroce **[153c]** et que beaucoup de nos connaissances y ont trouvé la mort.

– C'est un compte rendu assez exact, lui répondis-je.

– Tu as pris part à la bataille ? demanda-t-il.

– J'y ai pris part.

– Assieds-toi donc ici, reprit-il, et raconte-nous, car nous n'avons pas été informés clairement de tous les détails. » Et en même temps il m'entraîne et me fait asseoir auprès de Critias [8], le fils de Callaischros.

Une fois assis, je salue Critias et les autres, et je leur donne des nouvelles de l'armée, en réponse à ce que l'on m'avait **[153d]** demandé. Chacun y allait de sa question.

Quand nous en eûmes assez de ce sujet, ce fut à mon tour de les interroger sur les choses d'ici : la philosophie, comment se portait-elle à présent ? Et les jeunes gens, y en avait-il certains parmi eux qui se distinguaient par leur savoir [9], ou par leur beauté, ou par l'un et l'autre ? Les yeux tournés **[154a]** vers la porte, Critias vit des jeunes gens faire leur entrée en s'invectivant, suivis de près par une autre bande.

« Pour ce qui est des beaux garçons, Socrate, dit-il, je crois que tu vas en voir à l'instant. Il se trouve en effet que ceux qui font leur entrée sont les précurseurs et les amoureux de celui qui passe pour être le plus beau, du moins des jeunes d'aujourd'hui, et j'ai l'impression qu'il est lui-même sur le point de faire son entrée.

– Qui est-ce, demandai-je, et de qui est-il le fils ?

– Tu le connais probablement, répondit-il, mais ce n'était pas encore un adolescent avant ton **[154b]** départ [10] ; il s'agit de Charmide [11], mon cousin, le fils de mon oncle Glaucon.

– Mais je le connais, par Zeus ! m'exclamai-je ; il n'était pas mal du tout quand il n'était encore qu'un enfant, mais j'imagine qu'à présent c'est déjà un véritable jeune homme.

– Dans un instant tu vas voir comme il a grandi et de quoi il a l'air. » Et en même temps qu'il disait cela, Charmide fit son entrée.

En ce qui me concerne, mon ami [12], je ne sais rien mesurer, car je suis une véritable mesure aveugle [13] à l'égard des beaux garçons – presque tous les adolescents me paraissent beaux –, mais celui-ci **[154c]** en particulier m'a paru admirable par sa taille et sa beauté. Tous les autres, m'a-t-il semblé, en étaient amoureux, tant ils furent stupéfaits et troublés lorsqu'il fit son entrée, et de nombreux autres amoureux faisaient partie du cortège qui le suivait. Qu'il fît également de l'effet sur nous les hommes, cela n'a rien d'étonnant. Or je m'aperçus, en observant attentivement les enfants, qu'il n'y en avait pas un seul, pas même le plus petit, qui regardait ailleurs, mais que tous le contemplaient comme s'il s'était agi d'une statue. C'est alors que **[154d]** Chéréphon m'interpella :

« Socrate, quelle impression te fait ce jeune homme ? demanda-t-il. N'a-t-il pas une jolie figure ?

– Hors du commun ! répondis-je.

– Et encore, dit-il, s'il consentait à se dévêtir, tu aurais l'impression qu'il est sans visage, tant ses formes [14] sont d'une parfaite beauté. »

Les autres abondèrent dans le même sens que Chéréphon. Et moi de rétorquer :

« Par Héraklès, l'homme dont vous me parlez est vraiment irrésistible, pourvu qu'il ait encore une seule et unique petite chose.

– Laquelle ? demanda Critias.

– **[154e]** Si son âme [15], repris-je, est d'une bonne nature. Et il convient qu'il possède cette qualité, n'est-ce pas Critias, vu qu'il fait partie de votre famille.

– Mais, répondit-il, il est tout à fait beau et bon [16] sous ce rapport également.

– Alors pourquoi, repris-je, ne pas déshabiller son âme et la contempler [17], elle, avant ses formes ? Car j'imagine qu'il a déjà parfaitement l'âge pour prendre part volontiers à une discussion [18].

– Mais bien sûr, répondit Critias, puisqu'il est philosophe **[155a]** et qu'il est aussi, à mon avis [19] et suivant l'opinion d'autres personnes, très doué pour la poésie.

– Ce talent, repris-je, mon cher Critias, vous vient de très loin, puisqu'il remonte à votre parenté avec Solon [20]. Mais pourquoi ne me fais-tu pas voir le jeune homme en l'appelant ici ? Car même s'il était encore plus jeune qu'il ne l'est, il n'y aurait rien d'inconvenant à ce que nous discutions avec lui en ta présence, toi qui es à la fois son tuteur [21] et son cousin.

– Tu as raison, répondit-il, appelons-le. »

Et **[155b]** aussitôt il dit à celui qui l'accompagnait : « Garçon, appelle Charmide et dis-lui que je veux le pré-

senter à un médecin pour cette douleur dont il m'a dit tout
récemment qu'elle le faisait souffrir. » Puis il me confia :
« Il vient de me dire qu'il ressentait une lourdeur à la tête
en se levant le matin. Vois-tu un empêchement à ce que tu
fasses semblant devant lui de connaître un remède contre
le mal de tête [22] ?

– Aucun, répondis-je, il suffit qu'il vienne.

– Mais il viendra », répondit-il.

Ce qui fut fait : il arriva et déclencha une **[155c]** grande
hilarité. En effet, chacun de nous qui étions assis cédait sa
place en poussant son voisin avec empressement pour permettre à Charmide de venir s'asseoir à ses côtés, jusqu'à
ce que, des deux qui étaient assis à chaque extrémité, nous
fassions lever le premier, et renversions le second sur le
flanc. Charmide vint s'asseoir entre Critias et moi [23]. Dès
ce moment, mon cher, je fus plongé dans l'embarras, et
l'audace qui m'avait fait croire jusqu'alors qu'un entretien
avec lui serait un jeu d'enfant s'est entièrement volatilisée.
Mais lorsque, Critias lui ayant expliqué que j'étais celui
qui connaissait le remède, il jeta sur moi **[155d]** des yeux
que je ne saurais décrire et s'apprêta à m'interroger, et que
tous ceux qui étaient dans la palestre firent cercle autour
de nous, c'est alors, mon noble ami, que j'entrevis l'intérieur de son vêtement : je m'enflammai, je ne me possé-
dais plus [24] et j'ai compris que Kydias [25] était très versé
dans les choses de l'amour, lui qui a donné ce conseil, en
parlant d'un beau garçon : « prends garde qu'un jeune
faon rencontrant un lion ne se fasse arracher un morceau
[155e] de chair [26] ». De fait, j'avais l'impression d'être
moi-même tombé sous les griffes d'une créature de cette
espèce. Cependant, quand il me demanda si je connaissais
le remède contre le mal de tête, c'est avec une certaine
peine que je lui répondis que je le connaissais.

« Alors quel est ce remède ? » demanda-t-il.

Je lui répondis que c'était une certaine plante, mais
qu'il y avait une incantation liée au remède ; et que si l'on
chantait cette incantation en même temps que l'on prenait
le remède, celui-ci assurait le rétablissement complet de la
santé [27] ; mais que, sans l'incantation, la plante n'était
d'aucune utilité.

[156a] Et lui de me répondre : « Je vais donc copier cette incantation sous ta dictée.

– Que tu parviennes ou non à me convaincre de le faire [28] ? » demandai-je.

Il rit et me répondit : « Si je parviens à te convaincre, Socrate.

– À la bonne heure ! répondis-je. Au fait, tu sais mon nom ?

– Si je ne le savais pas, je serais bien en faute, répondit-il, car il est beaucoup question de toi parmi les jeunes de mon âge [29], et je me souviens de t'avoir vu en compagnie de Critias alors que je n'étais encore qu'un enfant [30].

– Tu as raison, répondis-je. Je t'entretiendrai d'autant plus librement **[156b]** de cette incantation et de sa nature. Je me demandais il y a un instant de quelle façon je pourrais te faire la démonstration de son pouvoir. Car sa nature est telle, Charmide, qu'elle ne peut pas guérir la tête séparément ; il en va plutôt comme ce que tu as sans doute déjà entendu dire aux bons médecins, lorsqu'on va les consulter pour une douleur aux yeux : ils affirment qu'il n'est pas possible de traiter les yeux seuls, mais qu'il est nécessaire de soigner en même temps la tête également, si l'on veut **[156c]** que les yeux se portent mieux ; que c'est pareillement pure folie que de s'imaginer que l'on peut soigner la tête pour elle-même indépendamment de tout le corps. C'est en vertu de ce principe qu'ils soumettent tout le corps à un régime et qu'ils s'efforcent de soigner et de guérir la partie avec le tout. Ne t'es-tu pas aperçu que c'est là leur discours et que les choses se passent bien ainsi ?

– Si, bien sûr, répondit-il.

– Eh bien, es-tu d'avis que leur discours est juste et approuves-tu leur principe ?

– Sur toute la ligne ! » répondit-il.

[156d] Je repris courage à l'entendre me donner son assentiment, l'audace [31] me revint peu à peu, et je me ranimai. Je lui dis alors : « Il en va de même, Charmide, de cette incantation. Je l'ai apprise là-bas, à l'armée, d'un des médecins thraces qui se réclament de Zalmoxis [32], dont on dit qu'ils rendent immortel [33]. Or ce Thrace disait que les médecins grecs avaient raison de tenir le langage que je viens de rappeler à l'instant ; mais, poursuivit-il, Zal-

moxis, notre roi, qui est un dieu, affirme **[156e]** que de
même qu'il ne faut pas entreprendre de soigner les yeux
indépendamment de la tête, ni la tête indépendamment du
corps, de même il ne faut pas non plus entreprendre de soigner le corps indépendamment de l'âme, et que la raison
pour laquelle de nombreuses maladies échappent aux
médecins grecs est qu'ils méconnaissent le tout [34] dont il
faudrait qu'ils prennent soin, car lorsque le tout va mal, il
est impossible que la partie se porte bien. En effet, disait-
il, l'âme est la source de tous les maux et de tous les
biens [35] qui échoient au corps et à l'homme tout entier, et
c'est de là qu'ils découlent, comme ils découlent de la tête
jusqu'aux **[157a]** yeux. C'est donc l'âme qu'il faut soigner
d'abord et avant tout, si l'on veut que les parties de la tête
et du reste du corps se portent bien [36]. Il disait, bienheureux ami, que l'on soigne l'âme grâce à des incantations,
et que ces incantations consistent en de beaux discours.
C'est ce genre de discours qui engendre la sagesse [37] dans
les âmes ; une fois qu'elle y est engendrée et présente, il
est alors facile de procurer la santé à la tête [38] et au reste
[157b] du corps. En même temps qu'il m'enseignait le
remède et les incantations, il me dit : "Que personne ne te
persuade de lui soigner la tête avec ce remède s'il ne t'a
pas d'abord laisser soigner son âme par l'incantation. Car
de nos jours, poursuivit-il, l'erreur répandue chez les
hommes est qu'ils s'efforcent d'être les médecins de l'une
des deux indépendamment de l'autre [39]." Et il m'enjoignit
avec insistance de ne me laisser convaincre par personne,
fût-il riche, noble ou beau [40], **[157c]** de faire autrement.
Comme je lui en ai fait le serment, je suis tenu de lui obéir
et je lui obéirai [41] ; quant à toi, si tu consens, conformément aux instructions de l'étranger, à soumettre d'abord
ton âme aux incantations du Thrace, je t'appliquerai le
remède pour la tête ; sinon, il n'y a rien que nous puissions
faire pour toi, mon cher Charmide. »

Critias, qui m'avait entendu tenir ces propos, observa :
« Cette lourdeur à la tête, Socrate, aura été pour le jeune
homme une véritable aubaine, s'il est par là contraint
[157d] de devenir meilleur sous le rapport de la pensée [42]
également. Cependant je te signale que ce n'est pas seulement par ses formes que Charmide passe pour se distin-

guer des autres de son âge, mais aussi en cela même que
procure, à tes dires, l'incantation. Tu veux parler de la
sagesse [43], n'est-ce pas ?

– Tout à fait, répondis-je.

– Sache bien, dit-il, qu'il passe pour être, et de beaucoup, le plus sage des jeunes d'aujourd'hui [44], et qu'en
cela comme pour le reste, compte tenu de son âge, il ne le
cède à personne.

– Et de fait, Charmide, repris-je, ce n'est que justice que
tu te distingues [157e] des autres sur tous ces points ; car
je ne crois pas que personne d'autre ici pourrait aussi facilement montrer comment la réunion de deux familles en
une seule a pu donner naissance, à Athènes, à une descen-
dance plus belle et meilleure que celle dont tu es issu.
Votre famille paternelle, celle de Critias, fils de Dropidès [45], est en effet connue, grâce à une tradition d'éloges
qui nous viennent d'Anacréon [46], de Solon [47] et de nombreux autres poètes, comme une maison qui se distingue
par sa beauté, [158a] sa vertu et les autres manifestations
de ce que l'on appelle le bonheur [48]. Il en va de même pour
ta famille maternelle ; en effet, toutes les fois qu'il s'est
rendu ou bien auprès du Grand Roi [49], ou bien auprès d'un
personnage influent sur le continent [50], ton oncle Pyrilampe [51] avait la réputation d'être l'homme le plus beau et
le plus grand du continent, et sa famille au grand complet
ne le cède en rien à la première. Avec de tels ancêtres [52], il
est naturel que tu sois le premier en tout. Pour ce qui est de
l'apparence, [158b] cher enfant de Glaucon, mon sentiment est que tu n'es en rien inférieur à aucun de ceux qui
t'ont précédé. Et si en outre, en ce qui regarde la sagesse
et le reste, tu es aussi bien doué que le prétend Critias, ta
mère, dis-je, mon cher Charmide, a donné le jour à un
bienheureux.

« Voici donc ce qu'il en est. Si la sagesse est déjà présente
en toi, comme le prétend Critias, et que tu es suffisamment
sage, tu n'as aucun besoin des incantations de Zalmoxis [53],
ni de celles d'Abaris l'Hyperboréen [54], et il faut te donner
sans plus attendre le [158c] remède pour la tête. Mais si tu
as encore l'impression que tu as besoin de ces incantations, il faut t'y soumettre avant que l'on te donne le
remède. Mais dis-moi toi-même : es-tu d'accord avec Cri-

tias pour affirmer que tu as déjà une part suffisante de sagesse, ou bien crois-tu en manquer ? »

Charmide commença par rougir – il n'en paraissait que plus beau, car la pudeur [55] convenait bien à son âge –, puis il me fit une réponse qui ne manquait pas de noblesse. Il dit qu'il ne lui était pas facile, dans le cas présent, de répondre « oui » ou « non » **[158d]** à la question posée. « En effet, dit-il, si je nie être sage, d'une part il serait déplacé que je prononce un tel jugement contre moi-même, d'autre part je ferais passer Critias pour un menteur, ainsi que beaucoup d'autres aux yeux desquels, à ses dires [56], je passe pour sage. Mais si, d'un autre côté, j'affirme être sage et me loue moi-même, cela risque de paraître insupportable. Si bien que je ne sais pas quoi te répondre [57]. »

Je lui dis alors : « Tu me parais dire des choses raisonnables, Charmide. À mon avis, poursuivis-je, il faudrait que nous examinions en commun [58] si tu possèdes, **[158e]** ou non, l'objet de ma demande, afin que toi tu ne sois pas contraint de dire des choses que tu ne souhaites pas dire, et que moi, de mon côté, je ne fasse pas appel à la médecine inconsidérément. Si cela te plaît, je suis prêt à faire cet examen avec toi ; sinon, à laisser faire.

– Mais il n'y a rien au monde qui me plaise davantage, répondit-il. Aussi, pour les besoins de cet examen, conduis-le de la façon que tu crois la meilleure.

– Eh bien, voici, répondis-je, quelle est à mon avis la meilleure façon de procéder pour conduire cet examen. Il est évident que si la sagesse est présente [59] en toi, **[159a]** tu es en mesure de t'en former une opinion. Car sa présence en toi, si vraiment elle est présente, doit nécessairement susciter une certaine perception, qui est à la source de l'opinion que tu te formes à son sujet, de ce qu'elle est et de ses qualités [60]. N'est-ce pas ce que tu crois ?

– C'est bien ce que je crois, répondit-il.

– Eh bien, repris-je, pourrais-tu me dire, puisque tu sais parler grec, comment ton opinion se présente à toi ?

– Peut-être, répondit-il.

– Afin donc que nous puissions déterminer si elle est présente en toi, ou non, dis-moi, poursuivis-je, en quoi consiste la sagesse suivant ton opinion. »

[159b] D'abord il hésita et il n'était pas du tout disposé à répondre ; puis il dit qu'à son avis la sagesse était le fait d'accomplir toutes choses avec mesure [61] et avec calme, aussi bien marcher dans la rue [62], discuter, et pareillement pour tout ce que l'on fait. « À mon avis, dit-il, et pour le dire en un mot [63], ce que tu me demandes est une espèce de calme [64].

– As-tu raison de le dire ? lui demandai-je. Certes, Charmide, c'est bien ce que l'on dit, que les gens calmes sont sages. Voyons donc ce que vaut cette affirmation [65]. **[159c]** Dis-moi, la sagesse ne fait-elle pas partie des belles choses ?

– Bien sûr, répondit-il.

– Est-il plus beau, à l'école [66], d'écrire les mêmes lettres vite ou bien calmement ?

– De les écrire vite.

– Et qu'en est-il de la lecture ? Est-il plus beau de lire vite ou lentement [67] ?

– Vite.

– Et jouer de la cithare vite, de même que lutter avec vivacité, n'est-ce pas beaucoup plus beau que de le faire avec calme et lenteur ?

– Si.

– À la lutte et au pancrace, n'en va-t-il pas de même ?

– Tout à fait.

– À la course, au saut et dans l'ensemble des activités corporelles, **[159d]** n'est-ce pas l'exécution vive et rapide qui relève de la beauté, tandis que l'exécution pénible et calme [68] est le propre de la laideur ?

– C'est clair.

– Il nous apparaît donc, poursuivis-je, qu'en ce qui regarde le corps du moins, ce n'est pas le mouvement le plus calme qui est le plus beau, mais bien le plus rapide et le plus vif. N'est-ce pas ?

– Tout à fait.

– Or la sagesse, avons-nous dit, est une belle chose ?

– Oui.

– En ce qui a trait au corps à tout le moins, ce n'est donc pas le calme qui serait le plus sage, mais bien la vitesse, attendu que la sagesse est belle.

– Il semblerait, répondit-il.

– **[159e]** Mais alors, repris-je, qu'est-ce qui est le plus beau ? la facilité ou la difficulté à apprendre ?

– La facilité à apprendre [69].

– Or la facilité à apprendre, dis-je, c'est apprendre vite, tandis que la difficulté à apprendre, c'est apprendre calmement et lentement ?

– Oui.

– Et lorsqu'on enseigne à quelqu'un, n'est-il pas plus beau de le faire vite et énergiquement plutôt qu'avec calme et lenteur ?

– Oui.

– Et s'il s'agit de se rappeler et de se souvenir, est-il plus beau de le faire avec calme et lenteur ou bien vivement et rapidement ?

– Vivement et rapidement, répondit-il.

– **[160a]** Et la vivacité d'esprit [70], n'est-ce pas une certaine acuité de l'âme [71], et non pas une sorte de calme ?

– C'est vrai.

– Eh bien, pour comprendre ce que l'on dit, que ce soit à l'école, chez le maître de cithare ou partout ailleurs, le plus beau n'est pas de le comprendre le plus calmement, mais le plus rapidement.

– Oui.

– Dans le domaine de la délibération et des recherches menées par l'âme, ce n'est pas, j'imagine, le plus calme, c'est-à-dire celui qui a de la peine à délibérer et à trouver, qui passe pour être digne d'éloge, **[160b]** mais celui qui fait cela le plus facilement et le plus rapidement.

– C'est juste, répondit-il.

– Eh bien, poursuivis-je, pour toutes ces activités, Charmide, aussi bien celles qui se rapportent à l'âme que celles qui concernent le corps, il nous apparaît que celles qui se font avec rapidité et vivacité sont plus belles que celles qui se font avec lenteur et calme [72].

– Ça en a tout l'air, répondit-il.

– La sagesse ne serait donc pas une sorte de calme, ni la vie sage une vie calme, en vertu de ce raisonnement du moins [73], puisque, étant sage, elle doit être belle. De deux choses l'une : il ne nous est jamais apparu, **[160c]** ou bien très rarement [74], que les actions calmes étaient, dans la vie, plus belles que les actions rapides et vigoureuses ; et dans l'hypothèse, mon cher, où les actions calmes ne seraient pas moins souvent belles que les actions énergiques et rapides, la sagesse ne consisterait pas pour autant à faire quelque chose avec calme plutôt qu'avec vigueur et vitesse, que ce soit la marche, l'élocution, ou quelque activité que ce soit, et la vie calme ne serait pas non plus **[160d]** plus sage que la vie dépourvue de calme, attendu que nous avons supposé au cours de l'entretien que la sagesse fait partie des belles choses, et que les actions rapides ne nous sont pas apparues moins belles que les calmes.

– À mon avis, Socrate, tu as bien parlé, dit-il.

– Il faut donc, Charmide, repris-je, que tu te concentres à nouveau et plus intensément ; lorsque, après avoir regardé en toi-même, tu auras compris quel genre de personne la présence de la sagesse [75] fait de toi, et ce qu'elle doit être pour produire un tel effet [76], rassemble tous ces éléments et dis-moi clairement et **[160e]** bravement ce qu'elle te semble être. »

Après avoir gardé le silence et s'être examiné à fond comme un homme, il dit : « Il me semble que la sagesse nous fait éprouver la honte, qu'elle rend l'homme sujet à la honte, et que la pudeur [77] est précisément ce en quoi elle consiste.

– Soit, répondis-je ; n'as-tu pas convenu tout à l'heure [78] que la sagesse est une belle chose ?

– Tout à fait, répondit-il.

– Dans ce cas, les hommes sages sont-ils également bons [79] ?

– Oui.

– Et pourrait-elle être bonne la chose qui ne rendrait pas les hommes bons ?

– Bien sûr que non !

– La sagesse est donc non seulement belle, mais bonne aussi [80].

– **[161a]** C'est bien mon avis.

– Mais quoi ? repris-je, n'es-tu pas convaincu que Homère a raison de dire que "la pudeur n'est pas une bonne compagne pour l'homme dans le besoin [81]" ?

– Si, répondit-il.

– C'est donc, semble-t-il, que la honte est à la fois mauvaise et bonne.

– Apparemment.

– Mais la sagesse, elle, est bonne, s'il est vrai qu'elle rend bons ceux en qui elle est présente, et mauvais ceux en qui elle ne se trouve pas [82].

– À mon avis, il en est exactement comme tu dis.

– La sagesse ne serait donc pas la pudeur, puisqu'il **[161b]** se trouve que la première est bonne, alors que la honte n'est pas davantage bonne que mauvaise [83].

– Eh bien, j'ai l'impression, Socrate, répondit-il, que tu as sur ce point raison. Mais examine un peu cette autre définition de la sagesse pour voir ce que tu en penses. Je viens en effet de me rappeler que j'ai entendu dire à quelqu'un [84] que la sagesse consisterait à faire ses propres affaires [85]. Vois donc si, à ton avis, l'auteur de cette affirmation a raison. »

Et moi de m'exclamer : « Fripouille [86], c'est de Critias que tu tiens cela ou **[161c]** d'un autre de nos sages [87] !

– Probablement d'un autre, intervint Critias, car ce n'est certainement pas de moi [88].

– Mais quelle différence cela fait-il Socrate, demanda Charmide, de qui je la tiens ?

– Aucune, répondis-je, car, de toute façon, ce que nous devons examiner, ce n'est pas qui l'a dit, mais si ce qui est dit est vrai ou non [89].

– Là tu parles ! dit-il.

– Oui, par Zeus ! répondis-je ; mais je serais bien étonné si nous découvrions de quoi il en retourne, car cette affirmation a tout l'air d'une énigme [90].

– Et pourquoi donc ? demanda-t-il.

– **[161d]** Parce que, répondis-je, celui qui soutient que la sagesse consiste à faire ses propres affaires attribue une autre signification aux mots qui sont prononcés. Ou bien crois-tu que le maître d'école ne fait rien lorsqu'il écrit ou lit ?

– Je crois évidemment qu'il fait quelque chose, répondit-il.

– As-tu l'impression que le maître d'école n'écrit et ne lit que son propre nom, ou que c'est à vous les enfants [91] qu'il enseigne ? Et n'écrivez-vous pas moins les noms de vos ennemis que les vôtres et ceux de vos amis ?

– Pas moins.

– Vous êtes-vous comportés, en faisant cela, comme des touche-à-tout [92] dénués de sagesse ?

– **[161e]** En aucun cas.

– Et pourtant, ce ne sont pas vos propres affaires que vous faisiez, s'il est vrai que le fait d'écrire, ainsi que de lire, consiste à faire quelque chose.

– Ce sont bien des activités.

– Ainsi que le fait de guérir, mon ami, et de construire, et de tisser ; et réaliser n'importe quel des produits de l'art à l'aide d'une technique, quelle qu'elle soit, c'est bien, j'imagine, faire quelque chose.

– Tout à fait.

– Mais alors, repris-je, une cité serait-elle bien administrée, à ton avis, si la loi ordonnait à chacun de tisser et de laver son propre vêtement, de tailler le cuir de ses sandales, de fabriquer son lécythe, son racloir et, conformément au même principe, tous les autres objets, **[162a]** bref de ne pas toucher aux choses d'autrui, mais que chacun réalise et fasse ses propres affaires [93] ?

– À mon avis, non, répondit-il.

– Mais pourtant, poursuivis-je, une cité administrée avec sagesse serait bien administrée [94].

– C'est indéniable, répondit-il.

– La sagesse ne consisterait donc pas, dis-je, à faire de cette façon des affaires personnelles de cette sorte.

– Apparemment non.

– Comme je le soulignais tout à l'heure [95], il s'exprime donc par énigmes, à ce qu'il semble, celui qui affirme que la sagesse consiste à faire ses propres affaires ; sinon, il est vraiment **[162b]** simpliste. À moins que ce ne soit à quelqu'un de stupide que tu as entendu dire cela, Charmide ?

– Pas le moins du monde, dit-il, puisqu'il passe même pour être très savant [96].

– Dans ce cas, c'est très certainement une énigme qu'il te proposait, me semble-t-il, attendu qu'il est difficile de savoir en quoi consiste "faire ses propres affaires".

– Peut-être, dit-il.

– "Faire ses propres affaires", qu'est-ce que cela pourrait donc bien être ? Peux-tu me le dire ?

– Je n'en sais rien, moi, par Zeus ! répondit-il. Mais il n'est pas impossible que celui qui affirme cela ne sache pas non plus ce qu'il voulait dire [97]. » Et tout en disant cela, il riait sous cape et regardait en direction de Critias.

[162c] Il était évident que Critias s'agitait depuis un moment et qu'il était désireux de se mettre en valeur devant Charmide et ceux qui étaient présents, et que s'étant retenu à grand-peine jusque-là, il n'en était désormais plus capable. J'eus dès lors le sentiment que j'étais tout à fait fondé de croire, comme je le soupçonnais, que Charmide tenait de Critias cette réponse concernant la sagesse. Comme Charmide ne souhaitait pas répondre lui-même de cette position, mais que Critias défende sa réponse, [162d] il le provoquait en lui montrant qu'il avait été réfuté sur toute la ligne. Critias ne se contenait plus [98] et sa colère contre Charmide me fit penser à celle d'un poète contre un acteur qui joue mal sa pièce. Si bien qu'il lui dit, en le foudroyant du regard : « Ainsi tu crois, Charmide, que si toi tu ne sais pas ce que voulait dire celui qui a soutenu que la sagesse consiste à faire ses propres affaires, lui non plus ne le sait pas [99] ?

– Mais mon cher Critias, lui dis-je, il n'y a rien [162e] d'étonnant à ce qu'il l'ignore, vu son âge [100] ; mais, peut-on croire, il est naturel que tu le saches, en raison de ton âge et de ton application [101]. Si donc tu admets que la sagesse est précisément ce qu'il dit, et que tu endosses sa formulation, il me serait beaucoup plus agréable d'examiner avec toi si elle est vraie ou non.

– Mais je suis tout à fait d'accord avec cette formulation, répondit-il, et je l'endosse.

– Et tu as certes raison de le faire [102] ! répondis-je. Mais dis-moi, es-tu d'accord également avec ce que je demandais à l'instant [103], à savoir que tous les artisans fabriquent quelque chose ?

– Oui.

– [163a] À ton avis, est-ce qu'ils fabriquent seulement leurs propres affaires, ou bien celles des autres également ?

– Celles des autres également.

– Ils peuvent donc être sages bien qu'ils ne fabriquent pas seulement leurs propres affaires ?

– Qu'est-ce qui l'empêche ? demanda-t-il.

– Rien, en ce qui me concerne, répondis-je. Mais vois s'il n'en est pas empêché celui qui, après avoir fait l'hypothèse que la sagesse consiste à faire ses propres affaires, soutient ensuite que rien n'empêche que ceux qui font les affaires des autres soient également sages [104].

– Si j'ai reconnu que ceux qui fabriquent les affaires des autres sont sages, ai-je pour autant reconnu, demanda-t-il, que ceux qui s'occupent des affaires d'autrui le sont [105] ?

– **[163b]** Dis-moi, repris-je, ce n'est pas la même chose que tu appelles "fabriquer" et "faire" ?

– Pas du tout, répondit-il. "Travailler" et "fabriquer" ne sont pas non plus la même chose. Je l'ai appris d'Hésiode, qui dit qu'"aucun travail ne mérite le blâme [106]". Crois-tu donc que s'il appelait "travailler" et "faire" des travaux semblables à ceux dont tu parlais à l'instant, il affirmerait que le blâme ne s'attache à personne qui taille le cuir, qui vend des salaisons ou qui se prostitue [107] ? Non, Socrate, il ne faut pas le croire ! Je crois plutôt qu'Hésiode considérait que la fabrication est autre chose que l'action et le travail, **[163c]** et qu'un objet fabriqué mérite parfois le blâme, lorsqu'il ne s'accompagne pas de beauté, tandis que le travail ne mérite jamais le blâme. En effet, il appelait "travail" ce qui était fabriqué avec un souci de beauté et d'utilité, et les fabrications de ce genre sont pour lui des travaux et des actions [108]. Et il faut ajouter qu'il considérait que seules les fabrications de ce genre nous étaient propres, alors que toutes celles qui sont nuisibles nous sont étrangères [109]. En conclusion, il faut croire qu'Hésiode aussi, comme tout homme réfléchi, appelle "sage" celui qui fait ses propres affaires [110].

– **[163d]** Critias, répondis-je, tu n'avais pas sitôt commencé que j'avais à peu près compris ton argument, à savoir que tu appellerais "bon [111]" ce qui nous est propre [112] et ce qui nous concerne, et "actions" les productions de choses bonnes. C'est que j'ai entendu des milliers de fois Prodicos [113] faire des distinctions entre les mots ! En ce qui me concerne, je te permets d'attribuer aux mots la signification que tu voudras pour chacun ; montre-moi seulement à quoi tu appliques le mot que tu emploies. Reprenons donc depuis le début [114] et donne-moi une définition plus claire [115]. **[163e]** Est-ce faire le bien, ou le fabriquer, ou de quelque façon que tu veuilles l'exprimer, est-ce en cela que consiste d'après toi la sagesse ?

– Oui, répondit-il.

– Celui qui fait le mal n'est donc pas sage, mais c'est plutôt celui qui fait le bien ?

– Mais toi, très cher, demanda-t-il, n'es-tu pas de cet avis ?

– Laisse, répondis-je, car ce n'est pas mon opinion que nous examinons, mais ce que toi tu soutiens présentement [116].

– Eh bien j'affirme, répondit-il, que celui qui ne fait pas le bien, mais le mal, n'est pas sage, et que celui qui fait le bien, et non le mal, est sage. Que la sagesse consiste à faire le bien, voilà la définition claire [117] que je te soumets.

– **[164a]** Et il n'est pas impossible que tu dises vrai [118] ; ce qui toutefois m'étonne, dis-je, c'est que tu crois que les hommes sages ignorent qu'ils sont sages.

– Mais je ne le crois pas, répondit-il.

– Ne disais-tu pas à l'instant [119], demandai-je, que rien n'empêche que les artisans soient sages même s'ils fabriquent les affaires d'autrui ?

– Je l'ai dit, en effet, répondit-il. Mais qu'est-ce que cela entraîne ?

– Rien. Mais dis-moi si, à ton avis, un médecin qui guérit quelqu'un **[164b]** fait quelque chose d'utile pour lui-même et pour celui qu'il soigne.

– C'est bien mon avis.

– Eh bien, fait-il ce qu'il faut celui qui fait cela ?

– Oui.

– Celui qui fait ce qu'il faut [120] n'est-il pas sage ?

– Si, il est sage.

– Le médecin sait-il donc nécessairement quand il est avantageux de guérir et quand ce ne l'est pas ? Et de même, chacun des artisans sait-il dans quels cas il tirera profit de l'ouvrage qu'il fait, et dans quels cas, non ?

– Peut-être que non.

– Il arrive donc parfois, repris-je, qu'ayant pratiqué de façon utile, ou nuisible, le **[164c]** médecin ne sache pas

lui-même quelle est la valeur de sa pratique ; pourtant, suivant ta position, s'il a pratiqué de façon utile, il a pratiqué
avec sagesse. N'est-ce pas ce que tu disais ?

– Si.

– Dans ce cas, à ce qu'il semble, il arrive parfois qu'il
pratique avec sagesse et qu'il soit sage lorsqu'il a pratiqué
utilement, mais qu'il ignore lui-même qu'il est sage [121] ?

– Mais cela ne saurait se produire, Socrate, répondit-il,
et si tu crois que c'est une conséquence nécessaire qui
découle des propositions que j'ai admises précédemment,
[164d] je retirerais volontiers l'une d'elles ; je rougirais
moins d'avouer que je ne me suis pas exprimé correctement, que d'admettre qu'un homme qui ne se connaît pas
lui-même puisse être sage. J'affirme en effet que c'est en
gros cela la sagesse, se connaître soi-même, et je suis sur
ce point d'accord avec celui qui a fait graver cette inscription à Delphes [122]. À mon avis, cette inscription a été
consacrée en tant qu'elle est le salut que le dieu adresse, au
lieu de "réjouis-toi", à ceux qui pénètrent dans son
temple, dans la mesure **[164e]** où cette formule de salutation, "réjouis-toi", n'est pas convenable [123], et que ce
n'est pas non plus à nous réjouir que nous devons nous
inviter les uns les autres, mais à être sages. C'est ainsi que
le dieu s'adresse à ceux qui pénètrent dans son temple, se
distinguant en cela des hommes, comme l'avait déjà compris, à mon avis, celui qui a gravé l'inscription. À tout
homme qui pénètre dans son temple, le dieu ne dit pas
autre chose que "sois sage". Mais c'est d'une façon très
énigmatique, à la façon d'un devin, qu'il s'exprime.
"Connais-toi toi-même" et "sois sage", c'est du **[165a]**
pareil au même, comme les inscriptions et moi le pré-
tendons ; mais on pourrait peut-être croire qu'il s'agit
d'autre chose, comme ce fut le cas, à mon avis, de ceux
qui ont fait graver les inscriptions ultérieures, comme
"rien de trop [124]" et "caution appelle malédiction [125]". Ils
s'imaginaient en effet que "connais-toi toi-même" était
un conseil, et non pas le salut [126] du dieu à ceux qui
entrent ; puis, dans le but de laisser eux-mêmes en
offrande des conseils qui ne seraient pas moins utiles, ils
ont fait graver ces inscriptions. La raison pour laquelle je
te raconte tout cela, Socrate, la voici : **[165b]** tout ce que

je t'ai dit jusqu'à maintenant, je le retire ; peut-être est-ce toi qui as parlé avec plus de justesse sur ces questions, peut-être moi, mais il n'y a rien de très clair [127] dans ce que nous avons dit. Pour le moment, si tu ne conviens pas que la sagesse consiste à se connaître soi-même, je suis prêt à te rendre raison de cette position.

– Eh bien, Critias, répondis-je, tu t'adresses à moi comme si je prétendais connaître les sujets sur lesquels je t'interroge, et comme si je pouvais à ma guise te donner mon accord. Or il n'en va pas ainsi : j'examine sans relâche en ta compagnie le sujet auquel nous sommes confrontés car je n'en détiens pas **[165c]** la connaissance [128]. Ce n'est qu'une fois l'examen complété que je serai prêt à dire si je suis d'accord avec toi ou non. Patiente jusqu'à ce que j'aie procédé à l'examen.

– Dans ce cas, examine, répondit-il.

– C'est bien ce que je fais, répondis-je. Si la sagesse consiste à connaître quelque chose, il est évident qu'elle est une sorte de science [129] et qu'elle a un objet. N'est-ce pas ?

– C'est la science de soi, répondit-il.

– Alors la médecine, demandai-je, est la science de la santé ?

– Tout à fait.

– Si donc, dis-je, tu me demandais : "À quoi nous sert la médecine, qui est la science de la santé, et qu'est-ce qu'elle produit ?", **[165d]** je te répondrais que son utilité n'est pas négligeable puisqu'elle produit la santé, qui est pour nous un beau résultat [130], si tu approuves cette réponse.

– Je l'approuve.

– Et si tu me demandais à propos de l'architecture, qui est la science de la construction des habitations, quel est selon moi le résultat qu'elle produit, je te répondrais que ce sont les habitations. Et pareillement pour les autres techniques. Il faut donc que toi aussi, au sujet de la sagesse, étant donné que tu affirmes qu'elle est la science de soi-même, tu sois en mesure de répondre si jamais l'on t'interroge : "Eh Critias, la sagesse, **[165e]** qui est la science de soi-même, quel beau résultat, et digne de son nom, produit-elle [131] dans notre intérêt ?". Vas-y, réponds.

– Mais tu ne cherches pas comme il faut, Socrate, répondit-il. En effet, la sagesse est par nature différente des autres sciences, qui d'ailleurs ne se ressemblent pas non plus entre elles. Or toi tu conduis ton enquête comme si elles étaient semblables ! Eh bien, dis-moi, demanda-t-il, ce que le calcul ou la géométrie produit de comparable à la maison, qui est l'œuvre de l'architecture, ou au manteau, qui est l'œuvre du tissage, ou aux autres œuvres de ce genre que l'on pourrait citer en grand nombre et qui sont produites par les nombreuses techniques. **[166a]** Peux-tu donc me montrer quelle œuvre de ce genre produisent ces deux sciences ? Tu en seras bien incapable [132].

– Tu dis vrai [133], lui ai-je répondu. Je peux toutefois te montrer que chacune de ces sciences porte sur un objet qui est distinct de la science elle-même. Par exemple, le calcul a pour objet, si je ne m'abuse, le pair et l'impair, et les relations que les nombres entretiennent avec eux-mêmes et entre eux [134]. N'est-ce pas ?

– Tout à fait, répondit-il.

– Alors le pair et l'impair sont distincts du calcul lui-même ?

– Sans contredit !

– **[166b]** Et à son tour l'art de peser est science du plus lourd et du plus léger ; mais le lourd et le léger sont distincts de l'art de peser lui-même. Es-tu d'accord ?

– Je le suis.

– Alors dis-moi de quel objet, distinct de la sagesse elle-même, la sagesse est-elle la science ?

– Nous y voilà ! Socrate, répondit-il. Tu en arrives, à force de chercher, à cela même qui distingue la sagesse de toutes les sciences, alors que toi tu cherches une ressemblance entre la sagesse et les autres sciences. Mais il n'en va pas **[166c]** ainsi, car toutes les autres sciences portent sur autre chose, mais non sur elles-mêmes, tandis que seule la sagesse est science à la fois des autres sciences et d'elle-même [135]. Cette différence ne t'a pas échappé, tant s'en faut ; mais je crois que tu fais ce dont tu te défendais tout à l'heure de faire [136] : tu cherches à me réfuter, sans égard au sujet de la discussion [137].

– Qu'est-ce qui te fait croire, repris-je, que si je te réfute sans merci, je le fais pour un autre motif que celui qui me

[166d] fait examiner à fond ce que je dis, à savoir la crainte que je ne me rende pas compte, alors que je crois savoir quelque chose, qu'en réalité je ne le sais pas. Et je t'assure qu'en ce moment même c'est ce que je fais : c'est surtout dans mon propre intérêt que j'examine cette proposition, et peut-être aussi dans l'intérêt de mes amis [138]. Ne crois-tu pas que c'est un bien commun à presque tous les hommes, que d'être au clair sur la nature de chaque chose ?

– Si, bien sûr, Socrate, répondit-il.

– Alors courage mon bienheureux, repris-je, et réponds à la question posée comme il te semble, sans te préoccuper de savoir si c'est Critias **[166e]** ou Socrate qui est réfuté. Concentre-toi plutôt sur l'argument et examine de quelle façon s'en tirera ce qui aura été soumis à la réfutation.

– C'est bien ce que je vais faire, dit-il, car tu me fais l'impression de parler avec mesure.

– Alors dis-moi, repris-je, que soutiens-tu au sujet de la sagesse ?

– J'affirme donc, répondit-il, qu'elle est la seule de toutes les sciences qui soit à la fois science d'elle-même et des autres sciences [139].

– Dans ce cas, demandai-je, elle serait également la science de la non-science, s'il est vrai qu'elle porte sur la science [140] ?

– Tout à fait, répondit-il.

– **[167a]** Le sage est donc le seul qui se connaîtra lui-même et qui sera en mesure d'examiner [141] ce qu'il se trouve savoir et ce qu'il ne sait pas, et il aura pareillement la capacité d'examiner autrui sur ce qu'il sait et croit savoir, lorsqu'il le sait, et inversement sur ce qu'il croit savoir, alors qu'il ne le sait pas ; et personne d'autre n'aura cette capacité. C'est donc en cela que consistent le fait d'être sage, la sagesse et se connaître soi-même : savoir ce que l'on sait et ce que l'on ne sait pas [142]. Est-ce bien ce que tu affirmes ?

– Oui, répondit-il [143].

– Reprenons donc, dis-je, en offrant la troisième libation au Sauveur [144], et, comme si c'était un **[167b]** nouveau départ, examinons d'abord s'il est possible, ou non, eu égard à ce que l'on sait et à ce que l'on ne sait pas, de

savoir qu'on le sait ou qu'on ne le sait pas ; ensuite, à supposer que cela soit tout à fait possible, quelle serait pour
nous l'utilité [145] d'un tel savoir [146].

– Eh bien, il faut procéder à cet examen, répondit-il.

– Alors vas-y Critias, repris-je, procède à cet examen,
au cas où tu aurais plus de ressources que moi sur ces
questions ; car en ce qui me concerne je suis embarrassé.
Veux-tu que je t'explique les raisons de mon embarras ?

– Oui, répondit-il.

– Si ce que tu viens de dire à l'instant est vrai, répondis-
je, tout cela ne formerait qu'une seule science, qui ne
serait science de rien d'autre **[167c]** que d'elle-même et
des autres sciences, en plus d'être science de la non-
science [147].

– Parfaitement.

– Vois l'absurdité, mon ami, de ce que nous cherchons
à soutenir. Si tu prends la peine d'examiner la même position appliquée à d'autres domaines, il t'apparaîtra, je
pense, qu'elle s'avère impossible.

– Comment cela et dans quels domaines ?

– Dans ces domaines-ci [148]. Considère en effet si à ton
avis il existe une vision qui n'est pas vision des objets sur
lesquels portent les autres visions, mais qui est vision
d'elle-même et des autres visions, de même que des non-
visions ; **[167d]** bien qu'elle soit une vision, elle ne voit
aucune couleur, mais elle se perçoit elle-même et les
autres visions. À ton avis, est-ce qu'une telle vision
existe ?

– Par Zeus, je ne le crois pas.

– Et qu'en est-il d'une audition qui n'entend aucun
son, mais qui entend elle-même et les autres auditions, de
même que les non-auditions ?

– Cela n'existe pas non plus.

– Bref, examine toutes les sensations pour déterminer
si, à ton avis, il y en a une qui soit sensation des sensations
et d'elle-même, mais qui ne perçoive rien de ce que perçoivent les autres sensations.

– À mon avis il n'y en a pas [149].

– **[167e]** Et as-tu l'impression qu'il existe un désir qui
ne soit désir d'aucun plaisir, mais qui soit désir de lui-
même et des autres désirs ?

– Non, assurément.

– Il n'y a pas non plus de volonté, que je sache, qui ne veuille aucun bien, mais qui se veuille elle-même et les autres volontés.

– Non, en effet.

– Et dirais-tu qu'il existe une espèce d'amour qui n'aime rien de beau [150], mais qui est amour de lui-même et des autres amours ?

– Non, répondit-il.

– As-tu déjà pensé à une peur qui a peur d'elle-même et des **[168a]** autres peurs, mais qui n'a peur d'aucune des choses redoutables [151] ?

– Je n'y ai jamais pensé, dit-il.

– Et à une opinion qui soit opinion des opinions et d'elle-même, mais qui n'opine sur aucun des objets des autres opinions ?

– Jamais.

– Or nous soutenons, semble-t-il, qu'il existe une science de telle nature qu'elle n'est la science d'aucun objet, mais qu'elle est la science d'elle-même et des autres sciences ?

– Nous le soutenons en effet.

– N'est-ce pas étrange, à supposer même qu'elle existe ? N'affirmons pas encore avec fermeté qu'elle n'existe pas, mais poursuivons notre examen pour déterminer si elle existe.

– **[168b]** Bien dit.

– Allons-y. Cette science est science de quelque chose, et elle a une certaine puissance qui lui permet de porter sur cet objet. N'est-ce pas ?

– Tout à fait.

– Ainsi affirmons-nous que le plus grand a une certaine puissance qui lui permet d'être plus grand que quelque chose.

– Il la possède en effet.

– Il est donc plus grand qu'une chose plus petite, s'il est vrai qu'il est plus grand [152].

– C'est obligé.

– Si donc nous découvrions quelque chose de plus grand qui est plus grand que lui-même et que les autres choses plus grandes, mais qui n'est plus grand qu'aucune des choses par rapport auxquelles les autres sont plus grandes, **[168c]** j'imagine que cette propriété lui appartient très certainement, à savoir, s'il est vrai qu'il est plus grand que lui-même, qu'il est aussi plus petit que lui-même ? N'est-ce pas ?

– De toute nécessité, Socrate, répondit-il.

– Eh bien, de même, s'il y a quelque chose qui soit le double des autres doubles et de lui-même, il serait double de la moitié qu'il est lui-même et des autres doubles. Car le double ne porte pas sur autre chose que la moitié [153].

– C'est vrai.

– Mais ce qui est supérieur à lui-même ne sera-t-il pas aussi inférieur à lui-même, et ce qui est plus lourd que soi plus léger, et ce qui est plus vieux, plus jeune, et **[168d]** pareillement pour toutes les autres choses [154] ? Ce qui exerce sa propre puissance envers soi-même n'aura-t-il pas l'essence à l'égard de laquelle sa propre puissance s'exerce ? Voici ce que je veux dire : l'ouïe, par exemple, nous affirmons qu'elle ne porte sur rien d'autre que le son. N'est-ce pas ?

– Si.

– Dans ce cas, si elle s'entend elle-même, elle entendra le son qu'elle possède elle-même, car autrement elle ne s'entendrait pas.

– De toute nécessité.

– Et la vision, mon bon, si vraiment elle peut se voir elle-même, doit nécessairement avoir une couleur, car elle ne peut rien **[168e]** voir d'incolore.

– Elle en est incapable, en effet.

– Tu vois donc, Critias, que de tous les cas que nous avons passés en revue, il nous paraît absolument impossible, pour les uns, et guère croyable, pour les autres, qu'ils puissent exercer leur propre puissance à leur endroit. Car pour les grandeurs, les quantités et ce genre de choses, c'est absolument impossible, n'est-ce pas ?

– Tout à fait.

– Quant à l'audition et à la vision, ou encore au mouvement qui se meut lui-même [155] et à la chaleur qui se réchauffe, tous les cas de ce genre **[169a]** rendront les uns incrédules, mais peut-être pas certains autres. C'est donc d'un grand homme [156], mon cher, dont on a besoin pour

distinguer avec soin, dans tous les cas, s'il n'y a aucun des
êtres qui puisse par nature exercer sa propre puissance à
son endroit, mais nécessairement à l'endroit d'un autre
être, ou bien si les uns [157] le peuvent, mais non les autres,
et, dans l'hypothèse où il y en a qui exercent leur puissance à leur propre endroit, s'il faut compter la science
– en quoi consiste, disons-nous, la sagesse – au nombre de
ces cas. En ce qui me concerne, je ne me crois pas compétent pour faire ces distinctions. C'est pourquoi je ne puis
ni soutenir avec fermeté la possibilité **[169b]** d'une
science de la science, ni admettre, s'il s'avère que cette
possibilité est bien réelle, que la sagesse consiste en cela,
avant que j'aie examiné si la sagesse, ainsi comprise, nous
serait utile, ou non, en quelque chose. Car, que la sagesse
soit quelque chose d'utile et de bon [158], j'en fais la
prophétie [159]. Comme tu soutiens, fils de Callaischros, que
la sagesse est la science de la science [160], ainsi que de la
non-science, démontre-nous d'abord que cette science
dont je viens de parler est possible, et ensuite qu'elle est
également utile en plus d'être possible [161]. **[169c]** Peut-être
me donneras-tu satisfaction pour autant que tu dises des
choses justes sur la nature de la sagesse. »

De même que ceux qui en voient d'autres leur bâiller au
visage éprouvent la même envie de bâiller, de même Critias, en entendant mes paroles et en voyant mon embarras,
m'a donné l'impression d'être lui aussi sous le coup de
mon embarras et de perdre lui-même pied sous l'effet de la
difficulté. Et comme il avait coutume d'avoir bonne réputation, il se sentait honteux devant l'assistance et il n'était
pas disposé à m'accorder qu'il était incapable de faire les
distinctions que je l'invitais à faire ; **[169d]** il ne disait rien
de clair [162], cherchant à dissimuler son embarras [163]. Alors,
dans notre intérêt, pour faire avancer la discussion, je lui
dis : « Si tu es d'accord, Critias, admettons pour l'instant
qu'il puisse exister une science de la science. Nous exami-
nerons une autre fois s'il en est bien ainsi ou non. Allons,
dis-moi : dans l'hypothèse où cela est tout à fait possible [164], en quoi est-on plus en mesure de savoir ce que
l'on sait et ce que l'on ne sait pas ? Car c'est bien en cela
que consiste, avons-nous dit [165], le fait de se connaître soi-
même et d'être sage [166], n'est-ce pas ?

– Tout à fait, répondit-il, et l'un ne va pas sans l'autre, Socrate. En effet, si **[169e]** l'on a la science qui se connaît elle-même, on sera de même nature que ce que l'on possède. Ainsi est-on est rapide lorsqu'on a la rapidité, beau lorsqu'on a la beauté, et connaissant lorsqu'on a la connaissance ; dès lors, lorsqu'on a la connaissance d'elle-même, on sera sans doute alors quelqu'un qui se connaît soi-même [167].

– Ce n'est pas cela que je conteste, répondis-je, que lorsque l'on possède ce qui se connaît soi-même, on se connaîtra soi-même [168], mais qu'il soit nécessaire pour celui qui possède cette connaissance, de savoir ce qu'il sait et ce qu'il ne sait pas.

– **[170a]** Parce que, Socrate, cette connaissance est identique à la précédente.

– Peut-être, répondis-je, mais j'ai bien peur d'être toujours le même, car je ne comprends toujours pas que ce soit la même chose [169].

– Que veux-tu dire ? demanda-t-il.

– Voici, répondis-je. S'il y a une science de la science, pourra-t-elle faire plus que de distinguer, entre deux choses, que l'une est une science, et que l'autre n'en est pas ?

– Non, mais c'est tout ce qu'elle peut faire.

– Or la science et la non-science de la santé, **[170b]** est-ce la même chose que la science et la non-science du juste ?

– En aucune façon.

– La première, je crois, est la médecine ; la seconde, la politique, alors que l'autre n'est rien d'autre que la science.

– Il n'en va pas autrement.

– Eh bien, si l'on n'a pas en outre la connaissance du sain et du juste, mais que l'on connaît seulement la science – attendu que c'est de cela seulement qu'on possède la science –, on pourra vraisemblablement connaître, chez soi-même et chez les autres, qu'on sait quelque chose et qu'on possède une certaine science ; n'est-ce pas ?

– Si.

– Et ce que l'on connaît, comment pourrait-on le savoir au moyen de cette science ? **[170c]** Car on connaît la santé par la médecine, mais non par la sagesse, l'harmonie par la musique, mais non par la sagesse, l'art de construire par l'architecture, mais non par la sagesse, et ainsi de suite. N'est-ce pas ?

– Selon toute apparence.

– Alors comment saura-t-on par la sagesse, si vraiment elle n'est que la science des sciences, que l'on connaît la santé ou l'architecture ?

– En aucune manière.

– Celui qui ignore ces savoirs particuliers ne saura donc pas ce qu'il sait, mais seulement qu'il sait [170].

– Il semblerait.

– **[170d]** Le fait d'être sage et la sagesse ne consiste-raient donc pas à savoir ce que l'on sait et ce que l'on ne sait pas, mais seulement, semble-t-il, à savoir que l'on sait ou que l'on ne sait pas [171].

– C'est bien possible.

– Le sage ne sera pas non plus capable de mettre à l'épreuve celui qui prétend connaître quelque chose, pour vérifier s'il sait, ou non, ce qu'il prétend savoir [172]. Tout ce qu'il saura, semble-t-il, c'est que l'autre possède une cer-taine science, mais de quoi au juste, la sagesse ne sera pas en mesure de le lui apprendre.

– Apparemment non.

– **[170e]** Il ne pourra donc pas faire la différence ni entre celui qui se fait passer pour un médecin, sans l'être, et celui qui l'est vraiment, ni, en aucune autre science, entre ceux qui savent et ceux qui ne savent pas [173]. Poursuivons notre examen à partir d'un exemple : si l'homme sage ou n'importe qui d'autre a l'intention de distinguer le médecin véritable de celui qui ne l'est pas, ne procédera-t-il pas comme suit ? Il s'entretiendra [174] avec lui de la médecine, je suppose, puisque le médecin, avons-nous dit, ne s'entend à rien, sinon à la santé et à la maladie ; n'est-ce pas ?

– Oui, c'est ainsi.

– Mais il ne sait rien au sujet de la science, puisque nous l'avons attribuée à la sagesse exclusivement.

– Oui.

– Le médecin ne sait donc rien non plus de la méde-cine, puisqu'il se trouve que la **[171a]** médecine est une science.

– C'est vrai.

– Que le médecin possède une certaine science, le sage pourra le reconnaître ; mais s'il lui faut déterminer quelle est cette science, examinera-t-il autre chose que ses objets ? Chaque science ne se définit-elle pas par le fait d'être non seulement une science, mais aussi une science particulière, avec des objets particuliers ?

– C'est ce qui la définit.

– Ainsi a-t-on défini la médecine comme la science de la santé et de la maladie [175], ce qui la distingue des autres sciences.

– Oui.

– Dans ce cas, celui qui veut examiner la médecine **[171b]** doit nécessairement examiner les objets sur lesquels elle porte, et non pas les objets qui lui sont étrangers et sur lesquels elle ne se penche pas.

– Non, certes.

– C'est donc sur des cas de santé et de maladie que le médecin, en tant qu'il est un expert en médecine, sera examiné par celui qui conduit correctement son examen.

– Apparemment.

– Ce sont donc les discours et les actes médicaux qu'il examinera ; les discours, pour s'assurer de leur vérité, et les actes, pour vérifier s'ils sont correctement posés.

– Nécessairement.

– Mais pourrait-on, sans compétence médicale, poursuivre l'un ou l'autre de ces examens ?

– Certainement pas.

– **[171c]** Personne d'autre qu'un médecin ne le pourrait, semble-t-il, et pas même le sage, car il lui faudrait être médecin en plus d'être sage.

– C'est bien cela.

– Il ne fait donc aucun doute que si la sagesse n'est que la science de la science et de la non-science, elle ne sera pas en mesure de distinguer le médecin qui connaît les rudiments de son art, de celui qui ne les connaît pas, mais qui feint de les connaître ou qui s'imagine les connaître ; et l'homme sage ne pourra reconnaître aucun savant dans quelque domaine que ce soit, à l'exception de celui qui possède la même compétence que lui [176], comme c'est le cas chez les autres artisans [177].

– C'est manifeste, répondit-il.

– **[171d]** Quelle espèce d'utilité, Critias, demandai-je,
pourrions-nous donc encore tirer d'une sagesse de cette
nature [178] ? Car si le sage, comme nous en avons fait
l'hypothèse au début [179], savait les choses qu'il sait et
celles qu'il ne sait pas, les unes qu'il les sait, et les autres
qu'il ne les sait pas, et qu'il était en mesure d'examiner si
un autre homme se trouve dans le même état, ce serait
pour nous, affirmons-le, un immense avantage que d'être
sages car nous pourrions vivre toute notre vie sans
commettre d'erreur, aussi bien nous qui posséderions la
sagesse, que tous ceux placés sous notre gouverne. **[171e]**
En effet, nous n'entreprendrions pas nous-mêmes de faire
ce que nous ne connaissons pas, mais nous nous en remet-
trions plutôt à ceux en qui nous aurions découvert cette
compétence, et nous ne confierions pas à nos sujets
d'autres tâches que celles qu'ils seraient en mesure d'accomplir correctement, à savoir celles-là mêmes dont ils
auraient la science. C'est ainsi que sous le règne de la
sagesse, la maison devrait être bien administrée, la cité
bien gouvernée [180], et de même pour toute autre chose que
la sagesse régirait [181]. Car l'erreur étant **[172a]** abolie, et
l'exactitude souveraine, il est nécessaire que les hommes
qui sont dans de telles dispositions agissent bien et réus-
sissent dans toutes leurs entreprises, et que ceux qui réus-
sissent soient heureux [182]. N'est-ce pas là, Critias, demandai-je, ce que nous voulions dire au sujet de la sagesse,
lorsque nous affirmions que ce serait un grand bien de
savoir ce que l'on sait et ce que l'on ne sait pas ?

– Parfaitement, répondit-il, c'est bien cela.

– Mais tu vois, repris-je, qu'aucune connaissance de
cette sorte ne s'est jamais manifestée nulle part [183].

– Je vois, répondit-il.

– **[172b]** Est-ce que la sagesse, repris-je, dont nous
avons maintenant découvert en quoi elle consiste [184] – la
connaissance de la science et de la non-science –, confère
à celui qui la possède cet avantage, que quoi qu'il
apprenne, il l'apprendra plus facilement et toutes choses
lui paraîtront plus claires, étant donné qu'il fait chacun de
ses apprentissages à la lumière de la science. Il procédera
donc mieux à la mise à l'épreuve d'autrui sur les sujets

qu'il aura lui-même appris [185], alors que ceux qui procèdent à un examen sans cette connaissance ne parviendront qu'à des résultats incertains et médiocres. Est-ce que ce sont des avantages de cette espèce, mon cher, **[172c]** que nous pouvons attendre de la sagesse ? Avons-nous en vue et recherchons-nous quelque chose de plus considérable qu'il ne l'est en réalité ?

– Cela se pourrait bien, répondit-il.

– Peut-être, repris-je. Mais peut-être n'avons-nous rien cherché d'utile. C'est une conjecture que m'inspirent toutes les absurdités qui m'apparaissent concernant la sagesse, si telle est bien sa nature. Voyons cela, si tu veux bien : admettons qu'il soit possible de connaître la science [186], et notre position initiale [187] concernant la nature de la sagesse – savoir ce que l'on sait et ce que l'on ne sait pas – ne **[172d]** la rejetons pas, mais acceptons-la. Tout cela étant accordé, examinons encore mieux si la sagesse, ainsi définie, pourra nous être de quelque utilité. Car ce que nous venons tout juste de dire [188], à savoir que la sagesse, ainsi conçue, serait un bien considérable si elle présidait à l'administration des maisons aussi bien que de la cité, il ne me semble pas, Critias, que nous ayons eu raison de l'accorder.

– Comment cela ? demanda-t-il.

– Parce que, repris-je, c'est avec légèreté que nous avons accordé que ce serait un grand bien [189] pour les hommes si chacun de nous accomplissait les choses qu'il sait, et s'en remettait aux gens compétents pour les choses qu'il ne sait pas faire.

– **[172e]** Nous n'avions donc pas raison de l'accorder ? demanda-t-il.

– Je crois que non, répondis-je.

– Tu dis des choses vraiment absurdes, Socrate, répliqua-t-il.

– Par le chien [190] ! dis-je, c'est bien mon avis à moi aussi, car sur le même sujet, tout à l'heure, j'ai aperçu toutes les absurdités dont je t'ai dit qu'elles se sont révélées à moi, et je craignais que nous ne menions pas correctement notre enquête. Car, en vérité, si la sagesse consiste bien en quelque chose de ce genre, je ne vois pas du tout **[173a]** ce qu'elle peut accomplir de bon [191] pour nous.

– Comment cela ? demanda-t-il. Parle, pour que nous sachions ce que tu veux dire.

– Je crois que je déraisonne [192], répondis-je. Il est néanmoins nécessaire d'examiner ce qui se présente et de ne pas le laisser aller à la légère, si du moins l'on a un tant soit peu souci de soi.

– Tu as raison, répondit-il.

– Écoute donc mon rêve, repris-je, qu'il me soit venu par la porte de corne ou par la porte d'ivoire [193]. Si la sagesse, telle que nous la définissons maintenant, nous dirigeait avec la plus grande autorité, toute activité se ferait conformément à **[173b]** la science, et personne qui se prétendrait pilote, sans l'être, ne pourrait nous abuser, et aucun médecin, aucun stratège, ni personne d'autre qui simule un savoir qu'il ne possède pas, ne passerait inaperçu. S'il en était ainsi, qu'en résulterait-il d'autre pour nous, sinon que d'avoir des corps en meilleure santé que maintenant, d'avoir la vie sauve lorsqu'on affronte des risques sur mer et à la guerre, d'avoir des outils, des vêtements, des sandales, **[173c]** tous nos biens, et encore une foule d'autres choses, réalisés pour nous selon les règles de l'art parce que nous ferions appel à de véritables artisans [194] ? Et si tu le souhaites, convenons même que la divination est la science du futur, et que la sagesse, si elle lui commande, éloigne les imposteurs et confirme dans notre intérêt les véritables devins capables de prédire le futur [195]. Que le genre humain, s'il était ainsi pourvu, **[173d]** aurait une activité et une vie conformes à la science, je le conçois ; car la sagesse veillera [196] à ne pas laisser la non-science faire intrusion et devenir notre collaboratrice. Mais qu'en agissant conformément à la science nous agissions bien et soyons heureux [197], c'est là une chose que nous ne pouvons pas encore savoir, mon cher Critias.

– Mais pourtant, répliqua-t-il, tu ne trouveras pas facilement une autre fin pour l'activité réussie, si tu n'accordes aucune valeur à l'activité conforme à la science [198].

– Explique-moi encore une toute petite chose, lui dis-je. De quelle activité conforme à la science veux-tu parler [199] ? Est-ce de la coupe du cuir ?

– **[173e]** Non, par Zeus [200] !

– Du travail du bronze, alors ?

– Pas du tout.

– Alors du travail de la laine, du bois ou d'un autre matériau de ce genre ?

– Bien sûr que non.

– Nous ne sommes donc plus fidèles à la proposition suivant laquelle celui qui vit conformément à la science est heureux, puisque tu ne reconnais pas que ces gens, qui vivent conformément à la science, sont heureux. Mais l'homme heureux, tu m'as l'air de le définir comme celui qui vit conformément au savoir dans certains domaines [201]. Peut-être songes-tu à celui dont je parlais à l'instant, celui qui **[174a]** sait tout du futur, le devin [202] ? Est-ce de lui ou bien d'un autre que tu veux parler ?

– De lui, répondit-il, mais aussi d'un autre.

– Lequel ? demandai-je. N'est-ce pas celui qui connaî-trait, en plus du futur, tout le passé et le présent [203], et qui n'ignorerait rien ? Admettons qu'un tel homme existe. Car je ne crois pas que tu puisses en citer un autre qui vive plus conformément à la science.

– Non, assurément.

– Il y a encore une chose que je désire connaître : parmi les sciences, quelle est celle qui le rend heureux ? Ou bien lui procurent-elles toutes un bonheur égal ?

– En aucune façon, répondit-il.

– **[174b]** Laquelle alors y contribue le plus ? Est-ce celle qui lui assure la connaissance du présent, du passé ou de l'avenir ? Ou la connaissance du trictrac [204] ?

– Du trictrac ? demanda-t-il.

– Alors la connaissance du calcul ?

– En aucune façon.

– Alors la connaissance de la santé ?

– Davantage [205], répondit-il.

– Mais celle dont je dis qu'elle contribue le plus à son bonheur, repris-je, qu'est-ce qu'elle lui fait connaître ?

– Le bien et le mal [206], répondit-il.

– Espèce de fripouille [207], repris-je, tu me fais tourner en rond [208] depuis un bon moment, en me dissimulant que ce n'est pas la vie conforme à la science qui fait que l'on agit bien **[174c]** et que l'on est heureux, ni l'ensemble de toutes les autres sciences, mais une seule et unique science,

celle qui se rapporte au bien et au mal. Cela dit, Critias, si tu
veux retrancher cette science des autres sciences, en quoi la
médecine sera-t-elle moins en mesure de nous guérir, l'art
du cordonnier de nous chausser, le tissage de nous habiller,
l'art du pilote et celui du stratège d'empêcher que l'on perde
la vie en mer ou à la guerre ?

– En rien moins, répondit-il.

– Or, mon cher Critias, ce qu'il y a de bien et d'utile en
chacune de ces activités **[174d]** nous ferait défaut en
l'absence de cette connaissance [209].

– Tu dis vrai.

– Or cette science, à ce qu'il semble, n'est pas la sagesse,
mais celle dont la fonction est de nous être utile. Car elle
n'est pas la science des sciences et des non-sciences, mais
celle du bien et du mal. Par conséquent, si c'est cette
science qui est utile, la sagesse serait pour nous quelque
chose d'autre [210].

– Mais pourquoi, demanda-t-il, la sagesse ne serait-elle
pas utile ? Car si la sagesse est essentiellement la science
des sciences et qu'elle préside **[174e]** aussi aux autres
sciences, elle nous est utile du fait qu'elle commande aussi,
j'imagine, à cette science qui se rapporte au bien [211].

– Est-ce elle également qui nous rendra la santé,
demandai-je, et non pas la médecine ? Est-ce également elle
qui réalise les autres tâches des différentes techniques, et
non pas celles-ci, chacune ayant sa fonction qui lui est
propre [212] ? N'avons-nous pas reconnu [213] depuis longtemps
que c'est uniquement de la science et de la non-science
qu'elle est la science, et de rien d'autre ? N'est-ce pas ?

– Il semble bien.

– Elle ne sera donc pas l'artisan de la santé ?

– Bien sûr que non.

– **[175a]** Car la santé, avons-nous dit [214], est le produit
d'une autre technique, n'est-ce pas ?

– Oui.

– Elle ne produit rien d'utile non plus, mon ami, puisque
c'est à une autre technique que nous venons d'attribuer cette
fonction, n'est-ce pas ?

– Parfaitement.

– De quelle façon la sagesse pourrait-elle donc nous être
utile, si elle n'est l'artisan d'aucune œuvre utile ?

– En aucune façon, Socrate, à ce qu'il semble du moins [215].

– Vois-tu, Critias, combien depuis un bon moment j'étais fondé à craindre et que j'avais raison de me reprocher qu'il n'y eût rien de bon dans mon examen sur la sagesse ? Car ce dont on convient qu'elle est la plus belle de toutes les choses [216] **[175b]** ne nous serait pas apparue dénuée d'utilité si j'étais moi-même utile à la bonne conduite d'une recherche [217]. Mais nous sommes vaincus sur toute la ligne, et nous ne sommes pas en mesure de découvrir à quelle réalité le législateur [218] a assigné ce nom de "sagesse". Et pourtant, nous avons admis beaucoup de choses qui ne s'accordaient pas avec notre argumentation. Nous avons en effet accordé qu'il y a une science de la science, alors que la discussion ne permettait pas et même excluait qu'il y en eût une [219]. Nous avons également accordé à cette science la connaissance des œuvres des autres sciences [220] **[175c]** – alors que cela non plus la discussion ne le permettait pas [221] –, afin d'obtenir un sage qui sache, pour les choses qu'il sait, qu'il les sait, et pour celles qu'il ne sait pas, qu'il ne les sait pas. Nous avons fait cette concession avec une extrême générosité, sans même avoir considéré qu'il est impossible que ce dont on n'a pas la moindre connaissance, on puisse le savoir d'une certaine façon ; car ce que l'on ne sait pas, notre accord prétend qu'on le sait. Or il n'y a rien, à mon sens, qui puisse paraître plus absurde [222]. En dépit de notre attitude débonnaire **[175d]** et de notre souplesse, notre recherche n'a pas davantage été en mesure de découvrir la vérité, mais elle s'est même tellement ri de cette dernière que la nature de la sagesse, que depuis un bon moment nous avons conçue ensemble d'un commun accord, nous est apparue dépourvue d'utilité, ce qui est le comble de l'insolence [223]. En ce qui me concerne, je ne m'en fais pas trop ; mais c'est pour toi, Charmide, repris-je, que je me fais beaucoup de mauvais sang, si, bien que tu aies ces formes et qu'en plus de cela tu aies l'âme **[175e]** la plus sage [224], tu ne tires aucun profit de cette sagesse et que sa présence ne te soit d'aucun secours dans la conduite de ta vie [225]. Mais ce qui me déconcerte encore plus, c'est cette incantation que j'ai apprise du Thrace, car j'ai mis beaucoup d'application à l'apprendre alors qu'elle n'a aucune valeur. Je ne puis cependant me résoudre à croire qu'il en soit ainsi ; c'est plutôt moi qui suis un piètre chercheur [226]. Je persiste à croire que la sagesse est un grand bien et que toi, s'il est vrai que tu la possèdes, **[176a]** tu es un bienheureux [227]. Vois alors si tu la possèdes et si tu peux te passer de l'incantation ; et si, de fait, tu la possèdes, je te conseillerai de me tenir pour un radoteur incapable de rien chercher par le moyen du discours, et de te considérer, toi, comme d'autant plus heureux que tu es plus sage. »

Alors Charmide répondit : « Mais, par Zeus, Socrate, je ne sais pas, moi, si je la possède ou non [228] ! Car comment pourrais-je connaître ce dont vous êtes incapables, à ce que tu dis, de découvrir la nature ? **[176b]** Pourtant, tu ne m'as pas vraiment convaincu et je crois fermement, Socrate, que j'ai besoin de l'incantation ; en ce qui me concerne, je ne vois aucun empêchement à ce que tu me la chantes tous les jours, jusqu'à ce que tu trouves que cela suffit.

– À la bonne heure Charmide, reprit Critias ; si tu fais cela – te soumettre aux incantations de Socrate et ne pas le quitter d'une semelle [229] –, ce sera pour moi la confirmation que tu es sage.

– Eh bien, je le suivrai, reprit-il, et je ne le laisserai pas aller [230]. Je ferais quelque chose de terrible **[176c]** si je ne t'obéissais pas, à toi mon tuteur, et si je n'exécutais pas tes ordres.

– Eh bien, c'est un ordre, dit-il.

– Je m'exécuterai donc, répondit-il, à compter d'aujourd'hui même.

– Eh vous deux, repris-je, que projetez-vous de faire ?

– Rien, répondit Charmide, car c'est déjà tout décidé.

– Tu useras donc de contrainte, repris-je, sans même me permettre d'en juger ?

– J'en userai [231], répondit-il, puisque Critias me l'ordonne ; à toi de voir ce que tu comptes faire.

– **[176d]** Mais il ne me reste aucune possibilité d'y songer, répondis-je. Car personne ne sera en mesure de s'opposer à toi si tu entreprends une action et que tu uses de contrainte [232].

– Dans ce cas, dit-il, toi non plus ne t'oppose pas.

– C'est entendu, répondis-je, je ne m'opposerai pas. »

NOTES
de la traduction du *Charmide*

1. Sur le titre du *Charmide*, cf. Introduction, p. 29 n. 4.

2. Sur les deux sous-titres qui sont habituellement donnés aux dialogues de Platon, voir n. 1 de la traduction du *Lysis*.

3. Potidée est une colonie corinthienne située sur l'isthme qui relie la Chalcidique à la péninsule de Pallène (voir carte p. 303). Comme elle faisait partie de la confédération attique, mais qu'elle tenait tête à Athènes qui lui enjoignait, en vain, de rompre ses liens avec Corinthe, elle fut assiégée par les Athéniens à partir de 432 et tomba entre leurs mains en 429 (cf. Thucydide I 55-66). La présence de Socrate à Potidée est également mentionnée dans l'*Apologie* (28e) et le *Banquet* (219e).

4. Pour l'emplacement de cette palestre et du temple de Basilè (voir note suivante), cf. J. Travlos, *Pictorial dictionary of Ancient Athens*, New York, 1980², p. 333.

5. Basilè est la personnification de l'ancienne royauté (*basileía*) athénienne (cf. H.A. Shapiro, « The Attic deity Basile », *Zeitschrift für Papyrologie und Epigraphik*, 1986 (63) p. 134-136).

6. Dans la même veine, Socrate affirme dans l'*Apologie* (21a) que Chéréphon était « impétueux » (*sphodrós*) dans tout ce qu'il entreprenait.

7. L'identification exacte de cette bataille est controversée. On a longtemps cru qu'il s'agit de la bataille qui s'est déroulée en 432, que nous connaissons par le récit de Thucydide (I 62-63) et au cours de laquelle Socrate sauva la vie d'Alcibiade (cf. *Banq.* 220e). Cette hypothèse est problématique pour différentes raisons, notamment parce que l'armée athénienne ne fut pas démantelée après la bataille de 432. Selon plusieurs commentateurs (Luckhurst 1934 ; McAvoy 1996, p. 80-81 ; Planeaux 1999), la bataille dont il est ici question serait plutôt celle qui a eu lieu en mai 429 dans les environs de Spartôlos (cf. carte, p. 303). D'après le récit de Thucydide, les Athéniens essuyèrent une sévère défaite à l'occasion de cette bataille : « Après s'être réfugiés à Potidée et avoir par la suite recueilli leurs morts à la faveur d'une trêve, les Athéniens rentrèrent à

Athènes avec les troupes qui leur restaient. Ils avaient perdu dans cette affaire quatre cent trente hommes et tous leurs stratèges » (II 79 ; trad. Roussel). La mention d'un retour à Athènes après la bataille est conforme au récit de Socrate au début du *Charmide*. Mais s'il s'agit de la bataille de Spartôlos, pourquoi Platon fait-il deux fois mention de Potidée ? Certes, c'est à Potidée que les Athéniens se sont réfugiés après la bataille, et il est vrai que l'expression *en têi Poteidaíai* pourrait signifier « dans les environs de Potidée », mais il n'en reste pas moins que la mise en scène rappelle davantage le siège de Potidée que la bataille de Spartôlos. En tout état de cause, qu'il s'agisse de la bataille de 432 devant Potidée, ou de l'affrontement de 429 à Spartôlos, le contexte temporel demeure fondamentalement le même, celui du début de la guerre du Péloponnèse (cf. Introduction, p. 33-34).

8. Sur le personnage de Critias, voir Introduction, p. 22-25.

9. Au début du *Théétète* (143d-e), Socrate s'enquiert pareillement de l'identité des jeunes gens qui se distinguent par leur savoir et par leurs dispositions pour la philosophie.

10. Cela laisse entendre que l'absence de Socrate fut assez prolongée, puisque Charmide est pendant ce temps sorti de l'enfance. L'hypothèse d'une absence de trois ans (de 432 à 429, cf. *supra*, n. 7) est conforme à cette information relative à l'âge de Charmide.

11. Sur le personnage de Charmide, voir Introduction, p. 26.

12. Qui est cet ami auquel s'adresse Socrate ? C'est sans doute le compagnon auquel Socrate fait le récit de l'entretien rapporté dans le *Charmide*, mais Platon ne fournit aucun indice qui permettrait de l'identifier. Selon Hyland (1981, p. 25-26), ce compagnon anonyme correspond en fait à chaque lecteur du dialogue. Chaque fois que Socrate s'adresse à l'interlocuteur anonyme (cf. aussi *infra*, 155c et d), c'est pour lui faire part du trouble qu'il éprouve à la vue de la beauté de Charmide (cf. McAvoy 1996, p. 78 n. 33).

13. Platon ne citerait ici que la moitié d'une expression proverbiale – « un cordeau blanc sur une pierre blanche » – qui signifie, suivant l'heureuse formulation de Robin (1950, p. 254 n. 1), « ne posséder qu'un moyen indistinct de distinguer des choses qui sont elles-mêmes indistinctes ». Socrate se déclare en effet impuissant à évaluer la beauté des jeunes gens en sa présence. On peut douter de la prétendue inaptitude de Socrate en la matière, car il le perçoit immédiatement, dans le *Lysis* (207a), à quel point Lysis se distingue des autres garçons sous le rapport de la beauté. Comme la suite du dialogue le montrera, l'« incompétence » de Socrate ne concerne que la beauté des corps, non celle des âmes. Cette expression proverbiale apparaît également chez Plutarque (*Moralia*, 513f).

14. Cf. *Lysis* 204e, où Hippothalès affirme que les formes (*eîdos*) de Lysis suffisent à le faire reconnaître.

15. Socrate infléchit le dialogue dans un sens qui rappelle étrangement un « virage » analogue dans le *Lachès*. Dans les deux cas, il s'agit de passer de la considération du corps à celle de l'âme. Le parallèle est frappant : dans le *Lachès*, où l'action se déroule sans doute dans un gymnase, les interlocuteurs se demandent, avant l'arrivée impromptue de Socrate, s'il faut pratiquer le combat en armes (cf. 179d-184c). Or

Socrate réoriente la discussion de telle sorte que la recherche porte désormais sur la façon de communiquer la vertu à l'âme (cf. 185e). Dans le *Charmide*, on assiste à une semblable réorientation du cours du dialogue : l'entretien se déroule dans un gymnase, tout le monde est ébloui par la beauté physique de Charmide, et il suffit que Socrate intervienne pour que la discussion porte désormais sur l'âme. Sur l'importance de l'âme dans le *Charmide*, cf. Introduction, p. 36-37.

16. Sur cette expression, cf. *Lysis* 207a et la note 33.

17. Socrate emploie ici deux verbes (« déshabiller » et « contempler ») qui ont été utilisés auparavant (cf. 154c8 et d4) en référence au corps de Charmide. Socrate emploie donc les mêmes termes que les admirateurs de la beauté de Charmide, mais en les appliquant à l'âme plutôt qu'au corps.

18. La jeunesse de Charmide n'est donc pas un obstacle à sa participation active à un échange dialectique (*dialégesthai*), non plus que la jeunesse de Lysis et de Ménexène, dans le *Lysis*, empêche Socrate de s'entretenir avec eux. Dans la *République* (VII 539b), en revanche, la pratique de la dialectique n'est pas autorisée avant l'âge de trente ans. Cette restriction est sans doute imputable aux torts causés à la philosophie par une pratique précoce et intempestive de la réfutation dialectique (cf. 539b-d).

19. Nous adoptons ici la correction proposée par Hyland (1981, p. 34 n. 50), qui soutient que l'on doit lire *hemautôi* (« moi-même ») au lieu de *heautôi* (« lui-même »), qui est pourtant la leçon de tous les manuscrits. Si l'on conserve le texte des manuscrits, ce passage semble incompatible avec la modestie que l'on prête à Charmide (cf. *infra*, 158c-d), puisqu'il n'hésiterait pas à se reconnaître de grands talents en matière de poésie. Sa modestie serait en revanche préservée si c'est Critias qui lui reconnaît ces talents de poète, d'où la proposition de lire *hemautôi* (« moi-même » = Critias) au lieu de *heautôi* (« lui-même » = Charmide). Enfin, si l'on considère que c'est toujours Critias qui attribue des qualités et des mérites à son cousin Charmide – 154e : Charmide est beau et bon ; 157d : il est non seulement le plus beau des jeunes de son âge, mais aussi le plus sage ; cf. aussi 158b –, la correction semble fondée.

20. Socrate établit une filiation entre, d'une part, Solon, qui était réputé, entre autres, pour sa poésie élégiaque, et, d'autre part, le talent poétique que Critias attribue à Charmide. Voir aussi le tableau généalogique, p. 301.

21. Le fait que Critias soit présenté comme le tuteur de Charmide laisse entendre que Glaucon et Callaischros, les pères de Charmide et de Critias respectivement (voir tableau généalogique, p. 301), étaient morts à l'époque (*ca.* 429) de l'entretien rapporté dans le *Charmide*.

22. Comme certains interlocuteurs de Socrate lui reprochent parfois de feindre l'ignorance (cf. *Rép.* I 336c, 337a, e ; *Théét.* 150c ; Xénophon, *Mém.* I 2, 36 ; IV 4, 9), il est assez plaisant que Critias lui demande plutôt de feindre la connaissance d'un remède contre le mal de tête. Par ailleurs, « ce thème du faux médecin préfigure le problème de l'ignorance et de l'imposture dont la modération, si elle était science de toutes les sciences, aurait pour charge de nous garder » (Hazebroucq 1997, p. 110). En effet, comme Socrate l'expliquera plus tard dans le dialogue (170d-

171c), celui qui n'est pas lui-même médecin ne peut pas démasquer l'imposture de celui qui se fait passer pour médecin ; comme Charmide n'est pas médecin, il n'est pas en mesure de déterminer si Socrate possède, ou non, la compétence médicale que Critias lui demande de feindre.

23. Le fait que Charmide vienne s'asseoir entre Critias et Socrate a probablement une signification symbolique, qui apparaît nettement à la fin du dialogue, alors que Charmide est placé sous deux autorités (Socrate et Critias) dont on devine qu'elles s'affronteront (cf. *infra*, 176c-d et n. 232).

24. Comme l'une des principales significations de *sōphrosúnē* est la maîtrise de soi à l'égard des plaisirs corporels (nourriture, boisson et rapports sexuels), il est assez savoureux d'entendre Socrate confesser que la beauté de Charmide l'a enflammé et mis hors de lui-même. Il ne s'agit toutefois que d'une faiblesse passagère, puisque Socrate se ressaisit presque aussitôt (cf. *infra*, 156d). La réaction de Socrate devant la beauté de Charmide est conforme à ce que rapporte Alcibiade dans le *Banquet* (216d), quand il observe que Socrate est profondément troublé (*ekpéplēktai*) par la beauté des garçons, mais qu'il n'en demeure pas moins d'une parfaite *sōphrosúnē*. Dans le *Ménon* (76c), Socrate reconnaît pareillement qu'il est faible devant les beaux garçons (cf. aussi *Lysis* 204b ; *Prot.* 309a ; *Phèdre* 227c).

25. Poète inconnu. La seule autre mention de Kydias se trouve chez Plutarque (*De facie in orbe lunae*, 19, 931e). Voir aussi D.L. Page, *Poetae Melici Graeci*, Oxford, 1962, p. 370 n° 714-715.

26. On s'attendrait à ce que le lion incarne l'amant (Socrate) et le faon l'aimé (Charmide), conformément à ce que Socrate rapporte lui-même dans le *Phèdre* : « "Les loups raffolent des agneaux", voilà ce qu'on pourrait dire des amoureux qui aiment un garçon » (241d ; trad. Brisson). Or si le lion représentait Socrate, on ne comprendrait pas pourquoi il se sent menacé et cite le vers de Kydias qui évoque cette menace. En revanche, l'identification de Socrate au faon et du lion au jeune lion est à l'image même du renversement des rôles décrit par Alcibiade dans le *Banquet* (222b) : au lieu d'être l'amant (l'homme mûr) qui poursuit l'aimé (le garçon), Socrate est en réalité l'aimé qui est pourchassé par ses jeunes amants, au nombre desquels se trouve justement Charmide (cf. 222b). À ce stade-ci du dialogue, le renversement des rôles amoureux ne s'est pas encore produit, mais ce vers-ci anticipe sur le renversement qui surviendra à la fin du dialogue (cf. *infra*, 176b et n. 229 ; Reece 1998, p. 70-72).

27. La médecine par incantation est également pratiquée par les pythagoriciens (cf. Jamblique, *Vie de Pythagore* 114). Sur l'emploi médical des incantations, cf. *Euthyd.* 290a ; Pindare, *Pythiques* III 47-53 ; Brisson 2000 et P. Lain Entralgo, *The Therapy of the Word in Classical Antiquity* [1958], New Haven, 1970, notamment le chapitre consacré à Platon (p. 108-138). Sur la nature exacte des incantations récitées par Socrate, cf. *infra*, n. 37.

28. L'on rencontre souvent, dans les textes, l'opposition *peithṓ* (persuasion) / *bía* (force, violence) : ce que l'on désire obtenir d'autrui, on peut l'obtenir en le persuadant ou en le contraignant (cf. *Gorg.* 517b ; *Rép.* II 361b, III 411d, VI 488d, VIII 548b ; *Pol.* 296b, 304d ; *Critias*

109c ; Xénophon, *Mém.* I 2, 10-11, etc.). Charmide ne semble pas prêt, dans ce passage, à menacer Socrate d'un éventuel recours à la force s'il n'obtient pas ce qu'il attend de lui, mais c'est une possibilité qu'il envisage ouvertement à la fin du dialogue (cf. 176c-d et n. 231), ce qui peut être lu comme une allusion aux rapports tendus et conflictuels entre Socrate et les Trente.

29. La grande réputation de Socrate auprès des jeunes gens est confirmée par un passage du *Lachès* (180e-181a).

30. Si Charmide n'était, de son propre aveu, qu'un enfant avant le départ de Socrate pour le siège de Potidée (cf. aussi *supra*, 154b), qui aurait duré environ trois ans (432-429), il ne peut donc être, à l'époque du dialogue, qu'un tout jeune adolescent, à peine plus âgé que ne le sont Lysis et Ménexène (cf. Introduction au *Lysis*, p. 163-164). Sur l'âge de Charmide, voir Introduction, p. 29 n. 1. Ce passage confirme, par la même occasion, que Critias et Socrate se connaissent de longue date.

31. Cf. *supra*, 155c, où Socrate confie que son audace s'est évanouie lorsque Charmide vint s'asseoir à ses côtés.

32. Selon Hérodote (IV 94-96), Zalmoxis est un dieu ou un « démon » (*daímōn*) thrace qui a d'abord mené une existence d'homme, au cours de laquelle il aurait été l'esclave du célèbre Pythagore. Affranchi et enrichi, il est ensuite rentré dans son pays où il enseignait à ceux qu'il recevait à sa table « que ni lui ni ses convives ni leurs descendants à tout jamais ne mourraient, mais qu'ils iraient en un lieu où ils survivraient toujours et jouiraient d'une complète félicité » (IV 95 ; trad. Legrand). Pour que l'on ajoute foi à son enseignement, Zalmoxis a usé du stratagème suivant : s'étant, à l'insu de tous, fait creuser une demeure souterraine où il s'est retiré pendant trois ans, il a ainsi laissé croire aux autres qu'il était mort, de sorte que lorsqu'il est finalement réapparu, les hommes ont cru à son enseignement sur l'immortalité. Sur Zalmoxis, cf. F. Hartog, « Zalmoxis : le Pythagore des Gètes ou l'autre Pythagore ? », *Annali della Scuola Normale Superiore di Pisa*, 1978 (8) p. 15-43 ; du même auteur, *Le Miroir d'Hérodote*, Paris, 1980, p. 102-125. – Les rapports entre le *Charmide* et le récit d'Hérodote (IV 94-96), où Zalmoxis apparaît comme une espèce de Pythagore thrace, sont assez obscurs. La mention de Pythagore et le thème de l'immortalité invitent certes à penser que ce passage du *Charmide* est une « réponse » au récit d'Hérodote, mais l'on ne voit pas très bien comment Platon se réapproprie le détail ou même les grandes lignes de ce texte. Hazebroucq (1997, p. 123-131) s'efforce longuement de démontrer que ce passage du *Charmide* doit être lu comme une réponse critique au récit d'Hérodote, mais son interprétation tortueuse n'emporte pas la conviction. Il nous paraît également abusif de soutenir, sur la base de cette référence à Zalmoxis et à l'immortalité, que Platon souscrit, dans le *Charmide*, à l'immortalité de l'âme (voir note suivante). – Il est pertinent de rapprocher ce passage du *Charmide* d'autres dialogues où Socrate expose des connaissances sur des sujets importants, notamment l'amour et le Beau dans le *Banquet* (201d sq.), et l'immortalité de l'âme dans le *Ménon* (81a-b). Dans ces trois textes, Socrate expose des connaissances qu'il tient de quelqu'un qui est toujours associé, d'une façon ou d'une autre, aux dieux (la prêtresse Diotime dans le *Banquet* ; des prêtres et des prêtresses dans le *Ménon* ;

les médecins du dieu Zalmoxis dans le *Charmide*). Ce détour par les dieux, ou par des hommes attachés au service de la divinité, a sans doute pour but de sauvegarder la déclaration d'ignorance de Socrate (cf. aussi *Lysis* 204b-c et n. 13) ; comme tout ce que l'on sait, on le sait nécessairement pour l'avoir trouvé soi-même ou appris d'un autre (cf. *Lachès* 186e ; *Euthyd.* 285a), et que Socrate ne peut l'avoir trouvé lui-même (sinon il serait savant), ni appris d'un autre (car sinon il ne serait plus le plus sage des hommes), il reste qu'il tient son savoir des dieux, ou de ceux qui sont les intermédiaires des dieux, ce qui est d'ailleurs conforme à la conviction de Socrate que seuls les dieux sont savants (cf. *Banq.* 204a ; *Phèdre* 278d). L'épisode du médecin de Zalmoxis, dans le *Charmide*, s'apparente donc à ces autres mythes d'origine que sont la révélation de Diotime (*Banquet*), l'enseignement des prêtres sur l'immortalité de l'âme (*Ménon*) et l'oracle de Delphes (*Apologie*).

33. Le verbe *apathanatízein*, qui est ici traduit par « rendre immortel », est un hapax chez Platon, d'où une certaine incertitude quant à sa signification exacte. Le choix de la traduction retenue se fonde sur les analyses de Brisson (2000, p. 281) et de Murphy (2000, p. 290-291). Voir également Van der Ben (1985, p. 11-15), qui croit plutôt que le verbe *apathanatízein* est ici intransitif et qu'il a le sens de « croire en l'immortalité ». Nous nous refusons cependant à suivre les auteurs (Hazebroucq 1997, p. 31 n. 3, 120, 132 n. 3 ; Murphy 2000) qui considèrent que Platon, dans le *Charmide*, souscrit à l'immortalité de l'âme. Il n'y a aucun élément du dialogue qui permette de supposer que Platon croyait en l'immortalité de l'âme à l'époque de la rédaction du *Charmide*. Il est vrai que la doctrine de la sagesse élaborée dans le *Charmide* est étroitement liée à l'âme, mais cette doctrine ne requiert pas que l'âme soit immortelle.

34. Aussi curieux et étrange que cela puisse paraître, le « tout » dont il est ici question n'est pas le corps, ni le composé de l'âme et du corps, mais l'âme seule. Le médecin qui se réclame de Zalmoxis approuve certes l'approche « holistique » préconisée par les bons médecins grecs et que Socrate a décrite en 156b-c, mais comme les médecins grecs méconnaissent (*agnooîen*) la véritable nature du « tout », leur approche holistique s'arrête à mi-chemin, pour ainsi dire, puisqu'elle considère à tort que le corps est le tout, alors que le corps peut et doit lui-même être traité comme la partie d'un tout, à savoir l'âme. L'identification de l'âme au « tout » est confirmée par la suite du texte (cf. *infra*, n. 36). Sur l'assimilation de l'âme au tout, cf. T.M. Robinson, *Plato's psychology*, Toronto, 1995², p. 4-8 ; Coolidge 1993, p. 25-26 ; Hazebroucq 1997, p. 31 n. 1, 118-120. Parmi les commentateurs qui s'opposent à l'assimilation de l'âme au tout, cf. Hogan 1976, Murphy 2000, p. 291 n. 14. – Nous traduisons ici le texte des manuscrits (*tò hólon agnooîen* : « ils ignorent le tout ») plutôt que la correction proposée par Burnet (*toû hólou ameloîen* : « ils négligent le tout »). La correction de Burnet, qui est à juste titre rejetée par plusieurs commentateurs (cf. Van der Ben 1985, p. 15 n. 13 ; Coolidge 1993, p. 26 n. 5 ; McAvoy 1996, p. 98 n. 74 ; Hazebroucq 1997, p. 31 n. 2), a pour effet d'occulter le sens véritable de la critique adressée aux médecins grecs, puisque si l'on adopte cette correction, le médecin thrace se contente de reprocher aux médecins grecs

de négliger le tout, comme s'ils en avaient par ailleurs une connaissance exacte, alors qu'il leur reproche précisément, selon le texte unanime des mss, de *méconnaître* la nature du tout.

35. L'âme peut être la source des biens ou des maux, selon qu'elle est le siège des vertus ou des vices. L'âme ne peut être dispensatrice de biens que si elle est vertueuse, car c'est la vertu qui rend l'âme excellente (cf. *Lachès* 190b) ; aussi Socrate peut-il affirmer, dans l'*Apologie* (30a-b), que sa « seule affaire est d'aller et venir pour vous persuader, jeunes et vieux, de n'avoir point pour votre corps et pour votre fortune de souci supérieur ou égal à celui que vous devez avoir concernant la façon de rendre votre âme la meilleure possible, et de vous dire : "Ce n'est pas des richesses que vient la vertu, mais c'est de la vertu que viennent les richesses et tous les autres biens, pour les particuliers comme pour l'État" » (trad. Brisson). Cf. aussi *Prot.* 313a-b. – Si l'âme est la source de tous les biens et de tous les maux, et que la sagesse est par ailleurs la connaissance du bien et du mal (cf. 174b-c), il s'ensuit que la sagesse doit également connaître l'âme. Si la sagesse est la connaissance de soi (cf. 164d-166c, 167a), et que le « soi » désigne l'âme (cf. *Alc.* 129b-131a), qui est elle-même la source de tous les biens et de tous les maux, il s'ensuit que la connaissance de soi est également la connaissance du bien et du mal (cf. *Alc.* 133c).

36. La progression de l'argumentation, depuis le constat que les médecins grecs méconnaissent le tout, confirme que le tout correspond à l'âme. S'il faut soigner le tout avant la partie, et que la bonne santé de l'âme est la condition de la santé des parties de la tête et du reste du corps, il s'ensuit que l'âme est ce tout dont il faut prendre soin si l'on désire le bon état des parties.

37. Quels sont ces beaux discours (*kaloì lógoi*) qui font naître la sagesse dans les âmes ? La réponse à cette question est déterminante pour l'interprétation du *Charmide*. Les discours propres à faire naître la sagesse ressortissent à la dialectique socratique, qui consiste principalement dans la pratique de la réfutation (*élegkhos* ; cf. Tuckey 1951, p. 18 et 103 ; Hogan 1976, p. 643 n. 11). Comme la suite du dialogue le montre clairement, les incantations auxquelles Charmide doit se soumettre, s'il désire guérir son mal de tête et devenir sage, correspondent en fait aux réfutations que Socrate lui administre. Le prologue est ainsi une anticipation de la position exposée en 167a : la sagesse consiste, pour celui qui a été soumis à la réfutation, à reconnaître son ignorance. L'incantation (*epoidé*) semble ainsi être une désignation métaphorique de l'*élegkhos*, ce qui ne laisse pas d'étonner, du moins à première vue, car l'*élegkhos* est un mode d'argumentation rationnelle, alors que l'incantation est plutôt un chant magique. Or ce n'est pas sous le rapport de leur forme, mais bien de leurs effets, que l'*élegkhos* et l'incantation sont apparentés. En effet, ils ont l'un et l'autre pour effet d'engourdir l'interlocuteur et de le mettre à la merci de celui qui tient le discours, qu'il s'agisse de Socrate ou du sorcier qui récite l'incantation. Il n'y a donc rien d'étonnant à ce que Socrate soit comparé à un sorcier (*Ménon*, 80b) et à une raie torpille qui engourdit son interlocuteur (cf. *Ménon* 80a, où il est précisément question d'incantation). Diogène Laërce (II 19) rapporte un vers du philosophe sceptique Timon de Phlionte qui traite Socrate

d'« ensorceleur (*epaoidós*) des Grecs ». Sur le fait que la sagesse est la seule vertu qui soit directement produite par la réfutation, cf. *supra*, Introduction, p. 63.

38. Que la sagesse favorise la bonne santé de la tête est tout à fait conforme à l'un des sens les plus courants de *sōphrosúnē* et de *sóphrōn* (« être sensé », « être sain d'esprit »). Pour introduire le thème de la sagesse – c'est en effet la première occurrence du terme *sōphrosúnē* dans le dialogue –, Platon joue manifestement sur l'acception de *sōphrosúnē* comme « santé de l'esprit » : alors que Critias et Charmide sont à la recherche d'un remède contre le mal de tête, Socrate leur propose un remède qui s'adresse à l'âme ; en introduisant la sagesse au sein de l'âme, les incantations favorisent également la santé de la tête et du reste du corps. Par ailleurs, si la sagesse est la condition de la santé de la tête et du reste du corps, un homme qui a mal à la tête peut être soupçonné de ne pas être sage. Or Charmide, qui passe pour être le plus sage des jeunes de sa génération (157d), a mal à la tête, de sorte qu'on peut d'ores et déjà mettre en doute qu'il soit vraiment sage.

39. À l'instar de Croiset (1921) et de Robin (1950), nous suivons le texte du Laurentianus 85.6, qui omet *sōphrosúnēs te kaì hugieías*. En faveur du texte des principaux manuscrits, voir le long plaidoyer de Van der Ben (1985, p. 15-19), qui n'emporte cependant pas la conviction.

40. La mention de la richesse, de la naissance et de la beauté est signi-ficative, en ce qu'il s'agit de « biens » extérieurs (richesse et naissance) et d'un « bien » du corps (beauté) qui pourraient laisser croire à leurs détenteurs qu'ils ne manquent de rien et qu'ils n'ont donc pas besoin de soumettre leurs *âmes* aux incantations de Socrate. Une telle présomption serait une grave erreur car personne, pas même le Grand Roi, ne peut se soustraire d'emblée à l'épreuve de l'*élegkhos* (cf. *Soph.* 230e). Dans l'*Alcibiade* (104a-c), Socrate attribue précisément à la beauté, à la richesse et à la naissance d'Alcibiade la *suffisance* dont ce dernier fait preuve et qui lui fait croire qu'il n'a besoin de personne.

41. Il est tentant de rapprocher l'obéissance de Socrate au médecin thrace de son obéissance à l'oracle dans l'*Apologie* (cf. 29a, b, 37e). Dans les deux cas, l'obéissance de Socrate vise à rendre les âmes meilleures.

42. Alors que Socrate a toujours fait référence, dans ce qui précède, à la nécessité de prendre soin de l'âme (*psukhḗ*), Critias fait comme si le traitement proposé par Socrate avait pour but d'améliorer la pensée (*diá-noia*). Cette substitution de la pensée à l'âme est en fait révélatrice de l'incompréhension de Critias. Il considère à tort que Socrate propose à Charmide de devenir meilleur sous le rapport de la pensée (*tḕn diá-noian… beltíon genésthai*), alors que pour Socrate, il s'agit de devenir meilleur *tout court* ; or c'est par l'âme que l'on devient meilleur, puisque l'âme est le siège de la vertu et que c'est par la vertu que l'homme devient meilleur (cf. *Lachès* 190b). Plus fondamentalement encore, la substitution de *diánoia* à *psukhḗ* peut être lue comme une anticipation de la suite du dialogue, dans la mesure où elle témoigne, de la part de Cri-tias, d'une intellectualisation à outrance de la sagesse. Alors que Socrate établit clairement, dès le prologue, des liens étroits entre la sagesse et l'âme, Critias néglige l'âme, qui est pourtant le support obligé de la

sagesse et des autres vertus, et il se fait de la sagesse une conception qui est exagérément intellectualiste (cf. Introduction, p. 57-60). Pour une autre interprétation de la substitution de *diánoia* à *psukhḗ*, cf. Haze-broucq 1997, p. 32 n. 5, 135.

43. L'objectif visé par l'incantation est donc la sagesse (cf. *supra*, 157a et n. 37).

44. Rappelons que la sagesse est la vertu par excellence des jeunes gens et des femmes (cf. Introduction, p. 19 n. 1). Comme Critias affirme de Charmide qu'il est le plus sage de sa génération, alors qu'il ne l'est pas réellement, il faut en conclure que Critias ne l'est pas lui-même. En vertu de 167a, il faut être soi-même sage pour reconnaître un autre sage.

45. Voir le tableau généalogique (p. 301).

46. Poète lyrique né à Téos (Ionie) vers 570 av. J.-C. D'après une scholie au vers 128 du *Prométhée* d'Eschyle (= *Greek Lyric*, vol. II, fr. 412 Campbell = Critias DK A 2), Anacréon fut l'amant de Critias fils de Dropidès (voir Tableau généalogique, p. 301). Voir aussi Athénée, XIII 600d-e (= *Greek Lyric*, vol. II, fr. 500 Campbell).

47. Nous n'avons conservé que deux fragments de ces poèmes de Solon en l'honneur de la famille de Dropidès (= *Iambi et elegi graeci*, fr. 22-22a West) : 1) Dans le *Timée* (20e), Platon fait allusion aux vers que Solon a consacrés à Dropidès ; 2) dans son commentaire à ce passage du *Timée*, Proclus rapporte deux de ces vers : « De Dropidès est né Critias, dont Solon fait mention dans sa poésie par ces mots : "Dis à Critias aux blonds cheveux d'écouter son père : il obéira à un guide dont le jugement n'erre pas" » (I 82 ; trad. Festugière).

48. Il est sans doute significatif que Socrate prenne la peine de préciser qu'il s'agit là de ce que l'on appelle le « bonheur » (*legoménē eudaimonía*). Socrate prendrait ainsi ses distances par rapport à une représentation commune qui voit dans la beauté un élément constitutif du bonheur. Pour Socrate, le bonheur véritable ne dépend que d'une seule et unique chose : la connaissance du bien et du mal qui est la condition de tout ce qui est réellement utile à l'homme (cf. *infra*, 174c).

49. L'expression « le Grand Roi » (*mégas basileús*) désigne toujours le roi de Perse (cf. *Apol.* 40d ; *Alc.* 120a ; *Lysis* 209d ; *Gorg.* 470e, etc.).

50. « Sur le continent », c'est-à-dire en Asie.

51. Pyrilampe est non seulement l'oncle de Charmide, mais aussi le beau-père de Platon, puisqu'il est le second mari de sa mère, Périctionè. De cette union avec Périctionè naquit un fils, Antiphon, qui était donc le demi-frère de Platon, Glaucon et Adimante. Platon mentionne également Pyrilampe dans le *Gorgias* (481d et 513b) et dans le *Parménide* (126b). Selon Plutarque (*Périclès* XIII 15), Pyrilampe fut un ami intime de Périclès.

52. Ce long passage à la gloire des ancêtres de Charmide – qui sont aussi, faut-il le rappeler, ceux de Platon lui-même (cf. Tableau généalogique, p. 301) – comporte sans doute beaucoup d'ironie. Outre que Platon se montre plutôt méfiant à l'endroit de la famille (cf. *infra*, Introduction au *Lysis*, p. 183-186), il ne croit pas du tout que la vertu et le mérite se transmettent par atavisme familial, contrairement à ce que Socrate, ironique, laisse ici entendre à Charmide. La vertu est plutôt le fruit de l'étude, de l'application et de la connaissance. Au reste, si l'appartenance à une

famille illustre était un gage de vertu, comment expliquer que Critias et Charmide soient finalement devenus d'impitoyables tyrans ?

53. Si Charmide est déjà sage, il n'a pas besoin des incantations de Zalmoxis, c'est-à-dire des réfutations (*élegkhoi*) de Socrate (cf. *supra*, n. 37), puisque l'un des objectifs de la réfutation est de rendre sage.

54. Abaris est un personnage légendaire qui aurait vécu, selon Pindare (fr. 270 Snell), au temps de Crésus. À la fois devin et thaumaturge, il aurait, selon Hérodote (IV 36), parcouru toute la terre sans prendre aucune nourriture, porté sur l'une des flèches en or avec lesquelles Apollon – dont il faut rappeler qu'il est aussi un dieu guérisseur – avait tué les Cyclopes (cf. aussi Jamblique, *Vie de Pythagore*, § 91-92 et 141). Comme le rappelle Hazebroucq (1997, p. 34 n. 3), « Zalmoxis (comme autre figure de Pythagore) et Abaris (dont une autre tradition fait un pythagoricien) font partie de ces êtres inspirés, de ces "hommes divins" ou "démons" de leur vivant […]. » – Les Hyperboréens sont, comme leur nom l'indique, ceux qui vivent au-delà (*húper*) du vent du nord (Borée). Peuple légendaire et bienheureux – ils ne connaissent ni la maladie ni la vieillesse –, ils vivent au nord de la Scythie (cf. Hérodote IV 32-36).

55. Cette observation de Socrate anticipe sur la deuxième définition de Charmide : la sagesse est ce qui rend l'homme pudique ou modeste (cf. *infra*, 160e). Le terme que Socrate emploie pour décrire la pudeur (*tò aiskhuntélón*) de Charmide est celui-là même dont se sert Charmide en 160e pour décrire l'effet de la sagesse. Est-ce à dire que Socrate considère que Charmide est réellement sage ? Il ne faut pas confondre une certaine forme de sagesse conventionnelle que Socrate est prêt à reconnaître à Charmide (cf. *infra*, 175e-176a et n. 225), et la sagesse proprement dite, dont Charmide est encore dépourvu.

56. Cf. *supra*, 157d.

57. Cette analyse de Charmide est certes lucide, et plutôt habile, mais elle ne saurait satisfaire Socrate. Charmide ne répond pas en fonction de lui-même, ni de la connaissance qu'il devrait avoir de lui-même, mais de ce que les autres pensent ou penseront de lui. En ne sachant que répondre à Socrate qui lui demande s'il est sage, Charmide fait malgré lui la démonstration qu'il ne se connaît pas lui-même. Or la connaissance de soi, comme nous le verrons, est l'une des principales caractéristiques de la sagesse. Ainsi que Socrate le lui fera observer sous peu, si la sagesse était présente en lui, Charmide la percevrait et saurait donc formuler en quoi elle consiste (cf. 158e-159a). Or comme il est impuissant à la définir, on peut conclure qu'il n'est pas sage aux yeux de Socrate. Voir aussi *infra*, 176a et n. 228.

58. Socrate convie souvent son interlocuteur à une recherche commune (cf. *infra* 165b ; *Criton* 48d ; *Prot.* 361d ; *Lachès* 201a ; *Gorg.* 506a ; *Ménon* 80d ; *Crat.* 384c ; *Théét.* 151e). Cette recherche est commune non seulement parce que Socrate, qui prétend ne rien savoir, cherche en commun avec son interlocuteur un savoir qui lui échappe, mais aussi parce qu'il s'examine lui-même en même temps qu'il soumet son interlocuteur à un examen (cf. *Apol.* 28e, 38a et *infra*, 166d).

59. L'emploi du vocabulaire de la « présence » n'entraîne pas que Platon avait déjà développé, à l'époque de la rédaction du *Charmide*, la

théorie des formes intelligibles (cf. aussi *Lysis* 218c et la note 141). Voir aussi note suivante.

60. Ce court passage développe une « épistémologie » qui mérite d'être soulignée. La présence d'une vertu chez un individu doit nécessairement être perçue par lui, et cette sensation est elle-même à la source de la formulation d'une opinion sur la nature de cette vertu. Il résulte de ce passage qu'une vertu ne peut pas passer inaperçue aux yeux de celui qui l'abrite. Une telle position paraît incompatible avec la doctrine des formes intelligibles et celle, corrélative, de la réminiscence ; suivant cette doctrine, l'âme humaine a oublié les formes qu'elle a contemplées avant sa chute dans un corps, de sorte qu'elle n'a plus connaissance, avant la réminiscence qui réactivera ce savoir, des vertus profondément enfouies en elle. Les vertus sont ainsi présentes dans l'âme, sans que l'âme s'en doute ni s'en aperçoive. Ce passage du *Charmide* semble donc démontrer que Platon n'a pas encore conçu la doctrine des formes intelligibles, ni celle de la réminiscence.

61. On aurait tort de croire que Platon récuse l'association entre la sagesse d'une part, l'ordre ou le sens de la mesure (*kosmíōs*) d'autre part. Au vu de tous les passages où Platon associe étroitement la sagesse à l'ordre et à la mesure, il est impossible de mettre en doute qu'il concevait la sagesse comme une forme d'ordre (cf. *Alc.* 122c ; *Gorg.* 504d, 506e-507a, 508a ; *Phédon* 68c, 68e ; *Rép.* III 403a, IV 430e, VIII 560d ; *Pol.* 307a-b, 309e ; *Lois* VII 802e ; cf. aussi [Platon], *Définitions* 414e). Socrate fera d'ailleurs allusion, un peu plus loin, à la part de vérité que comporte la première définition de Charmide (cf. 160c et n. 74).

62. La conception que Charmide se fait de la sagesse correspond exactement à celle que Lycurgue, au dire de Xénophon, cherchait à inculquer aux adolescents de Sparte : « De plus, voulant leur inspirer une grande modestie (*tò aideîsthai*), il leur a prescrit de garder dans la rue les mains sous le manteau, et de s'avancer en silence, sans jamais jeter les yeux autour d'eux, mais en les tenant uniquement fixés sur le sol devant leurs pas. Il est par là même clair que le sexe masculin est même plus capable de réserve (*tò sōphroneîn*) que le sexe féminin » (*Rép. Lac.* III 4 ; trad. Ollier). De même, dans les *Nuées* d'Aristophane, le « Raisonnement juste » donne cette description de la sagesse traditionnelle : « Je dirai donc en quoi consistait l'ancienne éducation, lorsque je florissais en professant la justice et que la tempérance (*sōphrosúnē*) était en honneur. D'abord, il ne fallait pas qu'on entendît un enfant souffler le moindre mot ; ensuite on voyait marcher dans la rue, en bon ordre, pour se rendre chez le maître de musique, tous ceux d'un même quartier, sans manteau et en rangs serrés, neigeât-il dru comme farine » (961-965 ; trad. Van Daele). Ces vers de Théognis, poète élégiaque du VIᵉ siècle, méritent également d'être cités : « Même une sage lenteur a raison de la hâte, Cyrnos, quand le droit jugement des dieux immortels favorise notre poursuite. Marche tranquillement (*hēsukhos*), comme moi, au milieu du chemin, et ne donne point aux uns, Cyrnos, ce qui revient aux autres » (329-332 ; trad. Carrière). Enfin, le fondateur du stoïcisme, Zénon de Kition, était également d'avis « que les jeunes doivent faire montre d'une décence parfaite (*kosmiótēti*) dans leur démarche, leur tenue et leur habillement » (VII 22 ; trad. Goulet). Voir enfin Eschyle, *Suppliantes* 724.

63. Contrairement à plusieurs interlocuteurs de Socrate, dont la première tentative de définition correspond en fait à un exemple particulier de la vertu à définir (cf., entre autres, *Euthyph.* 5d-e ; *Lach.* 190e ; *Hip. maj.* 287e), et qui ont beaucoup de peine à comprendre ce qu'est une définition universelle, Charmide propose une définition qui est formellement impeccable pour autant qu'elle est universelle, c'est-à-dire qu'elle dégage une caractéristique (le calme) qui serait vraie de toutes les manifestations de la sagesse. Charmide a certes commencé par proposer des exemples particuliers (marcher dans la rue, discuter), mais il s'est rapidement élevé à un niveau plus général (toutes les actions).

64. Nous avons traduit par « calme » le substantif *hēsukhiótēs*, qui est formé à partir de l'adjectif *hēsukhíos* (« calme »). Le terme *hēsukhiótēs* est rarissime, puisque, hormis les quatre occurrences du *Charmide*, qui est le seul dialogue où Platon emploie ce terme, on n'en compte que six occurrences dans l'ensemble des œuvres enregistrées dans le *Thesaurus Linguae Graecae* (CD-ROM, version E). La seule occurrence connue chez un contemporain de Platon se trouve chez Lysias (XXVI 5). Les autres occurrences sont nettement plus tardives. Sur la dimension politique de la « vie calme », cf. Hazebroucq 1997, p. 177-178.

65. L'opinion de Charmide, concernant la nature de la sagesse, est donc celle que s'en font la plupart des gens (*phasi*). C'est bien cette opinion traditionnelle que Socrate entend passer au crible.

66. Les quatre premiers exemples choisis par Socrate (écriture, lecture, cithare et lutte) correspondent aux principaux apprentissages qui sont au fondement de l'éducation traditionnelle (voir aussi *Lysis* 209a-b et *Alcibiade* 106e : « [Socrate] Tu as donc appris, d'autant qu'il m'en souvienne, ton alphabet, la cithare, la lutte, mais tu n'as pas voulu apprendre la flûte » (trad. Pradeau). Pour démontrer que la conception traditionnelle de la sagesse est erronée, Socrate s'applique à montrer que cette conception est démentie par ce que valorise cette même tradition en matière d'éducation et d'apprentissage.

67. Déjà, dans la question précédente, Socrate emploie « calmement » au sens de « lentement ». Ici, il substitue « lentement » (*bradéōs*) à « calmement » (*hēsukhêî*), comme s'il s'agissait d'un parfait synonyme. Cette substitution est tendancieuse, car en opposant la lenteur à la vitesse de telle sorte que la première apparaisse comme un défaut, Socrate discrédite du même coup le calme, alors que celui-ci ne se réduit pas à la lenteur. La substitution opérée par Socrate ne serait pas autorisée en vertu des règles de la dialectique aristotélicienne ; en effet, Aristote n'autorise ce genre de substitution que si le questionneur en fait la demande expresse au répondant (cf. *Réf. Soph.* 6, 168a29-33). – Le roi de Sparte Archidamos, qui avait la réputation d'être un homme sage (*sṓphrōn*, I 79, 2), considère qu'une certaine forme de lenteur est synonyme de sagesse : « Quant à cette lenteur (*tò bradú*) et à ces hésitations, qu'on nous reproche tant, n'en rougissez pas. D'abord, en vous hâtant, vous finiriez plus lentement, puisque vous entreprendriez sans être préparés ; et puis la cité que nous habitons n'a-t-elle pas toujours connu la liberté et une grande renommée ? Ce trait définit donc avant tout une sagesse réfléchie (*sōphrosúnē émphrōn*) » (Thucydide I 84, 1, trad. Romilly).

68. Après avoir assimilé le calme à la lenteur, et insinué que la lenteur semble trahir une difficulté à accomplir une action, Socrate renoue avec le vocabulaire de la tranquillité (*hēsukhêi*), qu'il associe spontanément, en vertu de son argumentation précédente, à la peine (*mógis*) que l'on éprouve à faire une chose. Cette association est douteuse, car on peut très bien faire quelque chose avec calme, sans pour autant le faire avec peine. Et ce que l'on fait avec peine, on le fait rarement avec calme.

69. La facilité à apprendre (*eumathía*) est une qualité intellectuelle à laquelle Platon attache beaucoup d'importance, puisque c'est l'une des caractéristiques essentielles du « naturel philosophe » (cf. *Rép.* VI 486c, 487a, 490c, 494b, 503c). Dans le portrait très flatteur qu'il fait de Théétète, Théodore insiste sur sa facilité à apprendre (cf. *Théét.* 144a).

70. La vivacité d'esprit (*agkhínoia*) fait également partie des qualités intellectuelles qui caractérisent le « naturel philosophe » (cf. *Rép.* VI 503c). Derechef, c'est une qualité que le jeune Théétète possède au plus haut point (cf. *Théét.* 144a). La vivacité d'esprit est également associée à la facilité d'apprendre dans les *Lois* (V 747b). Sur le caractère naturel de la vivacité d'esprit, cf. *Définitions* 412e (voir note suivante).

71. Dans le recueil apocryphe de définitions attribué à Platon (*Définitions* 412e), la vivacité d'esprit est définie comme une « acuité de l'esprit » (*oxúthēs noû*) et non pas, comme ici, comme une acuité de l'âme (*oxúthēs tis tês psukhês*). Ailleurs chez Platon, la pénétration d'esprit est régulièrement associée à la vivacité d'esprit (cf. *Théét.* 144a ; *Rép.* VI 503c).

72. Dans le *Politique* (306e-307b), l'Étranger montre au contraire qu'en ce qui concerne les activités du corps et de l'âme, on loue tantôt la fougue et la vitesse d'exécution, tantôt le calme et la lenteur. À l'exemple de Charmide (cf. *supra*, 159b), l'Étranger n'hésite pas à associer la modération (*kosmiótēs*), le calme (*hēsukhos*) et la sagesse (*sōphrosúnē*) : « Toutes les fois, je suppose, que nous disons que cela est "paisible" (*hēsukhaîa*) et "réfléchi" (*sōphroniká*), parce que nous avons été charmés par ce qui, cette fois, a été fait lentement et doucement (*bradéa kaì malaká*), aussi bien sur le plan de la pensée que sur celui de l'action, ou dans le domaine de la voix quand les sons produits sont unis et graves, et enfin dans tout mouvement rythmique et toute exécution musicale qui utilise la lenteur au moment opportun ; à tous ces cas, dis-je, ce n'est pas l'épithète de "fougueux" que nous appliquons, mais celui de "mesuré" (*kosmiótētos*) » (307a-b ; trad. Brisson-Pradeau). Voir aussi 307e, où l'Étranger associe la modération (*kosmiótēs*), le calme (*hēsukhos*) et le fait de se mêler de ses propres affaires (*tò tà heautoû práttein*).

73. C'est une restriction qui a son importance. Socrate n'affirme donc pas que la sagesse n'est pas, dans l'absolu, une forme de calme ; mais d'après ce raisonnement du moins (*ék ge toútou toû lógou*), la sagesse ne semble pas être une sorte de calme, ce qui laisse ouverte la possibilité qu'elle puisse être une sorte de calme en vertu d'un autre raisonnement (cf. Tuckey 1951, p. 19 n. 1).

74. Socrate n'a jamais admis, dans ce qui précède, que les activités calmes étaient parfois plus belles que les activités rapides. Il envisage donc, contre toute attente, que les actions calmes puissent être belles ; or

si elles peuvent être belles, elles peuvent également être sages, puisque la sagesse est une belle chose.

75. Si la sagesse est présente en Charmide, elle doit produire un effet perceptible qui lui permette de se faire une opinion sur ce en quoi elle consiste (cf. *supra*, 158e-159a).

76. Socrate soulève ici une question fondamentale, celle de l'œuvre ou plutôt de l'effet (*érgon*) produit par la sagesse. Cette question, qui sera posée de loin en loin dans tout le dialogue (cf. 161a, 165c, d-e, 173a, 174d, 175a), trouvera finalement une réponse en 174d. Bien que la réponse de Charmide soit ici insatisfaisante, Socrate fournit un indice important sur la nature de cet *érgon* : il est interne à l'âme où se trouve la sagesse, de sorte qu'il est de nature intellectuelle ou spirituelle (cf. Tuckey 1951, p. 32).

77. Cette deuxième définition est illustrée par la réaction de Charmide à une question que lui pose Socrate un peu plus tôt dans le dialogue (158c et n. 55). Dans la mesure où la sagesse est traditionnellement conçue comme une forme de retenue, de réserve et de modestie, elle est souvent associée à la pudeur (*aidós*) : cf. Euripide, *Hippolyte* 78-80 ; Thucydide I 84, 3 ; Xénophon, *Mém.* II 1, 22 ; *Banq.* I 8 ; *Cyropédie* VIII 1, 30 ; *Rép. Lac.* III 4 (cité *supra*, n. 62) et Isocrate, *Aréopagitique* [VII] 48. Witte (1970, p. 66 n. 7) cite également une épigramme du IVᵉ siècle qui présente la sagesse (*sōphrosúnē*) comme la fille de la pudeur (*aidós* ; cf. G. Kaibel, *Epigrammata graeca*, Berlin, 1878, n° 34). En fait, on trouve chez Platon lui-même plusieurs textes qui associent la sagesse et la pudeur (cf. *Prot.* 323a ; *Rép.* VIII 560d ; *Phèdre* 253d ; *Lois* VI 772a). Dans les *Mémorables* (III 7, 5), Charmide explique à Socrate que la pudeur (*aidós*) et la peur sont deux sentiments innés chez les hommes. Sur la notion d'*aidós* dans la pensée grecque, voir D.L. Cairns, *Aidos. The Psychology and Ethics of Honour and Shame in Ancient Greek Literature*, Oxford, 1993. – Enfin, il importe de souligner que la réponse de Charmide satisfait à l'une des précisions données par Socrate : en effet, l'*érgon* de la sagesse, suivant Socrate, est d'abord interne à l'âme ; or la honte et la pudeur sont bien des sentiments propres à l'âme, et non pas des comportements extérieurs comme ceux énumérés par la première définition.

78. Cf. *supra*, 159c.

79. Si l'homme sage doit nécessairement savoir ce qu'est la sagesse (cf. *supra*, 158e-159a), l'homme bon devrait également savoir, en vertu du même principe, ce qu'est le bien. Or comme l'homme sage est bon, il doit aussi connaître le bien. Ce passage peut donc être lu comme une anticipation de la position suivant laquelle la sagesse est la connaissance du bien et du mal (cf. *infra*, 174b-c).

80. L'assimilation du beau au bien permet à Socrate de soutenir que la sagesse est non seulement belle, mais également bonne. Sur l'identité du bien et du beau, cf. aussi *Lysis* 216d et n. 123.

81. *Odyssée* XVII 347 : Télémaque autorise un vieux mendiant, dont il ignore qu'il s'agit en fait de son père Ulysse qui a choisi ce déguisement pour passer inaperçu, à faire le tour des tables pour quêter de la nourriture. Homère ne soutient pas que la réserve est mauvaise absolument parlant, c'est-à-dire pour tous les hommes en tous temps et en tous lieux,

mais qu'elle l'est pour l'homme dans le besoin. Socrate commet donc ce type de paralogisme qui consiste à confondre une attribution relative (« la pudeur est mauvaise pour l'homme dans le besoin ») et une attribution absolue (« la pudeur est toujours mauvaise »). Sur ce type de paralogisme, cf. Aristote, *Réf. soph.* 5, 167a1-20. Rien n'empêche que la pudeur soit bonne absolument parlant, mais qu'elle ne le soit pas pour certaines personnes dans certaines circonstances. Même si la réfutation de Socrate laisse à désirer sur le plan logique, elle est habile en ce qu'elle utilise la plus grande autorité de l'éthique traditionnelle (Homère) pour critiquer une conception de la sagesse qui s'inspire de l'éthique traditionnelle. Socrate cite le même vers d'Homère dans le *Lachès* (201b), mais dans un tout autre contexte.

82. Socrate fournit une indication supplémentaire sur la nature de l'effet (*érgon*) produit par la sagesse. Pour autant qu'elle est une vertu, et qu'elle est belle et bonne, la sagesse ne peut se borner à produire un effet aussi limité que la honte et la pudeur, car ces dernières ne sont pas nécessairement les produits d'un bien. L'effet de la bonté de la sagesse est de rendre l'homme bon. – La formulation de la dernière partie de la réplique de Socrate est plutôt problématique. Comment peut-on affirmer que la sagesse rend mauvais les hommes où elle ne se trouve pas ? Il faut sans doute comprendre, bien sûr, que c'est *l'absence de sagesse* qui rend les hommes mauvais. La sagesse est donc dès à présent liée au bien et au mal (cf. aussi *infra*, 163e, 174b-c).

83. Socrate va plutôt vite en besogne ; en effet, de ce qu'il a montré que la pudeur n'est pas indiquée pour le mendiant dans le besoin, il ne s'ensuit pas qu'elle n'est pas davantage bonne que mauvaise. En reprenant une distinction chère à Aristote, on pourrait dire que la pudeur est bonne *tout court* (*haplôs*), mais qu'elle est parfois mauvaise pour certaines personnes dans certaines circonstances.

84. Le recours à l'opinion d'autrui est le signe que Charmide a épuisé ses propres ressources et qu'il est allé au bout de ses opinions concernant la nature de la sagesse. Charmide n'est donc pas sage, sinon la présence de la sagesse dans son âme produirait nécessairement un effet qu'il saurait percevoir et formuler (cf. *supra*, 158e-159a et n. 60). D'aucuns considèrent qu'en rapportant l'opinion suivant laquelle la sagesse consiste à faire ses propres affaires, Charmide cesse paradoxalement de « s'occuper de ses propres affaires », puisqu'il renonce à chercher par lui-même en quoi consiste la sagesse (cf. Hyland 1981, p. 76 ; Schmid 1998, p. 30-31, 69 ; 2002, p. 240). Ce jugement nous paraît excessif pour autant qu'il ne tient pas compte de la jeunesse de Charmide et du fait que Socrate souhaite sincèrement l'intervention d'un interlocuteur plus âgé qui pourrait relancer la discussion et la faire progresser (cf. *infra*, 162e et n. 100 ; cf. aussi *Lysis* 223a et n. 194).

85. Sur cette expression (*tò tà heautoû práttein*), qui correspond mot pour mot à la définition de la justice dans la *République* (IV 433a, 441d-e), et qui apparaît dans d'autres dialogues comme une formulation adéquate de la sagesse (*Alc.* 131b-c ; *Timée* 72a), cf. Introduction, p. 46-51.

86. On ne compte que quatre occurrences de cette apostrophe (*ô miaré*) dans le corpus platonicien (cf. *infra*, 174b ; *Phèdre* 236e ; *Théagès* 124e). Dans le *Charmide*, Socrate emploie cette apostrophe à la façon d'un

reproche qu'il adresse à l'interlocuteur coupable de lui avoir dissimulé quelque chose. Cette apostrophe est ironique dans la mesure où Socrate connaît déjà ce qu'il reproche à son interlocuteur de lui avoir dissimulé.

87. Contrairement à ce que soutient Hazebroucq (1997, p. 41 n. 3), qui cherche à tout prix à faire de Critias un sophiste (cf. Introduction, p. 24-25), les « sages » (*sophoí*) dont il est fait mention ne sont probablement pas les sophistes. Nous n'avons conservé aucun texte qui permettrait d'établir une correspondance entre cette définition et l'une ou l'autre des doctrines défendues par les sophistes. Au reste, le terme *sophós*, chez Platon, est susceptible d'un emploi très varié (cf., par exemple, *Lysis* 222e). Dans le cas présent, il est probablement vain de chercher à déterminer avec précision quel est le groupe de « sages » que désignerait *sophoí*.

88. Critias finira pourtant par reconnaître que Charmide tient de lui cette définition de la sagesse (cf. *infra*, 162c-d). La question qui est ici soulevée par le texte n'est cependant pas de savoir si Critias peut être ou non considéré comme l'auteur de cette définition, mais plutôt s'il est celui qui a communiqué cette définition à Charmide. D'aucuns soutiennent que Critias en est réellement l'auteur (cf., entre autres, Tuckey 1951, p. 20), mais il n'y a rien, dans les fragments que nous avons conservés de Critias, qui permette de fonder cette attribution. Un passage du *Timée* (72a) présente cette formulation de la sagesse comme une conception juste qui remonte à un passé très lointain (*pálai*), auquel cas il semble vain d'en rechercher l'auteur. Cela dit, s'il est vrai que les définitions proposées par Critias ont toutes une origine socratique (cf. Introduction, p. 44-45), Critias serait en un sens justifié à récuser la paternité de la définition rapportée par Charmide, puisque l'auteur véritable en serait Socrate lui-même (cf. Solère-Queval 1993, p. 17). Le fait que Charmide ait entendu Critias exposer cette conception n'entraîne pas que ce dernier en soit également l'auteur.

89. La réponse de Socrate semble aller à l'encontre de son fameux principe selon lequel il est impératif de répondre en fonction de ce que l'on pense (cf. *Criton* 49c-e ; *Prot.* 331c-d ; *Gorg.* 495a, 500b ; *Ménon* 83d ; *Euthyd.* 286d ; *Rép.* I 346a, 349a, 350e). Or Socrate semble ici reconnaître que ce qui est dit est indépendant de celui qui le dit, et que seule importe, au fond, la tâche de déterminer si ce qui est dit est vrai. Les implications d'une telle position sont considérables, car cela signifierait que l'*élegkhos* socratique a d'abord et avant tout pour objectif d'éprouver la prétention à la vérité d'une proposition, et non pas d'éprouver un individu et sa façon de vivre par l'intermédiaire des conceptions qu'il se fait du bien, des vertus, etc. Toutefois, comme la suite de l'entretien le démontrera, il est d'une certaine façon impossible d'examiner une thèse en elle-même indépendamment de son défenseur réel. Comme Charmide ne comprend pas vraiment cette définition qu'il ne connaît que par ouï-dire, l'examen auquel Socrate la soumet demeure superficiel et il faudra attendre, pour que la discussion de cette thèse débute enfin, que Critias reconnaisse qu'il en est, sinon l'auteur, du moins un partisan convaincu. Ainsi se trouve confirmée, en dépit des apparences, la nécessité du lien entre une thèse et son défenseur réel. Il est impossible de se prononcer sur la vérité d'une thèse si celui qui la

défend n'en a qu'une compréhension superficielle. Certes, Critias lui-même ne détient pas une compréhension approfondie de cette définition et il ne sait pas où réside sa vérité ; il n'empêche qu'il revendique cette définition et qu'il croit être en mesure de la défendre.

90. C'est le premier de trois passages (cf. aussi 162a et b) où Socrate traite d'« énigme » la définition suivant laquelle la sagesse consiste à « faire ses propres affaires ». Le fait que cette même définition soit acceptée dans d'autres dialogues (cf. Introduction, p. 46 n. 3) suffit largement à démontrer que l'incompréhension de Socrate est en grande partie feinte. Socrate feint l'incompréhension car il sait qu'il ne peut plus rien espérer de Charmide et il souhaite, en conséquence, que Critias prenne la relève. Les questions et les exemples absurdes qui vont suivre (161d-162b) ont pour but d'exaspérer Critias, de le faire sortir de sa réserve et de l'inciter à débattre enfin avec Socrate du sens véritable de la définition rapportée par Charmide.

91. Sur l'importance de ce passage pour déterminer l'âge de Charmide, cf. Introduction, p. 29 n. 1. Pour se faire bien comprendre de Charmide, Socrate utilise des exemples qui sont directement empruntés à la vie quotidienne de son jeune interlocuteur (cf. aussi *Lysis* 207d-209c).

92. Socrate emploie ici un verbe (*polupragmoneîn*) qui décrit souvent, dans la *République* (cf. IV 433a, d, 434b, 443d, 444b), l'attitude opposée à celle de l'homme juste qui s'occupe de ses propres affaires. Dans le *Gorgias*, Socrate affirme que « s'il [*scil.* Rhadamante] voit l'âme d'un philosophe, qui a œuvré toute sa vie pour accomplir la tâche qui lui est propre (*tà hautoû práxantos*), sans se disperser à faire ceci et cela (*ou polupragmonḗsantos*), eh bien, après avoir admiré cette âme, il l'envoie vers les Iles des bienheureux » (526c ; trad. Canto). Sur la notion de *polupragmosúnē*, cf. V. Ehrenberg, « *Polupragmosune* : a study in Greek politics », *Journal of Hellenic Studies*, 1947 (67) p. 46-67 ; A.W.H. Adkins, « *Polupragmosune* and "minding your own business" », *Classical Philology*, 1976 (71) p. 301-328.

93. Il est tentant de considérer, à la suite de plusieurs commentateurs (cf. Hyland 1981, p. 72-73 ; Hazebroucq 1997, p. 43 n. 1), que ce passage constitue une critique à l'endroit du sophiste Hippias, qui se vantait d'avoir fabriqué tout ce qu'il portait sur lui. La mention du manteau (*hímation*), des sandales (*hupodḗmata*), du racloir (*stleggís*) et du flacon d'huile (*lḗkuthon*) rappelle irrésistiblement ce passage de l'*Hippias mineur*, où Socrate s'adresse à Hippias : « Tu disais que si tu étais venu un jour à Olympie, n'ayant rien sur ta personne qui ne fût l'œuvre de tes mains. Et d'abord l'anneau que tu portais au doigt – c'est par là que tu commençais – c'était toi qui l'avais fait, car tu savais ciseler un anneau ; et aussi ton cachet ; puis ton étrille (*stleggída*) et ton flacon d'huile (*lḗkuthon*) ; tout cela était ton œuvre. Tu ajoutais que tes chaussures (*hupodḗmata*) même, tu les avais fabriquées, et que tu avais tissé aussi ton manteau (*hímátion*) et ta tunique. Mais, ce qui étonnait le plus tous tes auditeurs, ce qui fit ressortir ton extraordinaire habileté, ce fut de t'entendre affirmer que la ceinture de ta tunique était identique à ce qui se fait en Perse de plus riche et que tu l'avais tressée toi-même » (368c-d ; trad. Croiset). On peut voir dans ce passage une critique de la forme d'autarcie prônée et illustrée par Hippias, qui avait déclaré que l'autarcie

est la fin de toutes choses (cf. DK A 1). Contre Hippias, qui prône une autarcie radicale qui contraint chaque homme à subvenir à tous ses besoins, Socrate plaide en faveur d'une division du travail au sein de la cité (cf. *Rép.* II 369b-371e). La division du travail n'est pas incompatible avec l'autarcie, pour peu que celle-ci soit entendue autrement que ne le fait Hippias. À défaut d'être autarcique lorsqu'il est isolé, l'homme vit en société dans l'espoir que celle-ci réalise l'autarcie qui lui est refusée sur le plan individuel. L'autarcie matérielle suppose donc la vie en société et la division du travail. Or si l'on prône le mode de vie d'Hippias, la cité sera mal administrée, ou plutôt elle n'aura plus aucune raison d'être, puisque chacun veillera à satisfaire tous ses besoins. Conformément à la position qui est élaborée dans le *Charmide*, Socrate rejette le modèle suivant lequel « faire ses propres affaires » consisterait à fabriquer tout ce dont on peut avoir besoin (cf. *Rép.* II 369e-370a). Dans l'*Alcibiade* (127b-c), Socrate soutient qu'une cité bien administrée est une cité où chacun « fait ses propres affaires », mais non au sens où l'entend Hippias.

94. La sagesse est une vertu éminemment politique, puisqu'elle est indispensable au citoyen, au dirigeant ainsi qu'à la cité elle-même. Cf. également 173a-d et 174c, où Socrate se penchera à nouveau, de façon plus approfondie, sur les rapports entre la sagesse et l'administration de la cité.

95. Cf. *supra*, 161c.

96. Critias est à nouveau qualifié de « savant » (*sophós*). Cf. *supra*, 161c et n. 87.

97. Charmide ne croit pas si bien dire. La suite du dialogue montre en effet que Critias s'embrouille lorsque Socrate lui demande d'expliquer en quel sens la sagesse consiste à faire ses propres affaires.

98. Depuis le début de 162c, Critias apparaît nettement comme un homme qui a peine à se maîtriser et qui, partant, manque de sagesse. Ainsi, au moment même où il s'apprête à intervenir activement, pour la première fois, dans le cours de la discussion, Critias donne des signes manifestes, et inquiétants, de son absence de sagesse. Alors que le comportement réservé et pudique de Charmide (158c) était une espèce de préfiguration des définitions de la sagesse qu'il était sur le point d'exposer, et aussi l'indice qu'il possède une forme de *sōphrosúnē*, l'impatience et la colère de Critias semblent de mauvais augure.

99. Cette affirmation de Critias se retournera finalement contre lui. La suite du dialogue révèle en effet qu'il ne sait pas non plus en quel sens il est juste d'affirmer que la sagesse consiste à faire ses propres affaires. De même que Charmide rapporte sans la comprendre une définition qu'il tient de Critias, de même celui-ci n'a qu'une connaissance superficielle de plusieurs positions avancées par Socrate (cf. McAvoy 1996, p. 71).

100. On aurait tort de négliger l'importance de cette remarque de Socrate car c'est une grave erreur que de ne pas tenir compte, dans l'interprétation d'un dialogue, de l'âge des interlocuteurs de Socrate (cf. aussi *Lysis* 223a). Le très jeune âge de certains interlocuteurs est certainement une limite et une contrainte qui empêchent que le dialogue ne progresse au-delà d'un certain point. Cette remarque de Socrate donne tort aux interprètes qui considèrent que Charmide est un mauvais interlo-

cuteur sous prétexte qu'il a renoncé à découvrir par lui-même la signification de l'expression « faire ses propres affaires » (cf. *supra*, n. 84).

101. De façon générale, Socrate considère que l'on sait une chose pour l'avoir apprise auprès d'un autre ou pour l'avoir découverte soi-même (cf. *Lachès* 186e ; *Euthyd.* 285a). Dans les deux cas (apprentissage ou découverte), l'âge est un facteur adjuvant, car plus on est âgé, plus on a eu de temps pour apprendre auprès d'un maître ou pour faire soi-même des découvertes (cf. *Lachès* 186c). Socrate n'est donc pas ironique lorsqu'il reconnaît, en droit, le privilège de l'âge eu égard au savoir.

102. L'approbation de Socrate n'est peut-être pas feinte : la définition proposée est vraie, mais pas au sens où Critias l'entend et la défend.

103. Cf. *supra*, 161d-162a.

104. Socrate substitue à nouveau un terme à un autre sans prévenir son interlocuteur (cf. *supra*, 159c et n. 67). Socrate passe subrepticement de 1) « s'occuper (*práttein*) de ses propres affaires » à 2) « faire (*poieîn*) les affaires d'autrui », puis à 3) « s'occuper (*práttein*) des affaires d'autrui ». Or comme 1) et 3) se contredisent, Socrate attribue cette contradiction à la position même de Critias ; mais celui-ci est pleinement justifié de se récrier, car Socrate est parvenu à cette prétendue contradiction par le biais d'une substitution illégitime ; en effet, Socrate passe de 1) à 3) en faisant comme si « faire » (*poieîn*) les affaires d'autrui était équivalent à « s'occuper » (*práttein*) des affaires d'autrui.

105. Si l'on entend « faire » au sens de « fabriquer », rien n'empêche que celui qui fait les affaires d'autrui ne s'occupe en même temps de ses propres affaires. Si le fait de s'occuper de ses propres affaires désigne le respect de la division du travail, l'artisan qui fabrique les affaires d'autrui peut très bien faire preuve de sagesse.

106. *Les Travaux et les Jours*, 311. Cette longue réponse de Critias, qui est passablement alambiquée, a fait l'objet d'une analyse approfondie dans l'Introduction (p. 46-51).

107. Mot à mot : « qui demeure dans une maison (*oíkēma*) ». La « maison » dont il s'agit est en fait une maison close, c'est-à-dire un bordel (cf. Hérodote II 121 ; Athénée XIII 569d-e), d'où la traduction « qui se prostitue ».

108. Critias a affirmé, quelques lignes plus haut, qu'Hésiode considère, à son avis, que la fabrication (*poíēsis*) est quelque chose d'autre que l'action (*prâxis*) et le travail (*ergasía*). Or il affirme maintenant qu'Hésiode appelle actions (*práxeis*) et travaux (*ergasíai*) les productions (*poiêseis*) d'une certaine sorte, à savoir celles qui conjuguent beauté et utilité. Mais comme cette variété de production est nécessairement une espèce de la production en général, et que celle-ci est en principe différente de l'action et du travail, il s'ensuit que les distinctions de Critias sont confuses et incohérentes. À ce sujet, cf. Introduction, p. 47-48.

109. L'opposition entre ce qui nous est propre (*oikeîon*) et ce qui nous est étranger (*allótrion*) est fréquente dans le corpus platonicien et elle correspond à l'opposition entre le bien et le mal (cf. *Lysis* 222c). Si l'opposition propre/étranger est incontestablement d'origine socratique, l'interprétation qu'en donne ici Critias trahit une mécompréhension de cette doctrine. Son assimilation du « propre » à ce qui est beau et utile prête en effet le flanc à deux critiques : 1) Le critère de ce qui est beau,

utile ou nuisible est arbitraire, puisqu'il s'agit d'un préjugé d'aristocrate (cf. Introduction, p. 47-48) ; 2) le propre et l'étranger ne sont pas définis par rapport au bien et au mal respectivement (cf. aussi *infra*, n. 111), alors qu'il s'agit là, pour Socrate, du fondement de la distinction et de l'opposition entre ce qui nous est propre et ce qui nous est étranger.

110. Il est sans doute utile de rappeler les étapes en vertu desquelles Critias se croit autorisé à tirer cette conclusion pour le moins inattendue. 1) Les fabrications belles et utiles se nomment également actions et travaux. 2) Celui qui s'adonne à des activités belles et utiles fait ce qui lui est propre (*oikeîon*). En vertu de ces prémisses, Critias est uniquement autorisé à conclure que celui qui fait ce qui lui est propre (*oikeîon*) fait ses propres affaires (*tà heautoû*). Il n'y a rien dans la discussion qui précède qui lui permet de conclure qu'Hésiode appelait « sage » celui qui fait ses propres affaires. Au reste, non seulement la citation d'Hésiode qui sert de prétexte aux élucubrations de Critias ne parle ni d'homme sage, ni de celui qui fait ses propres affaires, mais l'œuvre conservée d'Hésiode ne comprend aucune occurrence de *sōphrosúnē* ou d'un terme de même famille.

111. Socrate introduit ici un terme (« bon » : *agathón*) qui ne se trouve pas dans l'exposé de Critias. Avant d'examiner en quoi cette absence est significative, on peut, comme nous y invite Socrate, compléter la position de Critias de telle sorte qu'elle apparaisse comme une anticipation de la prochaine définition (« faire le bien »). Critias soutient donc que celui qui fait ses propres affaires s'adonne à des activités belles et utiles ; or comme les choses belles et utiles sont également bonnes (cf. 160e et 169b), il s'ensuit que la sagesse consiste à faire de bonnes choses (cf. *infra*, 163e). Le fait même que ce soit Socrate, et non Critias, qui établisse un lien entre la sagesse et le bien est très révélateur, dans la mesure où cela trahit l'incapacité récurrente de Critias à définir la sagesse par rapport au bien. Le lien entre la sagesse et le bien apparaît plus nettement encore à la fin du dialogue (174b-e), lorsque la sagesse pourrait être définie en termes de connaissance du bien et du mal. Mais ce sera à nouveau une occasion manquée, en raison de l'incapacité de Critias à saisir le lien nécessaire entre la sagesse et le bien.

112. L'assimilation du bien (*agathón*) à ce qui nous est propre ou apparenté (*oikeîon*) est l'un des principaux fondements de la doctrine de l'amitié développée dans le *Lysis* (221e-222d).

113. Originaire de Céos, île de la mer Égée qui fait partie des Cyclades, Prodicos est un sophiste contemporain de Socrate. D'après l'*Hippias majeur* (282c), il fut envoyé en ambassade à Athènes par ses concitoyens et, à la faveur de cette mission officielle, il s'établit définitivement dans la cité de Périclès, où il fit fortune grâce aux leçons qu'il donnait en échange de fortes sommes d'argent. Prodicos est souvent mentionné par Platon (cf. *Hip. maj.* 282c ; *Prot.* 315e, 337a-c, 339e-341e, 358d-e ; *Euthyd.* 277e ; *Théét.* 151b) et il arrive parfois que Socrate se présente, avec un brin d'ironie, comme l'un de ses élèves (cf., outre ce passage-ci, *Prot.* 341a ; *Ménon* 96d et *Crat.* 384b). Bien que nous n'en ayons conservé que des bribes, son enseignement semble avoir surtout porté sur les distinctions à établir entre des termes, ressortissant pour la plupart au domaine moral, que ses contemporains employaient, à tort

selon lui, comme de parfaits synonymes. – Cette mention de Prodicos laisse-t-elle entendre que Critias a été son élève, ou plutôt que Socrate, qui a lui-même entendu Prodicos faire des distinctions de ce genre, a immédiatement compris où Critias voulait en venir, sans que Critias ait pour autant été un auditeur de Prodicos ? En tout état de cause, cette mention de Prodicos ne suffit pas à faire de Critias un sophiste, ainsi que l'affirment précipitamment plusieurs commentateurs (cf. Introduction, p. 24-25).

114. C'est en vertu de cette demande, et de l'expression qui la traduit – « en reprenant depuis le début » (*pálin ex arkhês*) –, que nous considérons la définition qui va suivre comme une nouvelle définition, bien qu'elle soit également, en un sens, une reformulation de la troisième (« faire ses propres affaires »). Voir aussi Introduction, p. 51.

115. Nous avons ici la confirmation que le long exposé de Critias (163b-c) est passablement obscur et embrouillé. Voir aussi 163e *in fine*.

116. En soulignant avec insistance que l'opinion examinée est celle de Critias, et non pas la sienne, Socrate montre bien que l'examen d'une thèse ne se fait jamais indépendamment de la personne même qui la soutient. Cf. aussi *supra*, 161c et n. 89.

117. Critias répond ainsi à la requête de Socrate qui lui demande de définir *clairement*, en reprenant les choses depuis le commencement, ce qu'il entend par « sagesse » (cf. *supra*, 163d *in fine*).

118. Il faut sans doute lire cette réponse de Socrate comme une indication que la réponse de Critias est vraie et qu'elle ne mérite pas d'être réfutée (cf. Tuckey 1951, p. 87). Or si la réponse est vraie (« la sagesse consiste à faire le bien »), les raisons qui la sous-tendent échappent à Critias, comme le révèle la suite de la discussion.

119. Cf. *supra*, 163a.

120. Socrate exploite ici l'ambiguïté de l'expression *tà déonta* (« ce qu'il faut »). Dans sa question précédente, il emploie cette expression dans le sens de « devoir » technique : le médecin qui guérit son patient fait ce qu'il faut, c'est-à-dire ce que sa technique lui prescrit de faire. Dans cette question-ci, il accorde à *tà déonta* une dimension morale : celui qui fait ce qu'il faut (au sens moral de l'expression) fait preuve de sagesse. Or celui qui fait son devoir technique, comme le médecin, ne fait pas nécessairement preuve de sagesse, car son devoir technique – rendre la santé en suivant certaines règles – peut ne pas coïncider avec le devoir moral (cf. *Gorg.* 512a ; *Lach.* 195c-d).

121. Socrate ne peut pas accepter qu'un homme soit sage sans qu'il s'en rende compte lui-même, car cela irait à l'encontre de ce qui a été admis en 159a. – Dans l'*Alcibiade* (131a), Socrate use d'un autre argument pour démontrer que le médecin ne se connaît pas lui-même. Etant donné que le médecin se préoccupe du corps, et que le soi correspond à l'âme, son activité l'éloigne de la connaissance de ce en quoi il consiste lui-même. Dans le *Charmide*, la raison pour laquelle le médecin ne se connaît pas lui-même est qu'il est impuissant à déterminer, en tant que médecin, s'il agit réellement en vue du bien.

122. Dans le *Protagoras* (343a-b), Socrate affirme que ce sont les Sept Sages qui ont écrit (*grápsantes*) les célèbres maximes « connais-toi toi-même » et « rien de trop », et qui les ont offertes à Apollon dans son

temple de Delphes. Dans l'*Alcibiade* (124a), Socrate parle tout simplement de l'inscription (*grámma*) de Delphes (cf. aussi *Rivaux* 138a). Le
fait même que Critias parle de « celui » qui a gravé l'inscription montre
qu'il ignore l'identité de son auteur ; cette ignorance était partagée par
tous les Anciens, comme le démontrent les textes de Clément d'Alexandrie (*Stromates* I 14, 60) et de Stobée (III 21, 26) cités par Hazebroucq
(1997, p. 49 n. 1).

123. La formule usuelle de salutation (*khaîre*) est l'impératif présent
du verbe *khaírein*, qui signifie « se réjouir », « être joyeux ». Or Critias
interprète curieusement cette formule comme si elle était une invitation à
la jouissance, alors qu'il ne serait jamais venu à l'esprit d'un Grec de la
comprendre ainsi. L'interprétation que Critias propose de la formule
khaîre est tout aussi digne d'un cuistre que son exégèse abracadabrante
du vers d'Hésiode (cf. *supra*, 163b-c). – Le début de la *Lettre III*, qui est
certainement apocryphe, est à l'évidence une imitation de ce passage-ci
(cf. L. Brisson, *Platon : Lettres*, Paris, GF-Flammarion, 1987, p. 110
n. 1).

124. Platon fait plusieurs fois référence à cette célèbre *injonction* delphique (cf. *Prot.* 343b ; *Ménexène* 247e ; *Politique* 286e ; *Philèbe* 45e et
[Platon], *Hipparque* 228e).

125. Cette maxime fait l'objet d'un commentaire au livre IX de Diogène Laërce : « les formules des Sept Sages, disent-ils [*scil.* les Sceptiques], sont des formules sceptiques, par exemple le "Rien de trop", ou le
"Caution appelle malédiction" (*eggúa pára d'áta*), qui signifie que si l'on
donne sa caution (*diegguōménōi*) fermement et avec conviction, la malédiction (*átēn*) s'ensuit » (IX 71, trad. Brunschwig).

126. L'interprétation que Critias propose de la maxime « connais-toi
toi-même » a pour effet d'en banaliser la portée. Si l'on voit dans cette
maxime un conseil, voire une injonction divine, on insiste sur le fait qu'il
s'agit là d'une tâche inachevée, toujours à recommencer, alors qu'en
ravalant le « connais-toi toi-même » au rang de simple formule de salutation, Critias vide cette maxime de toute sa force protreptique, puisque
celui à qui elle s'adresse ne se sentira probablement pas plus contraint à
se connaître lui-même que ne s'estime invité à jouir celui que l'on salue
à l'aide de la formule « réjouis-toi ». Contrairement à Critias, qui
accorde une signification triviale au « connais-toi toi-même », ravalé au
rang de simple salutation, Socrate interprète clairement cette maxime
comme un conseil, voire un ordre (cf. *Alc.* 130e et 132d). De même, le
personnage de Pison, dans le *De finibus* de Cicéron, y voit rien de moins
qu'une injonction divine : « suivant le précepte qui a paru trop haut pour
sembler provenir d'un homme et que pour cette raison on a attribué à un
dieu. C'est donc Apollon Pythien qui nous ordonne (*iubet*) de nous
connaître nous-mêmes » (V 16, 44, trad. Martha).

127. Critias ne croit pas si bien dire ! Socrate a déjà eu l'occasion de
lui reprocher son manque de clarté (cf. *supra*, 163d-e). Quant à Socrate,
on ne peut certes pas lui reprocher d'être confus et embrouillé comme
l'est Critias, mais on peut sans doute le soupçonner d'en dire beaucoup
moins qu'il n'en sait au sujet de la sagesse, d'où un certain manque de
clarté.

128. C'est l'un des nombreux passages des dialogues de jeunesse où Socrate reconnaît qu'il ne sait rien (cf. 166c-d ; *Apol.* 21b-d ; *Euthyph.* 5a-c, 15c-16a ; *Lachès* 186e ; *Lysis* 212a, 223b ; *Gorg.* 509c ; *Ménon* 71a, 80d ; *Hip. maj.* 286c-e, 304d-e ; *Banq.* 216d).

129. C'est la première occurrence du terme *epistêmê* dans le dialogue. L'introduction de ce terme, par Socrate, est sans doute déterminante pour autant qu'elle incite, voire contraint Critias à reformuler sa définition en termes de « science » et non plus de simple « connaissance » (*gignôskein*). Socrate serait donc en partie responsable du « tournant » épistémologique que prend la discussion à partir de 166c. Afin de bien distinguer la dimension scientifique de la conception défendue par Critias, de l'aspect éthique de la connaissance de soi socratique, nous avons traduit *epistêmê* par « science ».

130. On peut s'étonner de ce que Socrate présente ici la santé comme un « beau résultat » (*kalòn érgon*) produit par la médecine, puisqu'il avait tout à l'heure montré que la santé produite par le médecin n'est pas toujours utile, ni, par conséquent, bonne (cf. *supra*, 164b-c). Sur l'ambivalence du statut de la santé, cf. *Lysis* 218e et n. 148.

131. Depuis 165c, Socrate comprend la sagesse sur le modèle des différents savoirs techniques. De même que les différentes connaissances techniques portent sur un objet distinct d'elles-mêmes et produisent (*apergázontai*) un certain résultat (*érgon*), de même la sagesse doit avoir un objet et produire un effet (*érgon*). Critias est impuissant à répondre à cette double question. Socrate assimile en apparence la sagesse aux techniques productives, telles que l'architecture et la médecine, comme si la sagesse produisait un résultat extérieur (*érgon*) analogue à la maison (architecture) ou à la santé (médecine). Or le choix même de l'architecture et de la médecine invite à penser que l'*érgon* produit par la sagesse ressortit plutôt à l'âme ; en effet, si nous avons raison de considérer que la doctrine de la tripartition des biens est sous-jacente à ce passage (cf. aussi *supra*, 157b et n. 40), la maison représente les biens extérieurs et la santé les biens corporels, de sorte que l'*érgon* produit par la sagesse doit appartenir à la troisième catégorie de biens, ceux de l'âme. La vertu produit bien un *érgon*, mais qui n'est cependant pas du même type que les biens extérieurs et les biens du corps. En 160d, au seuil de la deuxième définition, Socrate avait également posé à Charmide, dans les mêmes termes (cf. *apergázoito*, 160d8), la question de l'effet produit par la sagesse. Comme nous le verrons à la fin du dialogue, l'*érgon* produit par la sagesse n'est pas un résultat extérieur à celui qui agit (cf. 174d et n. 210 ; voir aussi *supra*, 160d et n. 76). Par ailleurs, ce passage-ci rappelle l'*Euthyphron* (13e-14a), où Socrate demande pareillement, avec insistance, quel est l'*érgon* produit par la piété. Non seulement Socrate emploie le même vocabulaire (le verbe *apergázesthai* et le substantif *érgon*), mais il compare également la vertu à des techniques productives (médecine, agriculture, art naval, architecture, etc.), comme si la vertu devait, à l'instar des techniques de production, produire un résultat (*érgon*) qui lui est extérieur.

132. Cette intervention de Critias est tout à fait pertinente. Son refus de répondre à la question de Socrate est légitime dans la mesure où cette question assume, à tort, que toutes les connaissances obéissent au modèle

des techniques productives et qu'elles doivent, par conséquent, produire un résultat (*érgon*) extérieur. Cela dit, que la sagesse n'ait pas d'*érgon* semblable à celui des techniques productives ne signifie pas qu'elle n'ait pas du tout d'*érgon* (voir note précédente).

133. Socrate reconnaît certes le bien-fondé de la distinction formulée par Critias, mais il évite soigneusement de répondre à la question que ce dernier lui pose. Plutôt que de reconnaître ouvertement que la géométrie et le calcul ne produisent pas d'*érgon* extérieur à eux-mêmes – ainsi qu'il le reconnaît pourtant dans le *Gorgias* (450d) –, et qu'il pourrait donc en aller de même pour la sagesse, Socrate fait dévier le débat sur un autre point : si toutes les sciences portent nécessairement sur un objet distinct d'elles-mêmes, quel peut bien être l'objet de la sagesse ? En tant qu'elle est la connaissance de soi, la sagesse n'est pas nécessairement connaissance d'elle-même, puisqu'elle pourrait consister en la connaissance de l'âme. On s'étonne que Critias ne fasse pas cette réponse (cf. Introduction, p. 56-57). – Pour récapituler, Socrate cherche l'élément commun à toutes les sciences, mais sur deux plans très différents : 1) dans un premier temps (165c-d), il pense toutes les connaissances sur le modèle des techniques de production, de sorte qu'il cherche le résultat ou l'œuvre (*érgon*) que produirait la sagesse. En raison de l'objection de Critias, il semble abandonner cette piste, mais il ne renonce pas à la nécessité, pour la sagesse, d'avoir un *érgon*. 2) Après l'objection de Critias (165e), il propose une autre piste pour identifier la caractéristique commune à toutes les connaissances : elles ont toutes un objet distinct d'elles-mêmes (cf. *Gorg.* 450b).

134. Dans un passage parallèle du *Gorgias*, Socrate définit le calcul (*logistikē̆*) dans les mêmes termes : « le calcul diffère de l'arithmétique dans la mesure où il recherche les grandeurs de ces nombres, pris en eux-mêmes ou dans les relations qu'ils entretiennent l'un avec l'autre, que ces nombres soient pairs ou impairs » (451c, trad. Canto).

135. Cette affirmation de Critias, qui est déterminante pour la suite du dialogue, a fait l'objet d'un commentaire approfondi dans l'Introduction (cf. *supra*, p. 57-60).

136. Cf. *supra*, 165b-c.

137. L'accusation de Critias est gravissime, puisqu'elle revient à dire que Socrate se comporte comme un éristique qui se préoccupe davantage de réfuter son interlocuteur que de trouver une solution au problème qui fait l'objet de la discussion.

138. Ce passage met en lumière le rôle de la réfutation dans le processus d'acquisition de la connaissance de soi. Au reproche que lui adresse Critias (cf. note précédente), Socrate répond, de façon paradoxale, que le véritable bénéficiaire de la réfutation n'est pas vraiment le répondant, mais plutôt le questionneur. Autrement dit, lorsqu'il procède à l'examen d'une proposition, ce n'est pas seulement son interlocuteur que Socrate examine, mais aussi lui-même et sa propre prétention à connaître cette proposition. En affirmant que la réfutation lui permet de voir ce qu'il en est de ce qu'il s'imaginait connaître, tout en ne le connaissant pas, Socrate montre bien que la réfutation favorise la connaissance de soi, c'est-à-dire la connaissance de ce que l'on sait et de ce que l'on ne sait pas (cf. *infra*, 167a). Ce passage-ci doit être rapproché des passages

de l'*Apologie* où Socrate affirme qu'il s'examine lui-même en examinant les autres (cf. 28e et 38a). Enfin, la position qui est ici développée par Socrate peut être lue non seulement comme une anticipation de 167a, mais aussi comme un témoignage de confiance à l'endroit de l'*élegkhos* (cf. Introduction, p. 60-64).

139. Critias réitère donc la position qu'il a énoncée une première fois en 166c.

140. Cette question de Socrate n'a rien de sophistique, car c'est une application du principe suivant lequel une connaissance porte à la fois sur un objet et sur son contraire (cf. *Phédon* 97d) ; ainsi la connaissance propre à assurer le bonheur est-elle la science du bien *et* du mal (cf. *infra*, 174b-c). C'est en vertu de ce même principe que la médecine, par exemple, est souvent décrite comme la connaissance de la santé et de la maladie (cf. *infra*, 170e et 171a). Aristote affirme à de nombreuses reprises qu'il appartient à une seule science de connaître les contraires (cf. *Pr. Anal.* I 1, 24a21 ; *Top.* I 14, 105b5 ; VIII 1, 155b31 ; *Mét.* Γ 2, 1004a9, etc.). – L'ajout que Socrate propose à la définition de Critias est plus important qu'il n'y paraît, car il lui permet de reformuler cette définition en termes de connaissance de soi (cf. *infra*, 167a ; Mahoney 1996, p. 191 ; Kahn 1996, p. 193). Alors que Critias propose une définition qui voit dans la sagesse une science universelle, infaillible et sûre d'elle-même (« science d'elle-même et des autres sciences »), l'ajout de Socrate a pour effet d'accorder au moins autant d'importance à la reconnaissance de son ignorance qu'à la revendication d'un savoir (cf. Schmid 1998, p. 56 et 59).

141. Cette occurrence du verbe *exetázein* (« examiner »), au sein d'un passage où Socrate définit la sagesse en termes de connaissance de soi, doit être rapprochée des passages de l'*Apologie* (cf. 22d6, 23c4-5, 38a5, 41b5) où Socrate emploie le même verbe pour décrire les interrogations auxquelles il soumet ses concitoyens afin de vérifier s'ils possèdent véritablement la connaissance de ce qu'ils s'imaginent connaître.

142. Cette formulation peut être considérée comme une expression adéquate de la conception socratique de la sagesse. Pour une discussion approfondie de ce passage, cf. *supra*, Introduction, p. 60-68. Voir aussi *Lysis* 218a-b, où Socrate affirme que le propre du philosophe est de reconnaître ce qu'il ne sait pas.

143. Cette réponse ne laisse pas d'étonner car la reformulation que Socrate vient de proposer ne correspond pas du tout à ce que Critias entend par « science d'elle-même et des autres sciences ». La suite du dialogue montre que Critias demeure étranger et réfractaire à la connaissance de soi, entendue comme reconnaissance de ce que l'on sait et de ce que l'on ignore, et qu'il n'est pas prêt à renoncer à l'hypothèse absurde d'une science qui aurait pour objet à la fois elle-même et toutes les autres sciences (cf., entre autres, 174d-e et les n. 210-211). Alors que Socrate insiste sur la nécessité de reconnaître son ignorance, Critias cultive la chimère d'une science universelle qui engloberait toutes les connaissances.

144. Formule proverbiale qui fait allusion à la coutume, en usage dans les banquets, d'offrir la troisième et dernière libation à Zeus sauveur. La première était offerte à Zeus et aux Olympiens, la deuxième aux héros.

On compte plusieurs occurrences de cette formule dans les dialogues de Platon (cf. *Rép.* IX 583b ; *Philèbe* 66d ; *Lois* III 692a ; *Lettre VII* 334d). Étant donné que Platon emploie parfois cette expression pour désigner une section du dialogue – ainsi l'occurrence de la *République* (IX 583b) désigne-t-elle la troisième et dernière démonstration de la supériorité du juste sur l'injuste –, il est possible que le chiffre « trois » désigne ici la troisième tentative de Critias pour définir la modération. Toutefois, comme Critias a jusqu'à maintenant proposé trois définitions, on peut hésiter sur l'identification des deux tentatives précédentes (cf. Robin 1950, p. 272 n. 3 ; Hyland 1981, p. 107-109 ; Kahn 1996, p. 193 n. 17 ; Hazebroucq 1997, p. 54 n. 1).

145. Si la sagesse consiste à savoir ce que l'on sait et ce que l'on ne sait pas, il faut qu'une telle connaissance nous soit utile, car toute vertu est par définition utile (cf. 169b et n. 158). S'il se trouve, par conséquent, que la sagesse ainsi entendue ne présente aucune utilité, la définition qui en a été donnée sera rejetée.

146. Ce passage est précieux en ce qu'il nous procure un plan précis de la discussion qui va suivre. Dans un premier temps (167c-171d), Socrate examinera la possibilité même d'une science qui consisterait à savoir ce que l'on sait et ce que l'on ne sait pas ; dans un deuxième temps (171d-175a), Socrate se penchera sur l'utilité d'une telle science, dans l'hypothèse où elle existe. Cf. aussi la fin de 169b, où la même division bipartite est répétée.

147. Rappel du principe (cf. *supra*, 166e) suivant lequel un savoir porte à la fois sur un objet (ici la science) et sur le contraire de cet objet (en l'occurrence l'absence de science). Après avoir reformulé la définition de Critias en termes de connaissance de soi (cf. 167a), Socrate renoue expressément avec la définition et la formulation de Critias. Or si la position de Critias est vraie, il n'y aura plus qu'une seule science, qui sera à la fois science d'elle-même, des autres sciences et de l'absence de science. La sagesse, telle que la conçoit Critias, apparaît ainsi comme une science universelle qui absorberait toutes les sciences et tous les savoirs, de sorte qu'ils perdraient leur raison d'être en tant que savoirs distincts avec leurs objets propres. Or ce n'est pas sur ce modèle que Socrate comprend la connaissance de soi ; en effet, comme elle consiste en la reconnaissance de ce que l'on sait et de ce que l'on ne sait pas, elle porte certes sur les autres savoirs, mais sans toutefois les absorber ou s'y substituer. Ce passage montre à quel point Critias n'a pas compris la reformulation que Socrate lui soumet en 167a ; s'il l'avait réellement comprise, il aurait dû renoncer au phantasme hégémonique d'une science universelle. Il y a incontestablement, dans la progression du dialogue, un certain mouvement de va-et-vient entre la définition de Critias (science d'elle-même et des autres sciences) et la reformulation que Socrate en donne en termes de connaissance de soi (cf. 167a ; Hyland 1981, p. 113). Ce va-et-vient n'a pas pour but d'étourdir ou de tromper Critias, mais plutôt de montrer qu'il ne comprend pas en quel sens il peut être exact et légitime de définir la sagesse comme une science de la science.

148. Jusqu'en 168b, Socrate examine la possibilité, pour les sensations (vue, ouïe), les sentiments (amour, peur), les volitions (volonté, désir) et les opinions, de porter réflexivement sur eux-mêmes. Ces exemples se

rapportent donc tous à l'âme, puisque c'est l'âme qui sent, qui éprouve des sentiments, qui veut ou désire, et qui se forme une opinion. Comme la science relève également de l'âme, les exemples examinés par Socrate visent sans doute à établir s'il est possible, ou non, que des activités ou des affects de l'âme portent réflexivement sur eux-mêmes.

149. Sur l'impossibilité pour un sens de se percevoir lui-même, cf. Aristote, *De l'âme* II 5, 417a1-5 et III 2, 425b12 sq.

150. La beauté est l'objet premier de l'amour (cf. aussi *Banq.* 204e ; *Lysis* 216c-d).

151. Après avoir examiné le cas des sens (vue, ouïe), Socrate énumère certains « mouvements de l'âme » comme le désir, la volonté, l'amour et la peur, auxquels il refuse également la réflexivité, c'est-à-dire qu'ils puissent se prendre eux-mêmes pour objets. Dans les *Confessions* (III 1, 1), saint Augustin reconnaît pourtant que l'on peut être amoureux de l'amour : « Je n'aimais pas encore, et j'aimais à aimer […] Je cherchais quoi aimer, amoureux de l'amour » (trad. Cambronne). Les Modernes, qui n'ont pas hésité à parler d'une volonté de la volonté (Nietzsche), répugnent manifestement moins que Socrate à admettre ces formes de réflexivité. Comme l'explique très bien Hazebroucq (1997, p. 269), « il est vrai aussi qu'on peut désirer désirer, vouloir vouloir, aimer aimer ou encore avoir peur d'avoir peur, et il n'est pas difficile de trouver de ces affections qui sont bien réelles et pourtant sans objet déterminé distinct, à côté d'affections qui possèdent un objet précis ». Plusieurs commentateurs admettent le genre de réflexivité qui est rejeté par Socrate (cf. Tuckey 1951, p. 115 ; Santas 1973, p. 123 ; Hyland 1981, p. 115).

152. Après avoir présenté la science comme une certaine puissance (*dúnamis*), Socrate passe en revue des termes relatifs, c'est-à-dire des termes qui exercent nécessairement leur puissance relativement à d'autres termes distincts d'eux-mêmes. Ainsi le plus grand est-il nécessairement plus grand qu'une chose plus petite, le plus lourd plus lourd qu'une chose plus légère, etc. Socrate range donc la science au nombre des termes relatifs : la connaissance est nécessairement connaissance de quelque chose qui est distinct d'elle.

153. J. Brunschwig (Aristote, *Topiques I-IV*, Paris, 1967, p. 54 n. 1) a bien mis en lumière la différence entre les notions grecques et françaises de « multiple » et de « sous-multiple » : « Pour un francophone, le corrélat du triple est l'unité dont il est le triple, et le corrélat du tiers est également l'unité dont il est le tiers ; si on lui demandait quel est le rapport entre triple et tiers, il répondrait donc plus facilement 9 que 3. En grec, au contraire, "triple" et "tiers" sont relatifs *l'un à l'autre* : le triple est triple de *son* tiers, et le tiers, tiers de *son* triple. » La même observation s'applique évidemment à la relation entre « double » et « moitié », c'est-à-dire que le double est double de *sa* moitié, et la moitié, la moitié de *son* double.

154. L'on aurait tort de ne pas prendre au sérieux les raisons pour lesquelles Socrate n'est pas enclin à reconnaître qu'un terme relatif, qui se présente le plus souvent sous la forme d'un comparatif (« plus grand », « plus lourd », « plus vieux », etc.), puisse porter réflexivement sur lui-même. C'est précisément pour la raison développée dans ce passage-ci

que Platon trouve risible, du moins à première vue, la notion même de
« maîtrise de soi » : « [Socrate] Est-ce qu'en fait l'expression "plus fort
que soi-même" (*kreíttō hautoû*) n'est pas une expression ridicule ? Car
celui qui est plus fort que lui-même serait le même de quelque manière
que celui qui est plus faible que lui-même (*héttōn... hautoû*), et celui qui
serait plus faible serait aussi le même que celui qui est plus fort » (IV
430e, trad. Leroux). Si Platon reconnaît finalement le bien-fondé de la
maîtrise de soi et de l'expression « être plus fort que soi », c'est dans la
mesure où le « soi » désigne en fait les parties rationnelle et irrationnelle
de l'âme, d'où la possibilité que l'une de ces deux parties exerce une
domination sur l'autre.

155. Ce que Socrate semble ici rejeter, à savoir la possibilité pour le
mouvement de se mouvoir lui-même, est pourtant présenté, dans les *Lois*,
comme la définition même de l'âme. L'Athénien définit en effet l'âme
comme « le mouvement capable de se mouvoir lui-même » (X 896a). Cf.
aussi *Phèdre* 245c-246a et *Timée* 89a.

156. Qui est ce grand homme ? Certains commentateurs croient qu'il
s'agit de Socrate lui-même (cf. Sprague 1976, p. 39), ou encore de Platon
(cf. T.A. Szlezák, *Le Plaisir de lire Platon*, Paris, Cerf, 1996, p. 72 n. 1),
mais d'autres refusent cette hypothèse sous prétexte que ce serait une
faute de goût de la part de Platon (cf. Kahn 1996, p. 196 n. 22). Kahn a
sans doute raison de rapprocher cette mention d'un « grand homme »
d'un passage du *Parménide* (135a-b), où Parménide affirme qu'il faudrait
un homme richement doué (*pánu euphués*) pour résoudre les difficultés
soulevées par la doctrine des Formes intelligibles. Sur l'identité du
« grand homme », voir aussi Witte 1970, p. 123 n. 57 ; Guthrie 1975,
p. 171 ; Halper 2000, p. 311 n. 3, 314.

157. Le Premier Moteur d'Aristote est un exemple d'être qui exerce à
son propre endroit l'activité qui est la sienne : « pensée de la pensée »
(*nóēsis noêseōs*), suivant la formule célèbre de la *Métaphysique* (Λ 9,
1074b34-35), il est à lui-même et pour lui-même son propre objet de
pensée. Dieu est ainsi le seul être qui n'a pas besoin de la médiation
d'autrui pour se connaître lui-même.

158. Socrate a déjà affirmé que la sagesse est belle (cf. 159c) et bonne
(160e) ; il n'y a pas lieu de s'étonner qu'elle soit également utile, puisque
le bon est utile (cf. Introduction au *Lysis*, p. 179-180). Dans le *Protagoras* (332a), Socrate établit également un lien entre la *sōphrosúnē* et
l'utilité. Que la vertu en général, et non seulement la sagesse, soit bonne
et utile, c'est ce que Platon affirme dans plusieurs dialogues (cf. *Criton*
47a ; *Alc.* 118a ; *Ménon* 87e, 88c-d, 89a).

159. En raison de sa déclaration d'ignorance, Socrate ne peut pas
affirmer qu'il sait par lui-même que la sagesse est une chose bonne et
utile. À l'exemple du savoir qu'il prétend détenir concernant les choses
de l'amour (cf. *Lysis* 204c et n. 13), Socrate attribue à une inspiration
divine sa conviction que la sagesse est bonne et utile. L'emploi du verbe
manteúomai (« je prophétise », « je donne un oracle ») n'est donc pas à
comprendre comme une simple métaphore ; si Platon désire respecter la
cohérence de sa représentation de Socrate, il se doit d'assigner une origine divine à la position, ici exprimée par Socrate, suivant laquelle la
sagesse est bonne et utile. C'est pourquoi il vaut mieux éviter de traduire

cette occurrence du verbe *manteúomai* conformément au sens faible, et
passablement édulcoré (« je devine », « je pressens ») qui est parfois le
sien. Voir aussi l'occurrence du même verbe, dans un contexte analogue,
en *Lysis* 216d. Voir enfin R. J. Collin, « Plato's use of the word
manteúomai », *Classical Quarterly*, 1952 (46) p. 93-96. – Ce passage est
également déterminant pour la suite du dialogue, puisque le réquisit de
l'utilité, en plus d'orienter la recherche sur la nature et la fonction de la
sagesse, permet également de rejeter une conception en vertu de laquelle
la sagesse apparaîtrait inutile (cf. 174d).

160. Lorsqu'il fait référence à la dernière définition de Critias, Socrate
l'énonce en adoptant la formulation de Critias (« science de la science »)
et non pas suivant la reformulation qu'il en a donnée en 167a (la reconnaissance de ce que l'on sait et de ce que l'on ne sait pas). Ce va-et-vient
entre la formulation de Critias et la reformulation de Socrate vise sans
doute à montrer que Critias ne parvient pas à saisir en quel sens, proprement socratique, sa définition est juste.

161. À première vue, ce passage est un simple rappel du programme
de recherche établi en 167b (cf. *supra*, n. 146). Il y a cependant une
différence importante entre ces deux passages dans la mesure où Socrate,
en 167b, se demande s'il est possible de savoir ce que l'on sait et ce que
l'on ne sait pas – ce qui correspond exactement à la conception socratique de la sagesse exprimée en 167a –, alors qu'il se demande plutôt,
dans ce passage-ci, si la science de la science est possible. Or comme la
science de la science est la conception que Critias se fait de la sagesse,
ainsi que Socrate le rappelle ici avec insistance, il s'ensuit que la discussion qui suit ne porte pas sur la conception socratique de la sagesse, mais
sur celle de Critias (cf. Introduction, p. 65).

162. Ce n'est pas la première fois que Socrate souligne le caractère
obscur du discours de Critias (cf. *supra*, 163d-e, et n. 115 et 117).

163. La honte que Critias éprouve n'est pas une honte personnelle et
intérieure, mais une honte publique : comme il soigne sa réputation, il a
honte devant les autres. Autrement dit, la honte de Critias ne découle pas
de la reconnaissance, en son for intérieur, de son ignorance (cf. *Soph.*
230d), mais de sa crainte de perdre la face en raison de son incapacité de
satisfaire au programme de recherche que Socrate vient de lui proposer.
En vérité, il n'y a rien d'humiliant à reconnaître cette incapacité, car c'est
là reconnaître son ignorance et, partant, faire preuve de sagesse. Or c'est
précisément ce que Critias est incapable de faire : non seulement il ne
reconnaît pas son ignorance (donc il n'est pas sage), mais il fait tout pour
dissimuler son embarras. L'attitude même de Critias, telle qu'elle est
dépeinte dans ce passage, montre, une fois de plus, qu'il n'a pas compris
le sens profond de la reformulation de sa définition en 167a. Si la sagesse
consiste à reconnaître ce que l'on sait et ce que l'on ne sait pas, il donne
ici la démonstration de son absence de sagesse.

164. Socrate admet donc, à titre d'*hypothèse*, la possibilité de la
science de la science. S'il parvient à démontrer que les conséquences qui
découlent de cette hypothèse sont fausses, Socrate aura par le fait même
montré que l'hypothèse elle-même ne semble pas fondée. Le recours à
une hypothèse rappelle la démarche de Socrate dans le *Ménon* (86d sq.) :
il remet à plus tard la discussion de la question préalable (qu'est-ce que

la vertu ?) pour examiner une question (est-ce que la vertu s'enseigne ?) qui découle de la question préalable. Voir également *infra*, 172c, où Socrate formule une autre hypothèse.

165. Selon Robin (1950, p. 276 n. 1), Socrate renvoie ici à la discussion qui fait suite à 164d. À notre avis, Socrate fait plutôt référence à la définition de la sagesse qu'il a donnée en 167a (cf. aussi note suivante).

166. Socrate effectue à nouveau une transition entre la définition de Critias (« la science d'elle-même ») et sa propre reformulation de cette définition (cf. 167a). Socrate s'efforce donc, une fois de plus, de renouer avec la conception qui assimile la sagesse à la connaissance de soi, c'est-à-dire à la reconnaissance de son ignorance. Cette nouvelle tentative de Socrate ne sera pas plus fructueuse que les précédentes, en raison de l'incapacité de Critias à prendre en considération le « soi ». Dans la réplique qui suit immédiatement cette intervention de Socrate, Critias reformule la position de Socrate en substituant, sans autre forme de procès, la connaissance d'elle-même à la connaissance de soi, comme s'il s'agissait de la même chose. Tout se passe comme si Socrate cherchait désespérément à ramener Critias sur le terrain de la connaissance de soi, que ce dernier confond, purement et simplement, avec la science d'elle-même.

167. Critias ne répond pas à la question que lui pose Socrate. Alors que Socrate lui demande en quoi la science de la science permet de savoir ce que l'on sait et ce que l'on ignore – ce en quoi consistent la sagesse et la connaissance de soi (cf. 167a) –, Critias répond que celui qui possède la science d'elle-même devient par le fait même quelqu'un qui se connaît lui-même, comme si la connaissance de soi découlait d'une science que l'on acquiert. Or la connaissance de soi n'est pas un effet d'une science improbable dont on ne voit pas très bien en quoi elle consiste, mais le fait même de reconnaître son ignorance. Critias considère donc, à tort, que la connaissance de soi découle – on ne sait trop comment – de la science qui se connaît elle-même. Outre qu'elle n'expose jamais en quoi consiste le « soi », ni comment la connaissance de soi est suspendue, comme à sa condition préalable, à la science d'elle-même, la position de Critias est grevée d'une erreur rédhibitoire, celle qui consiste à considérer que la réflexivité de la science opère en circuit fermé, dans le repli de la science (d'elle-même ou de soi) sur elle-même, sans que la médiation d'autrui soit requise. La connaissance de soi n'est pas un résultat de la science d'elle-même, mais le fruit d'une médiation qui révèle le soi (l'âme) à lui-même à la faveur de cette démarche paradoxale qui consiste à lui faire prendre connaissance de son ignorance. La plupart des commentateurs considèrent que cette réponse de Critias est un sophisme (cf., entre autres, Santas 1973, p. 119 n. 12 ; Chen 1978, p. 26 n. 46 ; Hazebroucq 1997, p. 300).

168. Cette réponse de Socrate est, à première vue, assez déconcertante, car on a l'impression qu'il abonde dans le même sens que Critias ; or si la position de ce dernier est fallacieuse (cf. note précédente), doit-on soupçonner Socrate de souscrire à un sophisme ? De plus, si Socrate endosse réellement la position de Critias, il semble par le fait même cautionner l'équivalence entre la science d'elle-même et la connaissance de soi (cf. Dyson 1974, p. 102, 106 et *supra*, Introduction, p. 58 n. 3).

En dépit des apparences, Socrate ne donne pas son approbation à la position énoncée par Critias. Ce qu'il ne conteste pas, ce n'est pas la position suivant laquelle celui qui possède la connaissance d'elle-même (*gnôsin hautês*) se connaîtra lui-même (*gignôskôn... heautòn... éstai*), mais que celui qui détient ce qui se connaît soi-même (*tò hautò gignôskon*) se connaîtra lui-même (*autòs hautòn gnôsetai*). Or si le « soi » est l'âme, et que celle-ci correspond à son tour à l'homme, on peut reformuler ainsi la réponse de Socrate : celui qui possède une âme qui se connaît elle-même (= ce qui se connaît soi-même) est un homme qui se connaît lui-même, puisque l'homme consiste essentiellement en son âme. Alors que Critias opère une dérivation illégitime de la connaissance de soi à partir de la science d'elle-même, Socrate soutient plutôt que l'homme qui se connaît lui-même est en fait un « soi », c'est-à-dire une âme, qui se connaît lui-même. Cette apparente tautologie a en outre pour fonction de souligner, par contraste, le caractère fallacieux de la réponse de Critias (cf. Pohlenz 1913, p. 53 ; Tuckey 1951, p. 34, 49, 50, 107).

169. Il semble ici nécessaire, conformément à la proposition d'un éditeur du XIXᵉ siècle (Hoenebeek Hissink), adoptée par Croiset, de supprimer le membre de phrase *hà oîden eidénai kaì há tis mè oîden eidénai* (« savoir ce que l'on sait et savoir ce que l'on ne sait pas »). Car si l'on suit le texte des mss, l'on est obligé de traduire, comme Robin, « je ne comprends pas que ce soit identique, de savoir quelles choses on sait et de savoir quelles choses on ne sait pas ». Robin refuse l'athétèse (cf. p. 276 n. 2), mais il ne semble pas avoir saisi en quoi le membre de phrase suspect est problématique. Selon le texte des mss, et la traduction de Robin, c'est l'identité entre « savoir ce que l'on sait » et « savoir ce que l'on ne sait pas » que Socrate ne comprend pas. Or non seulement cette identité ne soulève aucune difficulté, puisque le savoir des contraires relève de la même science (cf. *supra*, 166e et n. 140), mais il appert très clairement, selon le passage qui précède, que c'est plutôt l'identité entre la science de la science d'une part, et le savoir de ce que l'on sait et de ce que l'on ne sait pas d'autre part, qui est problématique aux yeux de Socrate. En effet, après que Socrate lui eut demandé en vertu de quelle nécessité celui qui possède la science de la science saurait également ce qu'il sait et ce qu'il ignore, Critias répond que ces deux savoirs sont en fait identiques (*tautón estin toûto ekeínoi*, 170a1). C'est donc bien cette identité, et non pas celle entre le savoir de ce que l'on sait et le savoir de ce que l'on ne sait pas, que Socrate ne comprend pas. Voilà pourquoi il paraît nécessaire de supprimer *hà oîden eidénai kaì há tis mè oîden eidénai*.

170. Si la sagesse est la science d'elle-même *et des autres sciences*, ainsi que la définit Critias, elle devra donc connaître le contenu de tous les savoirs particuliers. L'argument de Socrate consiste à montrer que la sagesse ainsi comprise ne peut pas se substituer aux différents savoirs particuliers – comment savoir en quoi consistent la santé et la maladie sans avoir étudié la médecine ? – et qu'elle se borne à reconnaître *que l'on sait* sans pouvoir identifier *ce que l'on sait*.

171. Socrate semble ici rejeter la conception de la sagesse et de la connaissance de soi qu'il a lui-même formulée en 167a. Il faut cependant se garder de conclure, de façon précipitée, que Socrate conteste réelle-

ment que la sagesse consiste à reconnaître ce que l'on sait et ce que l'on ne sait pas. Il ne faut pas perdre de vue que la conclusion tirée par Socrate procède de la position de Critias qui affirme l'identité entre, d'une part, la science d'elle-même et des autres sciences, et, d'autre part, le savoir de ce que l'on sait et de ce que l'on ne sait pas (cf. *supra*, 170a et n. 169). En vertu de cette identité et du fait qu'il appartiendrait à la sagesse de connaître toutes les autres sciences, le savoir de ce que l'on sait ne signifie pas, pour Critias, la simple reconnaissance de ce que l'on sait, mais le savoir qui permet d'acquérir toutes les sciences. Or Socrate s'emploie à montrer, contre Critias, que la sagesse ne pourra jamais se substituer aux savoirs particuliers, de sorte qu'elle semble se limiter au rôle, plutôt modeste, de savoir *que* l'on sait, et non pas *ce que* l'on sait. Mais cette conclusion de Socrate ne s'applique qu'à la conception qui assimile à tort la connaissance d'elle-même et des autres sciences au savoir de ce que l'on sait et de ce que l'on ne sait pas. Pour peu que l'on comprenne autrement ce savoir, et qu'on ne l'identifie pas à la science d'elle-même et des autres sciences, il est possible de maintenir que la sagesse consiste à savoir ce que l'on sait et ce que l'on ne sait pas. – Plusieurs commentateurs contestent la conclusion de Socrate et soutiennent qu'il est impossible de savoir *que l'on sait* sans en même temps et par le fait même savoir *ce que l'on sait* (cf. Tuckey 1951, p. 84-86 ; Dyson 1974, p. 109-111 ; Morris 1989, p. 56-57 ; Labarge 1997, p. 57).

172. Socrate semble ici rejeter un autre volet de la conception de la sagesse présentée en 167a. Selon cette conception, seul l'homme sage est en mesure de mettre les autres à l'épreuve (*exetázein*, 167a) pour déterminer s'ils sont savants ou non. L'emploi du verbe *exetázein*, dans ce passage-ci, confirme qu'il s'agit bien d'un renvoi à 167a (cf. *supra*, n. 141), mais cela n'autorise pas pour autant certains commentateurs (cf. Kahn 1996, p. 198 n. 24) à conclure que Socrate rejette ici sa propre conception de la sagesse (cf. note précédente). Critias considère à tort que la sagesse consiste en la science d'elle-même et des autres sciences ; or Socrate lui montre que la sagesse ne peut pas se substituer aux savoirs particuliers et que son rôle se limite à savoir *que* l'on sait, et non pas *ce que* l'on sait, de sorte que l'homme sage, *tel que le conçoit Critias*, ne peut pas mettre à l'épreuve les connaissances d'autrui, à moins qu'il ne soit lui aussi versé, par ailleurs, dans ces mêmes connaissances. Ce qui est ici rejeté, ce n'est pas la conception de la sagesse exposée par Socrate en 167a, mais la fausse compréhension que Critias en a (cf. *supra*, 167a et n. 143).

173. Ce n'est pas la conception socratique de la sagesse qui est ici critiquée (cf. *supra*, n. 171 et 172), puisque l'*exétasis* socratique ne porte jamais sur les connaissances techniques (cf. Introduction, p. 65-66).

174. L'argumentation de Socrate, en 170e-171a, est passablement obscure (cf. Schofield 1973 ; Schmid 1998, p. 114). Si l'on conserve le texte des manuscrits, Socrate affirme ici que le sage ne s'entretiendra pas (*ou dialéxetai*) de la médecine avec le médecin, puisque le médecin ne s'entend à rien d'autre que la santé et la maladie. Or si la médecine est précisément la connaissance de la santé et de la maladie (cf. *infra*, 171a), qu'est-ce qui empêche que le sage s'entretienne de la médecine avec le médecin ? Il est donc tentant de suivre Schofield (1973) qui propose de

supprimer la négation (*ou*) devant *dialéxetai* (« s'entretiendra »). Mais cette correction n'aplanit pas toutes les difficultés, puisque si la médecine est une science, et que le médecin ne connaît rien à la science, il s'ensuit qu'il ne sait rien non plus de la médecine (cf. 170e-171a). Faut-il donc, pour rétablir la cohérence du passage, supprimer non seulement *ou*, mais également l'échange de 170e12-171a1 (« Le médecin ne sait donc rien […] C'est vrai. »), ainsi que nous y invite Schofield ? Nous avons peine à croire que le texte soit à ce point corrompu. Sans rien nous cacher des redoutables difficultés que soulève l'argumentation de Socrate dans sa formulation actuelle, une chose semble claire : pour distinguer un médecin compétent d'un charlatan, il faut examiner l'objet de la médecine, soit la santé et la maladie ; or pour juger de la pertinence d'un discours ou d'un traitement relatif à la santé ou à la maladie, il faut soi-même détenir une compétence médicale, de sorte que le sage qui n'est pas de surcroît médecin est impuissant à distinguer les médecins compétents des charlatans.

175. La médecine, comme tout autre savoir, est science des contraires (cf. *supra*, 166e et n. 140).

176. La question qui est soulevée dans ce passage est celle de la possibilité de contrôler la compétence d'un expert donné dans une discipline particulière. Est-il possible pour un non-spécialiste de vérifier cette compétence, ou bien cette vérification ne peut-elle se faire que par un spécialiste dans le même domaine ? La position qui est ici exprimée par Socrate n'est pas la sienne propre, mais celle qui découle de la conception de la sagesse défendue par Critias. L'une des conséquences de la conception de Critias est en effet que la compétence de l'homme sage se borne à constater que l'on connaît, sans pouvoir déterminer ce que l'on connaît ; il s'ensuit que l'examen d'une compétence particulière ne peut être conduit que par celui qui détient la même compétence. Or Socrate soutient au contraire, dans d'autres dialogues (cf. *Lachès* 185e-186b ; *Gorg.* 514a-e), qu'un non-spécialiste peut contrôler la compétence d'un spécialiste en vérifiant ou bien les sources de sa compétence – auprès de qui a-t-il étudié ? –, ou bien les résultats de l'application de sa compétence (a-t-il guéri des malades ? quelles sont les maisons qu'il a construites ?). Autrement dit, Socrate considère que l'utilisateur est en mesure de contrôler la compétence du fabricant. Dans la *République* (X 601d-e), Socrate expose l'exemple d'un fabricant de flûtes : celui qui juge de la qualité d'une flûte n'est pas un autre fabricant de flûtes, mais celui qui en joue, même s'il ne sait pas comment l'on fabrique une flûte (cf. aussi *Crat.* 390b-c ; *Ménon* 91d-e).

177. Sur la question de savoir si ce passage peut ou doit être interprété comme un désaveu à l'endroit des objectifs poursuivis par l'*élegkhos* socratique, voir l'Introduction, p. 65-67.

178. Bien que la discussion ait démontré que le sage, tel que le conçoit Critias, n'était pas en mesure de mettre à l'épreuve les connaissances techniques d'autrui, Socrate fait ici l'hypothèse que c'est possible, afin de déterminer quelle serait l'utilité de la capacité examinatrice de la sagesse. Cette utilité est de nature essentiellement technique : comme le sage, qui est ici dépeint sous les traits d'un dirigeant politique, peut vérifier les prétentions de chacun à la compétence technique, il peut donc

veiller à ce que les différentes fonctions nécessaires à la prospérité de la cité soient remplies par des hommes compétents. La cité efficace dont Socrate brosse le tableau est en fait celle qui résulte de l'application de la conception « technocratique » de la sagesse défendue par Critias. Comme nous le verrons sous peu (cf. *infra*, 172d-e), Socrate ne croit pas du tout qu'une cité qui obéirait uniquement au réquisit de la compétence technique serait heureuse et bien gouvernée.

179. Cf. *supra*, 167a.

180. La compétence requise pour bien administrer une maison, ou encore une cité, est fondamentalement la même, si bien que celui qui a fait ses preuves, dans le registre de l'administration domestique, est fondé à nourrir des ambitions politiques (cf. également *Lysis* 209d). Dans les *Mémorables*, Socrate affirme à plusieurs reprises que l'administration domestique est la condition préalable à la carrière politique (cf. I 1, 7 ; I 2, 48 ; I 2, 64 ; III 4, 6 ; III 4, 12 ; III 6, 14 ; IV 1, 2 ; IV 2, 11). Sur l'association maison/cité, cf. aussi 172d ; *Ménon* 91a ; *Prot.* 318e-319a ; *Gorg.* 520e.

181. L'utilité de la sagesse, telle que Socrate vient de la décrire, correspond exactement à celle que le Socrate de Xénophon expose dans les *Mémorables* (IV 2, 24-29). Est-ce à dire que les deux Socrate soutiennent pour une fois la même position ? Rien n'autorise à le croire ; en effet, l'utilité qui est ici décrite par Socrate est en fait celle qui résulte de l'application de la conception « technocratique » de la sagesse qui est défendue par Critias, et qui correspond à celle que Xénophon prête à Socrate dans les *Mémorables*. Quant au Socrate du *Charmide*, il désavouera sous peu la prétendue utilité qu'il s'applique ici à décrire (cf. *infra*, 172d-e).

182. Celui qui agit bien (*eû práttei*) voit son action couronnée de succès (*eupraxía*) ; or le bonheur (*eudaimonía*) est souvent associé au fait de bien agir (*eû práttein*) et à l'action réussie (*eupraxía* ; cf. 173d, 174b-c ; *Alc.* 116b, 134a-b ; *Gorg.* 507c ; *Euthyd.* 280b-281c). Mais en quel sens peut-on dire d'une action (*práxis*) qu'elle est bonne ou réussie (*eû*) ? Dans le présent passage, Socrate considère uniquement l'activité technique réussie, comme si le bonheur dépendait du succès de l'activité technique. Or, comme nous le verrons sous peu (cf. *infra*, 174b-c), la véritable condition du bonheur réside plutôt dans le « bien agir » moral. Les expressions *eû práttein* et *eupraxía* sont donc susceptibles d'une acception technique – celle qui est ici considérée – et d'une acception morale (174b-c). Une action parfaitement exécutée du point de vue de la compétence technique peut ne pas être conforme aux exigences de la raison morale ; or, il n'y a, pour Socrate, que le « bien agir » moral qui soit réellement synonyme de bonheur (cf. Tuckey 1951, p. 74-75 ; Schmid 1998, p. 135).

183. Cette « sagesse introuvable » est celle dont Critias a affirmé l'existence et dont il croit qu'elle permet de contrôler toutes les autres connaissances. L'observation de Socrate doit être comprise comme un constat non seulement d'inexistence, mais aussi d'impossibilité.

184. Socrate est très certainement ironique ; s'il est vrai qu'il a découvert la nature de la sagesse (cf. *supra*, 167a), celle-ci ne correspond pas à la science d'elle-même et de l'absence de science – c'est là la formula-

tion fautive de Critias –, mais plutôt à la reconnaissance de ce que l'on sait et de ce que l'on ne sait pas.

185. La discussion précédente a établi que le sage n'était pas en mesure de mettre à l'épreuve (*exetázein*) les connaissances d'autrui, puisque cette mise à l'épreuve ne peut être conduite que par celui qui détient les mêmes connaissances que celles qui font l'objet de l'examen (cf. *supra*, 171c). La position qui est ici formulée par Socrate ressemble à une ultime tentative de conciliation entre la conception de la sagesse en tant que science d'elle-même et sa capacité examinatrice : si la sagesse, en tant qu'elle est la science de la science, permet d'acquérir plus facilement d'autres connaissances, il pourrait appartenir au sage de mettre à l'épreuve (*exetázein*) celui qui détient les mêmes connaissances. Outre que cette conception de la sagesse est fausse, en ce qu'il n'est pas nécessaire, pour mettre à l'épreuve les connaissances d'autrui, de détenir soi-même les mêmes connaissances, Socrate bat immédiatement en retraite en confessant qu'une telle conception de la sagesse excède sans doute son utilité réelle.

186. Cf. *supra*, 169d, où Socrate a émis l'hypothèse qu'il était possible de connaître la connaissance, bien que tout semblât s'opposer à ce que ce fût possible.

187. Cette « position initiale » est très certainement celle exposée en 167a. Ce que Socrate désigne comme la « position initiale » n'est donc pas le début de la conversation avec Charmide, ni même le début de l'entretien avec Critias. C'est plutôt la reformulation, en 167a, de la définition de Critias suivant laquelle la sagesse est la science d'elle-même et des autres sciences. Enfin, Socrate a employé la même expression, en 171d (*ex arkhês hupetithémetha*), pour désigner la position exprimée en 167a, comme si cette position marquait un nouveau départ et représentait l'origine de toute la discussion sur la nature de la sagesse – ce qui est d'ailleurs le cas.

188. Cf. *supra*, 171d-172a.

189. Comme la suite de la discussion le démontrera, le bien véritable ne peut pas résider dans l'efficacité et le succès de la compétence technique confiée à elle-même, mais dans le savoir moral du bien et du mal qui doit présider à l'exercice des compétences techniques. C'est donc à la légère que Socrate a reconnu que l'*eupraxía* technique était un « grand bien » (*méga ti agathón*). Cette conclusion était prévisible car Socrate a déjà montré, à l'occasion de la discussion de la définition suivant laquelle la sagesse consiste à faire le bien (163e-164c), que les techniques, comme la médecine, ne savent pas si le but qu'elles poursuivent correspond réellement au bien.

190. « Par le chien » est l'un des jurons préférés de Socrate. Dans les dialogues de Platon, on dénombre, outre celle du *Charmide*, treize occurrences de ce juron, qui sont toutes placées dans la bouche de Socrate (cf. *Apol.* 22a ; *Lysis* 211e ; *Gorg.* 461b, 466c, 482b ; *Hip. maj.* 287e, 298b ; *Crat.* 411b ; *Phédon* 98e ; *Phèdre* 228b ; *Rép.* III 399e, VIII 567d, IX 592a). Le juron « par le chien » apparaît ainsi, avec le juron « par Héra », comme un trait distinctif du Socrate platonicien (cf. Diogène Laërce VII 32 ; L.-A. Dorion, *Platon : Lachès/Euthyphron*, Paris, GF-Flammarion, 1997, p. 141 n. 28). Pour ce qui est de l'origine de ce juron, il semble que les

Grecs juraient parfois ainsi (*nè tòn kúna*) afin d'éviter le juron par Zeus
(*nè tòn día*), un peu à la façon des euphémismes que sont, en français, les
jurons « parbleu » et « morbleu ». C'est l'interprétation qui est très clairement formulée, entre autres, par Philostrate (*Vie d'Apollonios de Tyane*,
VI 19 *in fine*). Il ressort également d'un passage du *Gorgias* (482b) que le
juron « par le chien » est un euphémisme qui résulte de l'adaptation d'un
juron égyptien, plus précisément du juron « par Anubis », dieu représenté
sous l'aspect d'un chien. Chez Xénophon, Socrate ne jure jamais « par le
chien », alors qu'il emploie souvent le juron « par Héra » (cf. *Mém.* I 5, 5 ;
III 10, 9 ; III 11, 5 ; IV 2, 9 ; IV 4, 8). À l'extérieur du corpus platonicien,
on trouve quelques emplois du juron « par le chien » (cf. Aristophane,
Guêpes 83). Voir aussi R. G. Hoerber, « The Socratic Oath by the Dog »,
Classical Journal, 1963 (58) p. 268-269 ; I. Tödt, « Beim Hunde », in *Pla-
ton-Miniaturen für Georg Picht*, Heidelberg, 1987, p. 73-90 ; K. Geus,
« "… beim Hunde" : historische Anmerkungen zum Eid des Sokrates »,
Gymnasium, 2000 (107) p. 97-107.

191. En affirmant que la sagesse doit accomplir quelque chose de bon
(*agathòn apergázesthai*) pour les hommes, Socrate réitère que la sagesse doit
produire un effet, un résultat, bref un *érgon* qui soit bénéfique
(cf. aussi 160d et 165e), mais qui n'est pas de même nature que l'*érgon*
technique.

192. Dans le contexte d'un dialogue qui porte sur la sagesse (*sōphrosúnē*), dont l'un des sens premiers est la santé de l'esprit, il n'est pas
banal d'entendre Socrate confesser qu'il déraisonne (*lēreîn*). Cette forme
de « délire » doit probablement être rapprochée du rêve dont Socrate est
sur le point de faire le récit.

193. Allusion à un passage de l'*Odyssée*, où Pénélope explique à
Ulysse, qu'elle n'a pas encore reconnu, qu'il existe deux types de rêves :
« Les songes vacillants nous viennent de deux portes ; l'une est fermée
de corne ; l'autre est fermée d'ivoire ; quand un songe nous vient par
l'ivoire scié, ce n'est que tromperie, simple ivraie de paroles ; ceux que
laisse passer la corne bien polie nous content le succès du mortel qui les
voit. Mais ce n'est pas de là que m'est venu, je crois, ce songe
redoutable ! nous en aurions, mon fils et moi, trop de bonheur ! » (XIX
562-569, trad. Mazon). En affirmant qu'il ne sait pas si ce rêve est passé
par les portes de corne ou par celles d'ivoire, Socrate laisse assez clairement entendre, semble-t-il, qu'il ne se prononce pas encore sur le caractère véridique ou trompeur du rêve dont il s'apprête à faire le récit. – Sur
les autres « rêves » de Socrate, cf. *Apol.* 33c ; *Criton* 44a ; *Crat.* 439c ;
Phédon 60e ; *Philèbe* 20b. Ces rêves introduisent souvent des éléments
nouveaux qui permettent de relancer et d'approfondir la discussion.

194. Les exemples choisis par Socrate méritent d'être examinés attentivement. Ce sont des exemples de techniques qui se rapportent au corps
et à son bien-être (cordonnier, médecin, pilote). Or la sagesse ne se rapporte pas à des connaissances techniques dont la finalité est le soin du
corps, mais à des connaissances morales qui touchent à l'âme.
N'oublions pas la leçon du prologue (156e-157c) : c'est de l'âme, et non
du corps, que proviennent tous les maux et tous les biens pour l'homme.
Dans ces conditions, la conception de la sagesse qui est ici exposée est
nécessairement fautive, puisque son utilité consiste à contrôler des

connaissances techniques qui se préoccupent exclusivement du soin du corps.

195. Dans le *Lachès*, Nicias présente le devin comme celui qui sait « reconnaître les signes précurseurs du futur » (195e). De façon générale, le jugement que Platon porte sur les devins et la divination est très sévère (cf., entre autres, *Ménon* 99c ; *Politique* 290c sq. et, bien entendu, l'*Euthyphron*, notamment 3c et 3e). Sur la divination et les devins chez Platon, cf. P. Vicaire, « Platon et la divination », *Revue des études grecques*, 1970 (82) p. 333-350.

196. L'idée que la sagesse protège (*phuláttein*) l'homme est reprise dans le *Cratyle*, où Socrate propose l'étymologie suivante du terme *sōphrosúnē* : « La *sōphrosúnē* est la "sauvegarde" (*sōtēría*) de ce que nous venons d'examiner à l'instant, j'entends la "réflexion" (*phronēsís*) » (411e ; trad. Dalimier). Autrement dit, l'intelligence pratique (*phronēsís*) ne peut avantageusement s'exercer que sur le fond préalable d'une âme saine et sage. L'étymologie du *Cratyle* est reprise par Aristote (*EN* VI 5, 1140b11-12).

197. Sur l'assimilation du bonheur au bien agir (*eû práttein*) et à l'action réussie (*eupraxía*), cf. *supra* 172a et n. 182. Il est vrai que le bonheur résulte d'une action conforme à la connaissance, mais pas à n'importe quelle connaissance. L'action conforme aux connaissances techniques, qui veillent au soin du corps, permet certes de conserver le corps en vie et en bonne condition, mais elle ne procure pas pour autant le bonheur. Le bonheur est l'effet d'une action conforme à une connaissance d'un autre ordre, la connaissance morale, à laquelle sont subordonnées les connaissances techniques.

198. En affirmant que le bonheur est la finalité de l'activité conforme à la science, Critias semble soutenir une position socratique. Mais l'examen auquel Socrate le soumet révèle qu'il ne sait pas vraiment de quelle science il s'agit, de sorte qu'on peut le soupçonner, une fois de plus, d'avoir une compréhension très superficielle de la doctrine de Socrate.

199. Le passage qui suit, où Socrate et Critias s'efforcent d'identifier la science qui rendra les hommes heureux, offre de nombreux recoupements avec l'*Euthydème* (cf. 282e, 288e-289b, 292c-d).

200. Critias n'a que mépris pour les cordonniers (cf. *supra*, 163b).

201. Malgré les apparences, Socrate ne veut pas renoncer à l'idée que c'est une vie conforme au savoir qui procure le bonheur. Ce n'est pas le savoir technique inféodé au soin du corps (cordonnerie, travail du bronze, de la laine, du bois, etc.) qui procure le bonheur, mais un savoir qui porte sur certains domaines (*perí tinōn*) qui relèvent sans doute de l'éthique. Aussitôt après avoir donné cet « indice » à Critias, Socrate brouille les cartes en le lançant sur une fausse piste, celle du devin (cf. note suivante).

202. La connaissance qui peut rendre l'homme heureux n'est pas celle du devin, pour lequel Socrate éprouve plutôt du mépris (cf. *supra*, n. 195). Le *Lachès* (195 sq.) développe une argumentation analogue. Nicias ayant défini l'homme courageux comme celui qui détient la connaissance de ce qui est à craindre ou non, Lachès croit, à tort, que Nicias songe au devin, sous prétexte qu'il détient la connaissance de l'avenir. Or la

« science » du devin n'est pas le type de connaissance en quoi consiste le courage (*Lachès*) ou la sagesse (*Charmide*). Même si le devin possédait réellement la connaissance du futur, il ne serait pas en mesure de rendre les hommes heureux car il serait impuissant à déterminer si les événements futurs, qu'il sait prédire, sont bons ou mauvais. Par exemple, quand bien même le devin pourrait prédire avec certitude que l'on héritera d'une grosse somme d'argent, il ne peut déterminer, en tant que devin, s'il s'agit d'un événement heureux ou malheureux, car cela suppose que l'on sache si la richesse est un bien (cf. Stalley 2000, p. 275-276).

203. Dans le *Lachès* (198d-e), Socrate explique que la véritable connaissance porte à la fois sur le passé, le présent et le futur, dans la mesure où la connaissance d'un objet est d'une certaine façon affranchie du temps. Ainsi, pour reprendre l'exemple de Socrate, la médecine, en tant qu'elle est la connaissance de la santé et de la maladie, embrasse toutes les époques, puisque les conditions de la santé et de la maladie demeurent identiques à travers le temps. La connaissance universelle des événements passés, présents et futurs n'est pas la connaissance que recherche Socrate, car une telle connaissance est impuissante à déterminer la valeur de ces événements (cf. Tuckey 1951, p. 76-77). – Le devin a été présenté à deux reprises (173c et 174a) comme celui dont la connaissance se rapporte à l'avenir. Sa connaissance semble ainsi plus restreinte que celui dont le savoir embrasse toutes les époques. Cette représentation du devin, et de la limitation temporelle de son savoir, ne s'accorde pas avec ce que l'on trouve chez Homère, où le savoir de Chalcas, le devin de l'armée grecque, s'étend aussi bien au passé et au présent qu'à l'avenir (cf. *Iliade* I 68-72).

204. Comme l'explique très bien Pradeau (*Platon : Alcibiade*, Paris, GF-Flammarion, 1999, p. 197 n. 30), « le jeu qu'on a pris l'habitude de rendre par "trictrac" (*petteía*) était une sorte de jeu de dames ; il est pour Platon l'exemple même d'une activité insignifiante, mais pourvue toutefois de *règles* très précises. La justice, par comparaison, concerne des choses d'une importance bien plus grande, mais c'est justement pour cette raison qu'il faudrait aussi pouvoir en connaître les règles (de façon à ce qu'elles puissent être connues, enseignées et pratiquées) ». Si, pour insignifiant qu'il soit, le trictrac est un jeu qui obéit à des règles, ne faudrait-il pas, *a fortiori*, que la sagesse soit elle aussi une connaissance *réglée*, elle qui détient rien de moins que les conditions du bonheur de l'homme ? Pour d'autres mentions de la *petteía* chez Platon, cf. *Alc.* 110e ; *Gorg.* 450d ; *Rép.* I 333b, II 374c, VI 487b-c ; *Phèdre* 274d ; *Politique* 292e, 299e ; *Lois* V 739a, VII 820c-d, X 903d. Voir enfin P. Guéniot, « Un jeu clef : la *petteía* », in *Revue de philosophie ancienne*, 2000 (18) p. 33-64.

205. Une fois de plus, Critias s'imagine qu'une technique qui veille au soin du corps, en l'occurrence la médecine, peut procurer le bonheur. Or la santé n'est pas un bien pour Socrate (cf. *Lysis* 218e et n. 148), de sorte que la connaissance des conditions de la santé ne peut pas apporter le bonheur.

206. Critias donne à nouveau une réponse qui est formellement exacte, mais dont il ne saisit pas les tenants et les aboutissants. Comme la suite

de la discussion le démontrera, Critias est impuissant à justifier cette position contre les critiques que Socrate lui adresse afin de mettre sa compréhension à l'épreuve. – Dans le *Lachès* (199c-e), la recherche d'une définition du courage aboutit à l'identification du courage avec la connaissance du bien et du mal. Socrate rejette cette définition sous prétexte que l'objet de la recherche est la définition d'une partie de la vertu – le courage –, et non pas de la vertu tout entière. Dans le *Charmide*, en revanche, l'assimilation de la sagesse à la connaissance du bien et du mal ne semble pas rejetée.

207. Cf. *supra*, 161b (n. 86), où Socrate apostrophe son interlocuteur dans les mêmes termes et dans un contexte analogue.

208. La discussion tourne en rond dans la mesure où la réponse que Critias vient de donner renoue avec sa deuxième définition de la sagesse : faire le bien (163e).

209. Sans la connaissance du bien et du mal, les différentes techniques n'en exécuteraient pas moins les tâches qui sont les leurs, conformément à leur compétence respective. Mais les artisans œuvrant dans ces différentes techniques seraient incapables, sans la connaissance du bien et du mal, de déterminer si les produits et les résultats (*érga*) de leur activité sont bons et utiles (cf. déjà *supra*, 164b-c). La véritable condition de l'utilité de tous les savoirs techniques, c'est la connaissance du bien et du mal, car c'est elle qui détermine ce qui est réellement utile à l'homme dans l'application des connaissances et l'exercice des techniques. Les exemples du pilote (cf. *Gorg.* 512a), du médecin (cf. *supra*, 164b-c ; *Lach.* 195c-d) et du stratège sont particulièrement révélateurs : sans la connaissance du bien et du mal, ils ne peuvent pas savoir s'il n'aurait pas mieux valu, pour les hommes dont ils ont sauvé la vie grâce à leur *tékhnē*, qu'ils mourussent. Le rôle qui est ici dévolu à la connaissance du bien et du mal est tout à fait conforme à celui que Socrate prête à la forme du Bien dans la *République* : « si nous ne la [*scil.* la forme du Bien] connaissons pas, dussions-nous connaître au suprême degré toutes les choses qui existent en dehors d'elle, tu sais que cette connaissance ne nous servirait à rien, de même que nous ne possédons rien sans la possession du bien » (VI 505a ; trad. Leroux). La position de Socrate, dans le *Charmide*, est assez paradoxale : en dépit des apparences, ce ne sont pas les techniques artisanales (cordonnier, médecine, etc.) qui nous sont utiles, mais la connaissance du bien et du mal qui préside à leur activité. Les techniques artisanales ne nous sont utiles que si la connaissance du bien et du mal fixe à chacune la finalité qu'elle doit poursuivre. Dans l'*EN* (I 4, 1097a1 sq.), Aristote conteste que les différentes techniques aient besoin de connaître le Bien pour être utiles et profitables aux hommes.

210. La raison pour laquelle Socrate refuse (en apparence) d'identifier la sagesse à la connaissance du bien et du mal est qu'elles portent sur des objets différents : alors que la première est la science des sciences et de la non-science, la seconde est la science du bien et du mal. Or comme il a été démontré plus tôt dans le dialogue que l'objet de la sagesse ne peut pas être l'ensemble des sciences – il est d'ailleurs significatif que Socrate présente l'objet de la sagesse dans les termes mêmes de la formulation de Critias (166c et e) –, il suffirait, pour identifier la sagesse à la connaissance du bien et du mal, que Critias renonce à définir la sagesse comme

la science des autres sciences. Or il n'est manifestement pas disposé à renoncer à cette définition, ainsi que sa prochaine intervention le révèle (cf. note suivante). Certes, on peut avoir l'impression que Socrate ne fait pas grand-chose pour aider Critias et qu'il prend un malin plaisir, sitôt qu'il a découvert une piste intéressante ou féconde, à la recouvrir et à aiguiller son interlocuteur sur une fausse piste (cf. McKim 1985, p. 74). Il ne faut cependant pas perdre de vue que le questionnement de Socrate a pour but de vérifier si les réponses formellement exactes de Critias se fondent sur une compréhension adéquate. Dans le cas présent, si Critias comprenait les raisons profondes de la position qu'il a énoncée un peu plus tôt, il renoncerait à définir la sagesse comme une science des sciences et il identifierait la sagesse à la connaissance du bien et du mal. – L'identification de la sagesse à la connaissance du bien et du mal semble parfaitement légitime et autorisée par le texte même. En affirmant que la tâche (*érgon*) de la connaissance du bien et du mal est de nous être utile (*érgon estìn tò ōpheleîn hēmâs*), Socrate répond à deux exigences qu'il a formulées au sujet de la sagesse : d'une part, elle doit avoir un *érgon*, c'est-à-dire une fonction ou un résultat (cf. *supra*, 160d et n. 76) ; d'autre part, et c'était l'objet de la « prophétie » de Socrate (cf. *supra*, 169b et n. 158), la sagesse doit nous être utile. Or la connaissance du bien et du mal satisfait à ces deux réquisits : elle a un *érgon*, qui est précisément de veiller à ce que toutes les autres connaissances soient appliquées pour le bien et l'utilité de l'homme, bref pour son bonheur. De nombreux commentateurs considèrent que la sagesse consiste en la connaissance du bien et du mal (cf. Taylor 1929, p. 57 ; Tuckey 1951, p. 81 ; Chambry 1967, p. 266 ; Sprague 1973, p. 93 n. 77 ; 1976, p. 42 ; Guthrie 1975, p. 173 ; McKim 1985, p. 59 et 73-74 ; Teloh 1986, p. 67). En revanche, le plus récent commentateur du *Charmide* rejette l'identification de la sagesse à la connaissance du bien et du mal, mais son argumentation n'emporte pas la conviction (cf. Schmid 1998, p. 132-146). Sur l'identité de la sagesse et de la connaissance du bien et du mal, cf. aussi *infra*, 176a et n. 227. – Le bien, le bonheur, la sagesse (*sōphrosúnē*) et la connaissance de soi sont également étroitement liés dans l'*Alcibiade* (133c, 134a).

211. Non seulement Critias n'a rien compris à ce que Socrate essaie tant bien que mal de lui faire comprendre – la nécessité de redéfinir la sagesse en termes de connaissance du bien et du mal –, mais il aggrave son cas ; plutôt que de renoncer à une conception erronée de la sagesse, Critias subordonne la connaissance du bien à la science des sciences, ce qui revient à dire que la connaissance du bien n'est pas la connaissance suprême. Au vu de la *République* et de l'importance qu'y joue la forme du Bien, qui est le fondement inconditionné de toutes les autres connaissances et de leur utilité (cf. VI 505a-b), la position de Critias paraît d'emblée inacceptable aux yeux de Platon, sans compter qu'elle est également douteuse et troublante sur le plan strictement politique, puisque la connaissance du bien ne serait plus la connaissance déterminante et qu'elle serait subordonnée à une science dont Critias n'arrive même pas à déterminer l'objet ni l'utilité.

212. Socrate rappelle à Critias l'argument qu'il a développé plus tôt (cf. 169e-171c) pour lui démontrer l'inutilité d'une science des sciences.

Si cette science ne peut pas se substituer à chacune des sciences particulières, si bien qu'il faudrait de toute façon acquérir ces sciences, la science des sciences ne peut pas remplir les fonctions qu'assument les différentes sciences particulières, notamment celle du bien et du mal. Comme la science des sciences ne peut pas s'approprier les fonctions des sciences particulières, elle ne peut pas non plus s'arroger l'utilité de la science du bien et du mal.

213. Cf. *supra*, 170a-d.

214. Cf. *supra*, 171a.

215. Il est pourtant clair que la sagesse a un *érgon*, comme toutes les autres connaissances, et que cet *érgon* est de nous être utile. Critias est toutefois incapable de le reconnaître en raison de son entêtement à définir la sagesse comme la science d'elle-même et des autres sciences. S'il renonçait à cette fausse définition, il comprendrait que la sagesse n'est pas autre chose que la connaissance du bien et du mal, et que sa fonction est de nous être utile en déterminant dans quelles conditions les différents savoirs techniques peuvent être appliqués pour le bien de l'homme.

216. Cf. *supra*, 159c, où Socrate et Charmide conviennent que la sagesse fait partie des belles choses, et non pas qu'elle est la plus belle de toutes les choses. Cf. aussi 159d, 160b, d, e.

217. Autrement dit, l'apparente inutilité de la sagesse est en fait une conséquence directe de l'inutilité de Socrate en tant que chercheur. Cette « confession » n'est évidemment pas à prendre au pied de la lettre. L'échec (apparent) de la discussion incombe en fait à Critias, puisqu'il ne comprend pas en quel sens les définitions qu'il a soumises sont vraies, et qu'il n'a pas voulu démordre, jusqu'à la fin, d'une définition absurde – la science d'elle-même et des autres sciences – dont Socrate lui a pourtant démontré l'impossibilité et l'inutilité.

218. Dans le *Cratyle*, il est souvent fait mention d'un législateur mythique, le nomothète, qui aurait présidé à la création des noms en veillant à leur adéquation aux choses (cf. 388e, 389a, d, 390a, c, d, 393e, etc.).

219. Cf. *supra*, 169d, 172c et n. 164 et 186.

220. Cf. *supra*, 166e, 171d-172a, 173a-d. La science d'elle-même et des autres sciences doit en effet, selon Critias, connaître les objets et les résultats (*érga*) des autres sciences.

221. Cf. *supra*, 169d-171c.

222. Ce passage est à première vue assez troublant, car Socrate semble rejeter l'expression même de sa propre conception de la sagesse (cf. 167a). Or il faut bien voir que l'expression « savoir ce que l'on ne sait pas » est ambiguë et qu'elle est absurde en un sens, mais vraie en un autre sens. En fait, tout dépend de l'objet sur lequel porte « savoir » dans cette expression. Si « savoir » porte uniquement sur « ce que », il est évidemment contradictoire de prétendre que l'on sait *ce que* l'on ne sait pas, puisque précisément l'on ne le sait pas. C'est cette acception absurde de l'expression « savoir ce que l'on ne sait pas » qui est ici rejetée par Socrate. En revanche, si « savoir » porte sur l'ensemble de la proposition relative (« ce que l'on ne sait pas »), il n'y a rien d'absurde à affirmer que l'on peut « savoir *ce que l'on ne sait pas* », puisque cela revient tout simplement à affirmer qu'il est possible d'identifier ou de reconnaître quelles

sont les connaissances que l'on ne possède pas. Par exemple, si je ne sais rien des lois de la gravité, il n'y a rien d'absurde à affirmer que je sais *ce que je ne sais pas*, en l'occurrence les lois de la gravité. Cette deuxième acception de l'expression « savoir ce que l'on ne sait pas » consiste donc en la reconnaissance de son ignorance, ce qui correspond à la conception de la sagesse exposée par Socrate en 167a et dont nous n'avons aucune bonne raison de considérer qu'il la rejette par la suite (cf. Introduction, p. 64-68).

223. Étant donné que la sagesse est le contraire de la démesure (*húbris*), l'occurrence de l'adverbe *hubristikôs*, à proximité du terme *sōphrosúnē*, n'est certainement pas fortuite. Ce qui relève proprement de la démesure, donc de l'absence de sagesse, c'est de concevoir la sagesse de telle sorte qu'elle apparaisse inutile. Le réquisit auquel doit satisfaire toute définition de la sagesse est que cette dernière est éminemment utile à l'homme (cf. *supra*, 169b et n. 158).

224. On remarquera que Socrate rapporte la sagesse à l'âme, puisqu'elle est une qualité et une vertu de l'âme, ce que Critias n'est jamais parvenu à reconnaître au cours du dialogue (cf. *supra*, 157d et n. 42 ; Introduction, p. 36-37). Charmide peut être sage, voire très sage (*sōphronéstatos*) sous le rapport de l'âme, sans qu'il soit pour autant sage au sens absolu du terme. Si sa sagesse consiste en une forme de réserve ou de pudeur (cf. *supra*, 158c), il s'agit bien d'une forme conventionnelle de sagesse relative à l'âme, mais qui n'est pas encore la sagesse telle que la conçoit Socrate (cf. note suivante).

225. C'est à un double point de vue que la sagesse attribuée à Charmide semble inutile. 1) Comme la sagesse s'est en apparence révélée inutile au cours de l'entretien, celui qui la possède n'en retirera aucun profit. Cette conclusion n'est cependant pas endossée par Socrate, car elle découle uniquement du refus de Critias d'assimiler la sagesse à la connaissance du bien et du mal, dont l'utilité a été pleinement reconnue (cf. 174d et n. 210). 2) La sagesse que l'on attribue à Charmide (157d), et que Socrate semble prêt à lui reconnaître, est une forme inférieure de sagesse qui ne présente pas vraiment d'utilité. La façon même dont Socrate parle de « cette sagesse » (*taútēs tês sōphrosúnēs*) est sans doute un indice qu'il s'agit d'une forme particulière de sagesse que l'on ne peut pas assimiler à la sagesse proprement dite. Si « cette sagesse » consiste en une forme de calme ou de pudeur, on ne voit pas, en effet, comment une telle sagesse pourrait avoir une utilité comparable à celle que Socrate reconnaît à la connaissance du bien et du mal, ou encore à la connaissance de soi, comprise comme la reconnaissance de sa propre ignorance.

226. Cf. *supra*, 175b. Dans un premier temps, Socrate semble laisser entendre que les incantations apprises auprès du Thrace sont inutiles et qu'elles ne servent à rien. Si les incantations désignent la dialectique, cela entraînerait donc que la dialectique est inutile pour autant qu'elle est incapable de rendre sage. Ce passage apporterait ainsi de l'eau au moulin des commentateurs qui prétendent que Platon, dans le *Charmide*, se montre critique à l'endroit de l'*élegkhos* socratique (cf. Introduction, p. 64-68). Mais comme Socrate se ravise, c'est-à-dire qu'il réaffirme l'utilité des incantations et qu'il s'accuse plutôt lui-même d'être un mauvais chercheur, ce passage ne peut pas être tenu pour une confirmation de

l'interprétation suivant laquelle Platon prendrait ses distances vis-à-vis de l'*élegkhos* socratique. Au contraire, ce passage apparaît comme une véritable « profession de foi », comme une affirmation renouvelée de la confiance en l'utilité de la dialectique et de l'*élegkhos*. L'échec (apparent) du dialogue ne doit pas être interprété comme une faillite de la méthode elle-même, car cet échec est imputable aux insuffisances de Critias (cf. *supra*, n. 210 et 211).

227. Ce passage confirme que la sagesse et la connaissance du bien et du mal sont une seule et même chose (cf. *supra*, n. 210). Comme Socrate a affirmé, en 174c, que c'est la connaissance du bien et du mal qui rend heureux, et qu'il voit ici dans la sagesse la source du bonheur (cf. aussi 176a4-5), il s'ensuit, pour peu que le bonheur ait une seule cause, que la sagesse est identique à la connaissance du bien et du mal. – Cf. également 158b, où Socrate emploie le même terme (*meirákion*, « bienheureux ») pour exprimer le bonheur de Charmide. Dans les deux passages, toutefois, le bonheur de Charmide est soumis à une condition : « s'il est vrai, Charmide, que tu possèdes la sagesse, alors tu es bienheureux ». Or comme Charmide n'est pas sage, du moins pas au sens où l'entend Socrate, il ne mérite pas le titre de « bienheureux ».

228. Il est tentant de considérer que cette réponse de Charmide est tout à fait conforme à celle qu'il a donnée au début de l'entretien (158d) et qu'entre le début et la fin du dialogue, il n'a pas vraiment progressé puisqu'il en est au même point, soit l'incertitude : il ne sait pas s'il est, ou non, sage. Cela revient à dire qu'il n'est pas sage, puisque s'il l'était, il le saurait en vertu du principe énoncé par Socrate en 159a : si la sagesse est présente en nous, nous devons la sentir et être en mesure de l'exprimer (cf. aussi Tuckey 1951, p. 90). Plus fondamentalement encore, cela signifie qu'il ne se connaît pas lui-même ; si la connaissance de soi consiste à reconnaître ce que l'on sait et ce que l'on ne sait pas dans le domaine des questions morales, et que Charmide ne sait pas s'il est ou non sage, il s'ensuit qu'il ne se connaît pas lui-même et qu'il n'est pas sage. D'un autre point de vue cependant, la réponse de Charmide marque un réel progrès sur celle de 158d. Alors qu'en 158d Charmide ne répond pas selon ce qu'il croit lui-même, mais plutôt en fonction de ce que les autres penseront de lui selon qu'il répond qu'il est, ou non, sage, la réponse qu'il donne ici à Socrate est beaucoup plus sincère, en ce qu'elle ne se soucie pas du regard des autres et du qu'en-dira-t-on. De plus, le fait même qu'il reconnaisse qu'il a besoin de Socrate et qu'il est disposé à se soumettre aux incantations, c'est-à-dire aux réfutations, est également un indice de progrès dans la mesure où c'est une façon de reconnaître qu'il a besoin du traitement réservé à ceux qui ne sont pas sages. Charmide est plus sage que Critias pour autant que, à la différence de ce dernier, il reconnaît qu'il a besoin de Socrate, et qu'il ne prétend jamais qu'il est sage ou qu'il sait en quoi consiste la sagesse. Le progrès de Charmide sur la voie de la sagesse est toutefois fragile et menacé en raison de la « tutelle » funeste que Critias exerce sur lui. La fin du dialogue confirme ainsi le traitement asymétrique que Platon réserve à ces deux personnages (cf. Introduction, p. 27-30). – Sur les progrès réalisés par Charmide au cours du dialogue, cf. Solère-Queval 1993, p. 57-58 et, en sens contraire, Schmid 1998, p. 150-151.

229. Cette injonction à ne pas quitter Socrate, si peu que ce soit (*mête méga mête smikrón*), rappelle la conclusion de deux autres textes parallèles (cf. Introduction, p. 54-56) où de jeunes ambitieux s'attachent pareillement à Socrate après que celui-ci leur eut montré, en les réfutant, qu'ils ne se connaissaient pas eux-mêmes et qu'ils n'étaient pas encore prêts à faire de la politique. À la fin de l'*Alcibiade*, Alcibiade déclare à Socrate que « rien n'empêchera maintenant que je te suive pas à pas » (135d) ; de même, à la fin d'un entretien rapporté dans les *Mémorables*, Xénophon rapporte qu'Euthydème « sentit qu'il ne pouvait devenir considéré qu'en fréquentant Socrate aussi assidûment que possible. Aussi ne le quittait-il plus, à moins d'y être forcé » (IV 2, 40 ; trad. Chambry). – Dans son avant-dernière intervention, Critias confirme à nouveau qu'il n'est pas sage. Il ordonne à Charmide de rester auprès de Socrate, dans la mesure où Socrate peut lui faire le plus grand bien et le rendre sage, alors que lui semble considérer qu'il n'a pas besoin de fréquenter Socrate ; or le dialogue a précisément montré qu'il ne se connaît pas lui-même et qu'il est moins sage que Charmide, puisqu'il ne reconnaît nulle part qu'il n'est pas sage, ni même qu'il ne sait pas s'il l'est. Il semble donc, à la fin du dialogue, que seul Charmide demeure dans l'entourage de Socrate. Ce « détail » de mise en scène a peut-être une valeur apologétique : Critias n'est donc pas, ou plutôt n'est plus un familier de Socrate dès 432, soit trente ans avant la fin de la guerre du Péloponnèse ; de plus, cela montre bien que Platon ne place pas Charmide et Critias sur un même pied (cf. Introduction, p. 27-30).

230. Dans le *Lachès*, c'est Lachès qui insiste à plusieurs reprises (181a, 184c, 200c) sur la nécessité de ne pas laisser Socrate s'échapper. Tout se passe comme si Socrate était insaisissable et que ses interlocuteurs, qui ne sont pas dupes de sa déclaration d'ignorance et qui sont donc convaincus qu'il en sait beaucoup plus qu'il ne veut bien l'admettre, s'appliquaient à le retenir auprès d'eux.

231. Sur la contrainte que Charmide se déclare prêt à exercer sur Socrate, cf. *supra*, 156a, et n. 28.

232. C'est la troisième occurrence du verbe *biázesthai* (« user de violence », « contraindre par la force ») dans la conclusion du *Charmide*. Il est tentant d'y voir des allusions aux violences futures perpétrées par les Trente et aux ordres iniques qu'ils ont donnés à Socrate (cf. *Apol.* 32c-d ; *Lettre VII* 324d-325a ; Xénophon, *Mém.* IV 4, 3). Chose certaine, la fin du *Charmide* est lourde de menaces à l'endroit de Socrate. Comme l'a finement observé Solère-Queval, « Platon termine comme il a commencé, par le contraste : le prologue nous conduisait de la fureur de la guerre au calme de la palestre, l'épilogue nous reconduit de la civilité de l'entretien philosophique à la violence d'une tyrannie en gestation » (1993, p. 59). – Le jeune Charmide se trouve donc confié, à la fin du dialogue, à deux autorités, soit celle de Socrate et celle de son tuteur Critias. Le premier incarne la philosophie et la voie de la sagesse, alors que le second est le modèle de l'arrogance et de l'ignorance qui s'ignore elle-même. Ces deux autorités, qui illustrent également le conflit entre la famille (Critias) et la sagesse (Socrate ; cf. Introduction au *Lysis*, p. 176-178), ne sont manifestement pas sur le même pied, puisque c'est Critias qui ordonne à Charmide de ne pas quitter Socrate. L'autorité familiale

incarnée par Critias apparaît donc supérieure à celle de Socrate, de sorte qu'on peut très bien imaginer qu'un jour, lorsque Critias ne s'entendra plus avec Socrate, il ordonnera à Charmide de s'en éloigner. En accordant à Critias une plus grande autorité, Platon parvient, par avance, à dédouaner et à innocenter Socrate ; comme Charmide obéissait plus volontiers à Critias qu'à Socrate, ce dernier ne peut pas être tenu responsable des erreurs que Charmide a commises pour complaire à son cousin.

INTRODUCTION

> Il y a bien, çà et là sur terre, une sorte de prolongement de
> l'amour dans lequel le désir cupide que deux êtres éprou-
> vent l'un pour l'autre fait place à un nouveau désir, à une
> nouvelle convoitise, à une soif supérieure *commune*, celle
> d'un idéal qui les dépasse tous deux : mais qui connaît cet
> amour-là ? Qui l'a vécu ? Son véritable nom est *amitié* [1].

Le *Lysis* traite de la *philía*, terme qui est habituellement traduit, en français, par « amitié ». Cette traduction
n'est toutefois qu'un pis-aller car ce que l'on entend par
« amitié », soit une relation privilégiée entre deux personnes qui partagent les mêmes goûts et les mêmes incli-
nations, ne correspond en fait qu'à l'une des relations
que désigne le terme *philía*. Pour les Grecs, ressortissent
à la *philía* des relations aussi variées et nombreuses que
les rapports familiaux, les liaisons amoureuses, les liens
d'amitié, l'affection pour les animaux, l'attachement à
des objets inanimés et même, dans le domaine de la physique, l'attraction mutuelle des éléments. À défaut d'un
terme français qui rende pleinement justice à la richesse
de *philía*, nous traduirons ce dernier terme par « amitié », suivant en cela la très grande majorité des tra-
ducteurs. Mais cette traduction, dont nous reconnaissons volontiers les limites et les insuffisances, ne doit
pas faire perdre de vue que la *philía* ne se réduit pas à

---

1. F. Nietzsche, *Le Gai Savoir*, § 14, trad. Vialatte.

l'amitié [1], et que l'effort de Platon, dans le *Lysis*, est d'identifier, pour toute relation de *philía*, quel en est le sujet, l'objet et la motivation.

1. Les personnages

Alors que les principaux interlocuteurs de Socrate, dans le *Charmide*, sont des personnages célèbres dont le rôle historique est déterminant pour l'interprétation du dialogue [2], les personnages du *Lysis* n'ont joué aucun rôle digne de mention dans l'histoire d'Athènes. Si l'identité historique de ces personnages n'a aucune incidence sur l'interprétation du dialogue, leurs caractéristiques respectives, en tant que personnages du dialogue, doivent néanmoins être relevées avec soin, car elles affectent souvent la forme et le contenu même du *Lysis*.

1.1 *Hippothalès*

Hippothalès n'apparaît nulle part ailleurs dans les dialogues de Platon et nous ne le connaissons que par l'intermédiaire du *Lysis*. Dans sa biographie de Platon, Diogène Laërce (III 46) mentionne Hippothalès d'Athènes au nombre des disciples du fondateur de l'Académie. S'agit-il du même Hippothalès que celui qui figure dans le *Lysis* ? Comme Platon ne met jamais en scène ses propres disciples dans ses dialogues, il est peu probable que nous ayons affaire au même Hippothalès [3].

Dans le *Lysis*, Hippothalès représente le type même de l'amant malheureux dont l'amour passionné n'est pas payé de retour. Bien que l'on ne puisse pas déterminer son âge avec exactitude, Hippothalès semble de quelques années plus âgé que le jeune Lysis [4] dont il est amoureux

---

1. Sur l'extension qu'il faut accorder au terme *philía*, cf. Hoerber 1959, p. 19-20 ; Levin 1971, p. 241-242 ; Versenyi 1975, p. 187 ; Gonzalez 1995, p. 69 n. 4.
2. Cf. *supra*, Introduction au *Charmide*, p. 19-30.
3. Cf. Bordt 1998, p. 110 n. 211 ; Goulet, *DPhA*, III, p. 801.
4. Sur l'âge de Lysis et de Ménexène, cf. *infra*, p. 163-164.

fou. Cet amour malheureux est précisément le prétexte du dialogue et de l'exposé de Socrate sur les fondements des relations de *philía* qui s'établissent entre les hommes. Hippothalès est certes amoureux et follement épris de Lysis, mais cet amour n'est pas, aux yeux de Socrate, un amour véritable [1], puisqu'il s'attache uniquement à des caractéristiques extérieures – beauté de Lysis, noblesse et richesse de sa famille, etc. – qui ne sont pas et qui ne peuvent pas être au fondement d'une véritable relation de *philía*. Hippothalès est à ce point aveuglé par son amour passionné pour Lysis qu'il se méprendra complètement sur le sens de la leçon que Socrate cherche à lui administrer [2]. Pour Hippothalès, le dialogue se solde par un échec : non seulement il semble plus éloigné que jamais de parvenir à ses fins – séduire Lysis –, mais il montre aussi, par son aveuglement, qu'il est impossible de faire entendre raison à un amoureux dont la passion ne procède pas d'une aspiration au bien.

1.2 *Ctésippe* [3]

Selon Diogène Laërce (II 121), Ctésippe et ses frères Critobule, Hermogène et Épigène sont les fils de Criton, l'ami d'enfance de Socrate. On a toutefois élevé, contre ce témoignage, une objection qui paraît définitive. Le témoignage de Diogène Laërce trahit une mécompréhension d'un passage du *Phédon* où Platon mentionne ceux qui ont assisté aux derniers moments de la vie de Socrate : « Il y avait donc là, comme concitoyens, cet Apollodore, aussi Critobule et son père [*scil.* Criton], et encore Hermogène, Épigène, Eschine et Antisthène ; il y avait également Ctésippe de Péanée, Ménexène et quelques autres Athéniens. Mais Platon, je crois, était malade [4]. » Bien qu'ils soient mentionnés immédiatement à la suite de Critobule, comme

---

1. Alors qu'Hippothalès, dans le dialogue, fait figure d'amant inauthentique, Socrate incarne l'amant véritable (cf. 222a et n. 178).
2. Cf. surtout 210e et 222b.
3. Sur le personnage de Ctésippe, cf. L. Brisson, *DPhA*, II, p. 532-533 ; *SSR* VI B 52-53.
4. 59b ; trad. Dixsaut.

dans le témoignage de Diogène Laërce (II 121), Hermogène et Épigène ne sont pas présentés comme des fils de
Criton, non plus d'ailleurs que Ctésippe. En outre, alors
que Criton est originaire du dème d'Alopèke [1], Ctésippe
vient du dème de Péanée [2].

Ctésippe apparaît dans un autre dialogue, l'*Euthydème*,
où il accompagne Socrate à la leçon d'éristique que celui-ci
se dit prêt à recevoir de la part d'Euthydème et de son frère
Dionysodore. Ctésippe assimile si bien les tours et les procédés de l'éristique qu'il ne tarde pas à formuler, de sa
propre initiative, des sophismes qui ne le cèdent en rien,
sous le rapport de l'efficacité et de l'absurdité, aux paralo-
gismes concoctés par les deux frères. Les réfutations auxquelles il soumet Euthydème et Dionysodore montrent à
quel point l'élève peut aisément, en ces matières, surpas-
ser ses maîtres. Cette expertise de Ctésippe en matière d'éristique n'est sans doute pas étrangère au penchant que son
neveu Ménexène semble manifester pour cette forme
« disputeuse » d'argumentation (cf. 211c).

1.3 *Lysis et Ménexène*

Lysis et son camarade Ménexène sont les deux principaux interlocuteurs de Socrate. À l'instar de ce que l'on
observe dans d'autres dialogues de jeunesse, où les interlocuteurs sont censés posséder la vertu qui fait l'objet de la
discussion [3], le *Lysis* met en scène deux garçons étroitement unis par des liens d'amitié et qui devraient donc être
en mesure d'expliquer à Socrate ce qui se trouve au fondement d'une relation d'amitié (212a). Or, de même que les
interlocuteurs qui sont censés incarner une vertu particulière sont impuissants à rendre compte de ce en quoi
consiste cette vertu, les deux jeunes amis du *Lysis* ne parviennent pas à identifier ce qui permet aux hommes d'établir entre eux des liens de *philía*. Il y a toutefois une différence entre le *Lysis* et les dialogues consacrés à la
recherche d'une définition. Dans ces derniers dialogues,

1. Cf. *Apol.* 33d-e.
2. Cf. *Lysis* 203a et *Phédon* 59b.
3. Cf. *supra*, Introduction au *Charmide*, p. 19.

l'échec des interlocuteurs à définir la vertu considérée doit
être interprétée comme le signe ou la confirmation qu'ils
ne possèdent pas cette vertu [1] ; en effet, si la vertu consiste
en une connaissance, et que la présence d'une vertu se fait
nécessairement sentir [2], l'échec à définir la vertu est synonyme d'une absence de connaissance et, par voie de
conséquence, de vertu. Il n'en va pas de même dans le cas
de l'amitié : l'impuissance à déterminer les fondements de
la *philía* n'est pas la confirmation d'une absence de relation de *philía*. Autrement dit, ce n'est pas parce que Lysis
et Ménexène sont incapables de déterminer ce qui pousse
les hommes à établir entre eux des liens de *philía* qu'on
doit, pour cette raison, leur refuser la qualité d'amis.
Socrate ne conteste d'ailleurs jamais, au cours du dialogue, le fait même que Lysis et Ménexène soient amis.
L'amitié serait-elle donc une exception à la doctrine de la
vertu-science ? Comme nous le verrons sous peu, cette
particularité du *Lysis* tient peut-être au fait que la *philía*
n'est pas une vertu.

Il nous paraît également nécessaire de dire quelques
mots concernant l'âge de Lysis et de Ménexène, car il faut
sans doute imputer en partie à leur jeune âge l'échec apparent du dialogue. Il ne fait aucun doute qu'ils sont jeunes
et sensiblement du même âge (207c). Peut-on déterminer
leur âge avec plus de précision ? Dans le cours du dialogue, Lysis et Ménexène sont qualifiés tantôt de *paîdes*
(« enfants ») [3], tantôt de *nea

́́́skoi* (« jeunes hommes ») [4]
et il est mentionné à plusieurs reprises que Lysis est le
paidiká [5] d'Hippothalès, c'est-à-dire qu'il est le garçon
dont ce dernier cherche à se gagner les faveurs. Comme
les termes *paîs* et *neanískos* ne désignent pas tout à fait la
même classe d'âge, il est assez difficile de déterminer, uniquement à partir de ces termes, l'âge exact de Lysis et de
Ménexène, encore que Platon emploie plus volontiers *paîs*
que *neanískos* pour les désigner. Il y a deux arguments qui
plaident en faveur d'un âge aussi jeune que onze ou douze

---

1. Ainsi Charmide et Critias ne sont-ils pas sages (cf. *supra*, p. 28-30).
2. Cf. *Charmide* 159a.
3. Cf. 204e, 205b, 205c, 210d.
4. Cf. 205b.
5. Cf. 204d, 205a, 205b, 205e, 206c, 210e.

ans [1] : 1) la présence de pédagogues chargés de leur surveillance [2] atteste que Lysis et Ménexène n'ont pas encore atteint cet âge, que l'on peut situer autour de seize ans, où un jeune devient son propre maître [3]. 2) Lysis doit être au tout début de l'adolescence, avant l'âge de la puberté, car un garçon pubère n'exerce plus, auprès de ses soupirants, un aussi vif attrait sexuel [4]. Il n'est donc pas exclu que Lysis et Ménexène soient, tous dialogues confondus, les plus jeunes interlocuteurs de Socrate [5]. C'est donc une relation d'amitié qui les unit, et non d'amour, bien qu'ils aient déjà atteint l'âge nécessaire pour être désirés par des hommes plus âgés. Rien n'empêche, donc, qu'une même personne cumule différentes relations de *philía*. Lysis, par exemple, est au centre de quatre relations distinctes de *philía* : outre l'amour que lui prodiguent ses parents, il est l'objet d'un désir amoureux dans le cadre d'une relation homosexuelle (Hippothalès), il entretient des liens d'amitié avec un garçon de son âge (Ménexène), et, enfin, il établit avec Socrate, au cours même du dialogue, une relation mi-amicale, mi-amoureuse. Mais qu'il s'agisse d'amour parental, d'amitié ou encore d'amour, la véritable relation de *philía* ne doit reposer que sur un seul fondement, l'aspiration commune au savoir et au bien. Étant donné le jeune âge de Lysis et de Ménexène, il n'y a pas lieu de s'étonner que le dialogue se termine sur un constat d'échec. Il est prévisible, dès le départ, que l'exposé de Socrate sur les fondements de l'amitié ne peut pas être entièrement ni aussi rapidement compris par d'aussi jeunes interlocuteurs. Lysis et Ménexène en sont encore à l'âge où l'amitié repose surtout sur des affinités en matière de jeux et d'occupations, de sorte qu'ils peuvent difficilement comprendre, en raison même de leur âge [6], qu'il existe une *philía* plus élevée,

1. Cf. Robin 1950, p. 326 n. 2 ; Robinson 1986, p. 69 n. 15 ; Gonzalez 1995, p. 71 ; Macherey 1995, p. 67 ; Bordt 1998, p. 97, 111-112.

2. Cf. 208c, 223a.

3. Cf. 208c et n. 43.

4. Cf. L. Brisson, *Platon : Banquet*, Paris, GF-Flammarion, 1999, p. 58-59.

5. Cf. Bolotin 1979, p. 67.

6. Cf. Gadamer 1982, p. 286 : « l'amitié de ces deux garçons ne va pas plus loin que l'innocence d'une bonne entente qui relève à la fois de l'enfance et de la nature ».

fondée sur l'affinité profonde entre deux âmes qui aspirent l'une et l'autre au bien. Il faut donc prendre au sérieux le passage (223a) où Socrate, constatant que l'entretien s'est engagé dans une impasse, exprime le souhait de reprendre la discussion avec un interlocuteur plus âgé, dans l'espoir de surmonter les obstacles auxquels se sont heurtés Lysis et Ménexène.

1.3.1 Ménexène

Ménexène apparaît dans deux autres dialogues, soit le *Phédon* (59b), où il figure à nouveau aux côtés de son oncle Ctésippe, et le *Ménexène*, précisément nommé en son honneur [1]. Issu d'une grande famille athénienne [2], à l'instar de son camarade Lysis, Ménexène s'est déjà taillé, malgré son jeune âge, une réputation d'« éristique », c'est-à-dire de dialecticien versé dans la pratique de la réfutation pour elle-même (211b-c). Socrate lui fait la démonstration, à l'occasion d'un entretien étourdissant (212b-213d), dont Ménexène sort passablement ébranlé, qu'il peut également pratiquer l'éristique, mais que celle-ci n'est d'aucune utilité lorsque la discussion est comprise comme une recherche poursuivie en commun, et non pas comme une lutte où l'on doit à tout prix terrasser son adversaire, fût-ce au prix, justement, de la vérité.

1.3.2 Lysis

Outre le *Lysis*, nos seules sources pour la connaissance du personnage de Lysis sont un bref passage de Diogène Laërce (II 29), qui est en fait une allusion à notre dialogue, et une pierre tombale du IVe siècle avant J.-C. qui porte le nom de Lysis [3]. L'absence relative de sources, concernant Lysis, contraste avec la célébrité de la famille dont il est issu.

---

1. Selon Diogène Laërce (V 22), Aristote aurait également composé un *Ménexène*.
2. Cf. *Ménexène* 234a.
3. Cf. R.S. Stroud, « The Gravestone of Socrates'Friend, Lysis », *Hesperia* 1984 (53) p. 355-360.

Jeune, beau, timide et modeste, Lysis présente d'heureuses dispositions pour la philosophie qui sont immédiatement perçues par Socrate (207a) et qui seront confirmées, ultérieurement, par les judicieuses interventions du jeune homme dans le cours de la discussion (213d, 222a). C'est d'ailleurs sous le rapport du talent philosophique que Lysis se distingue de son camarade Ménexène. Alors que les deux jeunes amis sont encore impuissants à percevoir ce qui les distingue (207c), comme si l'amitié n'était possible que sur un fond de stricte identité, Socrate perçoit d'emblée la principale caractéristique qui les différencie. Le traitement asymétrique que Socrate réserve à Ménexène et à Lysis ne laisse aucun doute sur ses préférences.

La plus grande aptitude de Lysis, eu égard à la philosophie, est peut-être à l'origine du titre du dialogue. Il n'en va pas du *Lysis* comme de la très grande majorité des dialogues de Platon, où la signification du titre ne pose aucun problème dans la mesure où le dialogue est intitulé d'après le nom de l'interlocuteur principal de Socrate. Ainsi en est-il, par exemple, de l'*Euthyphron*, des deux *Hippias*, des deux *Alcibiade*, du *Protagoras*, du *Théétète*, du *Criton*, de l'*Ion*, du *Phèdre*, du *Parménide*, du *Timée* et du *Critias*. Le cas du *Lysis* s'apparente davantage à celui du *Lachès*, où les deux principaux interlocuteurs de Socrate, Lachès et Nicias, jouent, dans la progression du dialogue, un rôle à peu près équivalent. Dans le cas du *Lachès*, nous avons émis l'hypothèse [1] que la raison pour laquelle le dialogue s'intitule *Lachès*, et non pas *Nicias*, est que la façon dont Lachès réagit à la réfutation (*élegkhos*) socratique est plus conforme aux attentes de Platon à l'endroit de celui qui tient le rôle de répondant dans un entretien dialectique. Autrement dit, même si Lachès n'a aucune expérience des entretiens philosophiques, son attitude et ses réactions sont plus prometteuses, sur le plan des aptitudes nécessaires à l'exercice de la philosophie, que celles de Nicias. Le parallèle avec le *Lysis* est assez frappant : non seulement Platon choisit comme titre le nom du personnage le mieux disposé à l'endroit de la philosophie, mais,

1. Cf. L.-A. Dorion, *Platon : Lachès/Euthyphron*, Paris, GF-Flammarion, 1997, p. 74-79.

dans les deux cas, il jette son dévolu sur l'interlocuteur qui fait ses premières armes en philosophie, plutôt que sur celui qui s'est déjà frotté aux spécialistes reconnus en matière d'argumentation [1]. Mieux vaut un bon naturel inentamé et non encore gâté que des aptitudes dévoyées en raison de la fréquentation, précoce ou non, d'experts patentés.

Le titre du *Lysis* offre cependant une particularité, absente du *Lachès*, qui semble révélatrice des intentions de Platon. Il est plutôt singulier qu'un dialogue aporétique ait pour titre un nom dont le sens usuel, comme nom commun, est « délivrance » et « solution ». Est-ce un hasard si Platon a choisi pour titre un terme dont la signification même est la négation du caractère (apparemment) aporétique du dialogue ? Il est permis d'en douter [2].

1.4 *Socrate*

De même que le Socrate du *Lachès* est une incarnation du courage dont il prétend ne pas connaître la nature, que le Socrate de l'*Euthyphron* illustre la piété dont il recherche désespérément la définition, et que le Socrate du *Charmide* possède la sagesse qui fait si cruellement défaut à ses interlocuteurs, le Socrate du *Lysis*, qui affirme plaisamment qu'il n'a pas d'amis et qu'il n'y a rien qu'il ne souhaite plus ardemment que d'en avoir un (211e-212a), est le modèle achevé de l'ami. Non seulement il sait mieux que quiconque ce qui pousse les hommes à tisser entre eux des liens de *philía*, mais il excelle également à nouer des liens d'amitié. La preuve en est donnée par le dialogue lui-même : alors que le malheureux Hippothalès ne sait pas comment s'y prendre pour séduire Lysis, Socrate, sous le couvert d'un conseil à Hippothalès, fait une si brillante démonstration de son savoir-faire qu'il séduit Lysis en un

---

1. Ménexène est un disciple de Ctésippe (211c) et Nicias suit les leçons de Damon et d'autres sophistes (*Lachès*, 197c).

2. Cf. Narcy 1997, p. 209. Les commentateurs suivants sont également d'avis que le titre même du dialogue est significatif : Wender 1978, p. 42-44 ; Bolotin 1979, p. 66 ; Mooney 1990, p. 140 ; Bosch-Veciana 1998, p. 111 n. 5 ; Bossi 2000, p. 173. – *Contra*, cf. Bordt 1998, p. 110 n. 217.

tournemain ! Socrate fait ainsi à nouveau la démonstration que le philosophe est celui qui réconcilie le *lógos* et l'*érgon* [1], le discours et les actes, en l'occurrence le savoir du fondement de la *philía* et l'aptitude à nouer des liens d'amitié.

2. Le cadre spatio-temporel

2.1 *Le lieu*

Le *Lysis* se déroule dans un gymnase, à l'exemple de l'entretien rapporté dans le *Charmide*. On se reportera donc à l'Introduction du *Charmide* pour l'exposé des raisons qui ont pu motiver Platon à situer certains de ses dialogues dans des gymnases [2]. Soulignons toutefois que l'entretien se déroule le jour des fêtes d'Hermès, à l'occasion desquelles certains règlements étaient suspendus, entre autres celui qui interdisait aux adultes de pénétrer à l'intérieur d'un gymnase où se trouvaient des enfants [3]. La fête religieuse en l'honneur d'Hermès est ainsi l'occasion d'un rapprochement et d'un échange qui auraient autrement été impossibles. La mise en scène apparaît ainsi comme une illustration métaphorique de la leçon du dialogue : c'est le divin qui est au fondement de la *philía* entre les hommes [4].

2.2 *Les dates*

2.2.1 *Date dramatique*

À la différence du *Charmide*, le *Lysis* ne fait mention d'aucun événement qui nous permettrait de déterminer, fût-ce approximativement, la date dramatique de l'entretien. Le seul repère temporel se situe tout à la fin du dia-

1. Cf. L.-A. Dorion, *Platon : Lachès/Euthyphron*, Paris, GF-Flammarion, 1997, p. 65-68.
    2. Cf. *supra*, p. 32-33.
    3. Cf. 206d et n. 31.
    4. Cf. aussi 214a et n. 98.

logue (223b), lorsque Socrate observe qu'il est un vieil homme (*gérōn anḗr*). Mais comme il s'agit d'une « confession » que Socrate fait à deux jeunes garçons qui n'ont guère plus que onze-douze ans, il s'agit sans doute d'une exagération ironique, si bien que l'on aurait tort de prendre cette affirmation au pied de la lettre. En tout état de cause, contrairement à ce qui est le cas pour le *Charmide*, la date dramatique du *Lysis*, quelle qu'elle soit, n'a aucune incidence sur l'interprétation du dialogue [1].

2.2.2 *Date de composition*

Si l'on en croit une plaisante anecdote rapportée par Diogène Laërce, le *Lysis* aurait été composé du vivant même de Socrate : « On raconte encore que Socrate, qui venait d'entendre Platon donner lecture du *Lysis*, s'écria : "Par Héraklès, que de faussetés dit sur moi ce jeune homme !" De fait, Platon a consigné par écrit un nombre non négligeable de choses que Socrate n'a pas dites [2]. » Il est peu probable que Platon ait écrit le *Lysis*, ou tout autre dialogue, avant la mort de Socrate ; mais, sur un autre plan, cette anecdote exprime une grande vérité en ce qu'elle montre bien que les Anciens reconnaissaient déjà le caractère fictionnel des dialogues socratiques [3].

Selon la chronologie des dialogues de Platon établie par la stylométrie, le *Lysis* appartient au premier groupe de dialogues, celui des dialogues dits « de jeunesse ». Il est toutefois impossible, sur la base de considérations stylistiques, de déterminer avec plus de précision la date relative du *Lysis* au sein de ce premier groupe. Les tentatives de datation du *Lysis* reposent donc toutes sur des critères internes, c'est-à-dire des critères qui s'inspirent du contenu

---

1. Après avoir reconnu que la question de la date dramatique du *Lysis* ne peut recevoir qu'une réponse approximative, Bordt (1998, p. 94-95 et 112) propose néanmoins une date étonnamment précise, qu'il situe entre 417 et 414. L'argumentation en faveur de cette date nous paraît bien fragile.

2. III 35 ; trad. Brisson. Plusieurs commentateurs du XIXᵉ siècle ont cru à cette anecdote et ont donc considéré que la composition du *Lysis* se situait avant la mort de Socrate.

3. À ce sujet, voir notre introduction aux *Mémorables* de Xénophon, Paris, Les Belles Lettres, 2000, p. CIV-CXV.

doctrinal des dialogues. Par exemple, si l'on considère, avec certains interprètes [1], que la doctrine de l'amitié exposée dans le *Lysis* anticipe sur plusieurs points la conception de l'amour développée dans le *Banquet*, on sera enclin à classer le *Lysis* parmi les tout derniers dialogues du premier groupe. En sens inverse, si l'on fait jouer un autre critère interne, comme celui de la présence de remarques méthodologiques relatives à la pratique de la définition, on considérera au contraire, en raison de l'absence de telles remarques, que le *Lysis* est l'un des premiers dialogues de jeunesse consacrés à la recherche d'une définition [2]. Notons, au passage, que ce dernier argument n'est guère convaincant, car le critère utilisé pourrait conduire à une conclusion diamétralement opposée. Si le *Lysis* ne contient aucune remarque méthodologique, c'est peut-être tout simplement parce que ces remarques ont déjà été formulées dans d'autres dialogues, d'où l'inutilité de les répéter.

Les résultats contradictoires auxquels conduit le recours à des critères internes devraient nous inciter à la prudence et nous faire renoncer à toute tentative de datation précise du *Lysis*. Même si nous reconnaissons volontiers que les critères internes sont pour la plupart arbitraires, pour autant qu'ils correspondent à l'importance particulière qu'un interprète particulier accorde à une question en particulier, nous prenons néanmoins le risque de proposer une datation relative qui s'inspire d'un autre critère particulier, en l'occurrence l'emploi de la méthode réfutative (*élegkhos*). Comme nous le verrons bientôt [3], le *Lysis* est remarquable en ceci qu'il témoigne d'une certaine désaffection de Platon à l'endroit de la méthode réfutative ; or si l'on considère que l'*élegkhos* est la méthode d'argumentation préférée de Socrate depuis l'origine même de son engagement philosophique [4], et qu'il est présent dans la plupart des dialogues de jeunesse, sa quasi-absence dans

---

1. Cf., entre autres, Kahn 1996, p. 47.
2. Cf. Robinson 1986, p. 64 n. 3.
3. Cf. *infra*, section 4.3, p. 182-183.
4. Cf. L.-A. Dorion, « La subversion de l'*élegkhos* juridique dans l'*Apologie de Socrate* », *Revue philosophique de Louvain*, 1990 (88) p. 311-344.

le *Lysis* est à interpréter, nous semble-t-il, comme le signe que le *Lysis* précède de peu, sous le rapport non seulement de la doctrine, mais aussi de la méthode, les dialogues du second groupe, mieux connus sous le nom de « dialogues de la maturité » [1].

3. Plan du dialogue

Avant d'entreprendre l'analyse et l'interprétation du *Lysis*, il nous paraît utile de proposer au lecteur un plan du dialogue [2] :

I. Prologue : l'amour malheureux (203a-207d)

II. Esquisse et anticipation du modèle de l'amitié : *philía*, *sophía* et utilité (207d-210e)

III. Fausses pistes (211a-216b)

    A. Une leçon d'éristique (211a-213d)

    B. L'amitié entre semblables (213d-215c)

    C. L'amitié entre contraires (215c-216b)

IV. Le modèle platonicien de l'amitié (216c-222e)

    A. Première étape : le sujet, l'objet et la cause efficiente de l'amitié (216b-218c)

    B. Deuxième étape : la cause finale de l'amitié (218c-219b)

    C. Troisième étape : le *prôton phílon* (219b-220b)

    D. Quatrième étape : substitution du désir au mal (220c-221d)

    E. Cinquième étape : l'« apparenté » (*oikeîon*) (221e-222e)

V. Conclusion (223a-b) : une fausse aporie

---

1. La plupart des commentateurs s'entendent aujourd'hui à considérer que le *Lysis* se situe à une étape intermédiaire entre les dialogues de jeunesse et ceux de la maturité (cf. Guthrie 1975, p. 134-135 ; Mooney 1990, p. 137 ; Vlastos 1994, p. 71 ; Bordt 1998, p. 103-106). – L'occurrence du terme *antilogikoí* (« spécialistes de la contradiction », 216a) plaide également en faveur de cette datation, puisque ce terme rare apparaît uniquement, hormis le *Lysis*, dans les dialogues de la maturité (*Phédon, République, Phèdre, Théétète*) et de la vieillesse (*Sophiste*).

2. Pour le plan du *Lysis*, cf. également Fraisse 1974, p. 150 ; Bordt 1998, p. 60 ; 2000, p. 157.

4. Interprétation du dialogue

4.1 *Le* Lysis *est-il à la recherche d'une définition ?*

Plusieurs commentateurs rapprochent le *Lysis* des dialogues de jeunesse qui, tels le *Charmide*, l'*Euthyphron* et le *Lachès*, sont consacrés à la définition d'une vertu. Le *Lysis* aurait ainsi pour objectif, croit-on, de parvenir à une définition de la *philía* [1]. On a cependant eu raison d'observer que le *Lysis* ne soulève jamais, en termes explicites, la question « qu'est-ce que l'amitié ? » [2]. À la différence des dialogues mentionnés ci-dessus, qui posent tous la question de savoir en quoi consiste la vertu (sagesse [3], piété [4] et courage [5] respectivement) qui fait l'objet du dialogue, le *Lysis* ne formule jamais la question « qu'est-ce que l'amitié ? ». On a également montré, de façon très convaincante, que le seul passage qui pouvait être lu en ce sens avait été l'objet d'une mélecture et d'une mésinterprétation [6]. En fait, la question traitée par le *Lysis* n'est pas celle de la nature de l'amitié, mais plutôt celle de l'identité du sujet et de l'objet d'une relation de *philía* [7], et celle de savoir ce qui pousse les hommes à nouer des liens d'amitié.

Si l'on a eu raison de souligner que le *Lysis* ne cherche pas à définir l'amitié, personne, sauf erreur, n'a songé à expliquer cette absence de recherche d'une définition par le fait que la *philía* ne semble pas être une vertu. Si la vertu consiste en une connaissance, selon le célèbre paradoxe socratique dit de la « vertu-science », il est à la fois nécessaire et urgent de définir en quoi consiste la vertu, puisque cette définition est l'expression de la connais-

1. Cf. Bolotin 1979, p. 66 ; Robinson 1986, p. 63, 65 et 69 ; Guthrie 1975, p. 144 ; Samb 1991, p. 513.

2. Cf. R. Robinson, *Plato's Earlier Dialectic*, Oxford, 1952², p. 49 ; Levin 1971, p. 239 ; Sedley 1989. *Contra*, cf. Bordt 1998, p. 77 ; 2000, p. 157.

3. Cf. *Charmide* 159a.

4. Cf. *Euthyph.* 5d.

5. Cf. *Lachès* 190d.

6. Cf. 218b et n. 140.

7. Cf. Sedley 1989.

sance qui est la condition même de la vertu. Or si la *philía* n'est pas une vertu, comme il ne semble pas qu'elle en soit une pour Platon, il est du coup moins urgent et moins nécessaire de définir en quoi elle consiste. Si l'on considère le *Lysis*, où le terme même qui désigne la vertu (*aretê*) est absent, on constate qu'il n'y a aucun passage qui présente la *philía* comme une vertu. Si l'on se tourne maintenant vers l'ensemble des dialogues de Platon, on s'aperçoit que la *philía* n'apparaît jamais dans les différentes listes de vertus [1]. En fait, Platon ne se demande jamais, de façon explicite, si la *philía* est une forme de vertu. Cette question est toutefois soulevée dans les traités éthiques d'Aristote. Ainsi le Stagirite affirme-t-il, tout au début de son long exposé sur la *philía*, que « l'amitié est une certaine vertu, ou ne va pas sans vertu » [2]. Cette affirmation est révélatrice d'une ambiguïté qui traverse le traitement aristotélicien de la *philía* et qui n'est finalement jamais résolue [3]. En outre, il n'est pas indifférent de rappeler que les exposés sur l'amitié, dans les trois traités éthiques transmis sous le nom d'Aristote, sont toujours distincts et séparés des exposés sur les vertus particulières [4], ce qui est un indice suffisamment clair que la *philía* n'était pas considérée, à proprement parler, comme une vertu, mais plutôt comme un « accompagnement de la vertu », en ce sens que la *philía* apparaît à la fois comme une condition et un effet de la pratique de la vertu. La pratique de la vertu exige en effet que les hommes entretiennent déjà entre eux certains rapports de *philía*, lesquels, à leur tour, sont raffermis par les bienfaits prodigués par l'exercice de la

1. Les listes qui précèdent la liste canonique du livre IV de la *République* (*sophía*, justice, courage, modération) ne font jamais mention de la *philía* (cf. *Lachès* 199d ; *Gorg.* 507b ; *Prot.* 349b ; *Ménon* 78d).

2. *EN* VIII 1, 1155a4 ; trad. Tricot.

3. Certes, Aristote s'efforce de démontrer que la vertu est nécessaire à la *philía* véritable (cf. *EN* IX 4), mais il n'affirme jamais expressément que la *philía* est une vertu.

4. Dans l'*EN*, les vertus morales sont étudiées aux livres II à V, alors que la *philía* fait l'objet des livres VIII et IX ; dans l'*EE*, Aristote étudie les vertus morales au livre III et la *philía* au livre VII ; dans la *GM*, l'étude des vertus morales se situe au livre I (chap. 20-33) et celle de la *philía* au livre II (chap. 11-17).

vertu [1]. Pour en revenir au *Lysis*, la *philía* n'apparaît pas comme une vertu, mais plutôt comme une relation qui s'établit en vue du savoir et de la vertu. L'absence d'une recherche de définition, dans ce dialogue, n'est probablement pas étrangère au fait que la *philía* n'est pas une vertu.

4.2 *Le prologue : l'amour malheureux (203a-207d)*

Hippothalès est éperdument amoureux de Lysis, à tel point qu'il compose et récite des poèmes en l'honneur de sa famille et de ses ancêtres, et qu'il n'a que le nom de Lysis à la bouche. La passion d'Hippothalès pour Lysis n'est manifestement pas au goût de ce dernier. Hippothalès est d'ailleurs à ce point embarrassé, face aux questions de Socrate sur l'identité de son bien-aimé, que c'est finalement Ctésippe qui révèle à Socrate le nom du garçon dont Hippothalès est follement épris. Socrate a tôt fait de comprendre que les poèmes d'Hippothalès ne s'adressent pas vraiment à Lysis, mais plutôt à Hippothalès lui-même, en ce sens qu'ils flattent le désir d'honneur et de gloire qu'il croit pouvoir assouvir s'il obtenait les faveurs de Lysis (205d-e). La passion d'Hippothalès pour Lysis est ainsi une forme d'amour narcissique. Les poèmes et les odes qu'Hippothalès compose n'ont d'ailleurs pas grand-chose à voir avec Lysis lui-même, ainsi que Ctésippe le souligne (205b-c), puisque ce sont des écrits à la gloire de la richesse et des exploits de la famille de Lysis. Socrate en conclut qu'Hippothalès ne sait pas comment il faut s'adresser à l'être aimé ; non seulement il court le risque de se couvrir de ridicule si ses efforts ne sont pas couronnés de succès, mais ses écrits ont pour effet de flatter la vanité de Lysis, de le rendre encore plus fier et suffisant qu'il ne l'est déjà, de sorte qu'il sera encore plus difficile à « capturer », c'est-à-dire à séduire. Bref, Hippothalès s'expose, en raison même de la teneur de son discours amoureux, à obtenir le résultat contraire de celui qu'il recherche.

---

1. Ainsi, dans l'*Alcibiade*, la *philía* est tantôt la condition de l'amélioration des hommes dans la cité (126b-c), tantôt le résultat de la pratique de la justice dans la cité (127c). Dans la *Lettre VII* (332c), Platon affirme que l'abondance d'amis est un signe (*sēmeîon*) de vertu.

À la question d'Hippothalès qui le prie de lui révéler ce qu'il doit dire et faire pour séduire Lysis, Socrate répond que s'il lui était accordé de rencontrer Lysis, il pourrait faire une démonstration de ce qu'il faut dire à un garçon pour gagner ses faveurs. La réponse de Socrate ne correspond, semble-t-il, qu'à l'une des deux parties de la demande d'Hippothalès, puisque ce dernier s'est enquis de ce qu'il faut dire *et faire* pour séduire un garçon (206c). Gardons-nous cependant de conclure, de façon précipitée, que Socrate omet de satisfaire à l'autre volet de la demande d'Hippothalès. Comme nous le verrons à l'occasion de l'analyse du premier entretien entre Socrate et Lysis, Socrate répond aux deux parties de la demande formulée par Hippothalès [1]. Mais comme celui-ci croit que la séduction tient uniquement au discours, et non pas également, voire surtout, à ce qu'il doit lui-même faire pour se rendre aimable, il ne retiendra de la leçon de Socrate que la façon dont on doit s'adresser à un garçon dont on espère obtenir les faveurs.

4.3 *Esquisse et anticipation du modèle de l'amitié :* philía, sophía *et utilité (207d-210e)*

Le spectacle de la tendre amitié qui règne entre Lysis et Ménexène contraste singulièrement avec l'expression de l'amour passionné, aveugle et non réciproque qu'Hippothalès éprouve pour Lysis. Socrate profite de l'absence momentanée de Ménexène (207d) pour engager un premier entretien avec Lysis, en qui il a reconnu d'emblée une bonne nature.

4.3.1 *Amitié, savoir et utilité*

On ne saurait trop insister sur l'importance du premier entretien entre Socrate et Lysis, puisqu'il contient déjà, *in nucleo*, les principaux éléments de la conception socratique de l'amitié [2]. La suite du dialogue n'est, à bien des égards, qu'une tentative de réappropriation et d'approfondissement de la position esquissée à l'occasion de cet entretien.

Socrate cherche à faire comprendre à Lysis qu'il n'obtiendra la confiance, l'affection et la *philía* des autres hommes,

1. Cf. *infra*, p. 180-182.
2. Cf. Gonzalez 1995, p. 73 ; 2000, p. 379 ; Narcy 1997, p. 215-217.

qu'il s'agisse de ses parents, de ses concitoyens ou même du Grand Roi, que pour autant qu'il leur soit utile en quelque chose. Or pour être utile aux autres, il faut au préalable acquérir un savoir dont l'exercice leur rendra service. C'est pourquoi Socrate exhorte Lysis à devenir savant : « Il en résulte que si tu deviens savant, mon enfant, tous te seront amis et tous te seront apparentés (*oikeîoi*), car tu seras utile et bon (*khrẽsimos kaì agathós*) ; sinon, personne ne sera ton ami, ni ton père, ni ta mère, ni tes parents (*oikeîoi*) » (210d). Étant donné que cette affirmation énonce, en condensé, l'essentiel de la conception de la *philía* qui sera exposée et approfondie dans la suite du dialogue, il nous paraît indiqué de la commenter en détail.

L'objet de la *philía* correspond au savoir, que Socrate associe étroitement à l'utilité et au bien, sans doute parce que le savoir est à la source de tout ce qui est véritablement bon et utile. Si Lysis devient savant (et, partant, bon et utile), tous les hommes rechercheront son amitié et lui seront apparentés (*oikeîoi*). Autrement dit, celui qui devient savant (et bon et utile) devient pour les autres un objet d'amour et d'amitié, car le bien, ainsi que la suite du dialogue le démontrera, est apparenté (*oikeîon*) à la nature de tous les hommes et c'est pourquoi les hommes, qui ont part au bien sans le posséder tout à fait, y aspirent comme à une partie d'eux-mêmes qui leur fait défaut. Ce n'est certainement pas un hasard si Socrate affirme, en 210d, que les hommes qui recherchent l'amitié de Lysis lui seront également « apparentés » (*oikeîoi*). Le terme *oikeîon*, que nous traduisons ici et ailleurs dans le dialogue par le terme « apparenté », désigne habituellement les proches, les parents, ceux qui appartiennent à la même *oikía* (« maison »). Or les parents passent encore pour être, à l'époque de Platon, les *phíloi* (« amis ») par excellence [1].

---

1. Cf. Xénophon, *Hiéron* III 7 : « Les amitiés (*philíai*) qui semblent les plus stables sont, n'est-ce pas ? celles des parents pour leurs enfants, des enfants pour leurs parents, des frères pour leurs frères, des femmes pour leurs maris, et des camarades (*hetaírous*) pour leurs camarades » (trad. Chambry). Il ne fait aucun doute que cette énumération obéit à un ordre décroissant d'importance, ainsi que le confirme la succession des entretiens consacrés à la *philía* au livre II des *Mémorables*, où Xénophon étudie à tour de rôle les relations entre parents et enfants (II 2), entre frères (II 3) et, enfin, entre camarades (II 4-10).

Le point de vue que Socrate esquisse, dans son premier entretien avec Lysis, et qu'il approfondira dans la suite du dialogue, est passablement subversif à l'endroit de la famille, puisque sa position consiste à dire que ce qui nous est véritablement *phílon* et *oikeîon*, ce ne sont pas nos parents (père et mère), ni notre famille, mais plutôt ce qui nous est plus profondément apparenté (*oikeîon*), c'est-à-dire le savoir et ce qui en découle, soit le bien et l'utilité [1]. Il ne faut donc pas s'offusquer de ce que Socrate affirme à Lysis que s'il ne devient pas savant (donc ni bon ni utile), personne ne sera son ami, pas plus son père, que sa mère et ses autres parents (*oikeîoi*). Le *Lysis* peut donc être lu, dans une large mesure, comme une tentative de substituer à une représentation traditionnelle de la *philía* une conception novatrice, voire subversive, où la *philía* a désormais pour condition ce qui nous est encore plus profondément apparenté que nos parents, à savoir la *sophía* et le bien [2]. Dans le *Phèdre*, Socrate expose à nouveau sa conviction que les liens de *philía* entre les parents (*oikeîoi*) d'une même famille font pâle figure au regard de la *philía* qui règne entre un jeune homme et son amant inspiré par le dieu, c'est-à-dire dévoué à la poursuite du savoir et du bien :

> Or, une fois qu'il [*scil.* le bien-aimé] l'admet près de lui, qu'il accepte de l'écouter et d'entretenir des relations avec lui, la bienveillance de l'amant se manifeste de plus près et trouble le bien-aimé, qui se rend compte que la part d'affection (*moîran philías*) que tous les autres réunis, amis aussi bien que parents (*phíloi te kaì oikeîoi*), lui dispensent n'est rien (*oudemían*), si on le compare à celle que procure l'ami possédé par un dieu (*éntheon phílon*) [3].

Certains commentateurs [4] se refusent à croire que Socrate parle sérieusement lorsqu'il prévient Lysis que son père et sa mère lui retireront son affection s'il ne devient pas savant, bon (à quelque chose) et utile. Il est possible que cette affirmation soit délibérément excessive

---

1. Cf. 210c et n. 56.
2. Cf. Gonzalez 1995, p. 74 ; 2000, p. 382-383.
3. 255b, trad. Brisson.
4. Cf. Price 1989, p. 3 ; Smith-Pangle 2001, p. 312 n. 12.

et qu'elle soit à mettre au compte de l'âge de Lysis ; autrement dit, Socrate userait d'une menace hyperbolique pour exhorter Lysis à la sagesse, un peu à la façon dont on fait parfois peur aux enfants lorsque, exaspérés par leur refus obstiné de manger des légumes, on leur affirme, sur le ton de la menace, qu'ils demeureront petits. Mais, plus fondamentalement, nous avons au moins deux bonnes raisons de prendre cette affirmation au pied de la lettre et de croire que Socrate est tout à fait sérieux [1]. Premièrement, cette menace est réversible – les parents de Lysis ne mériteront plus sa *philía* s'ils s'avèrent inutiles –, ainsi qu'il ressort d'un passage des *Mémorables* (I 2, 51-55) qui rapporte une accusation dirigée contre la conception socratique de l'amitié [2]. Deuxièmement, faut-il rappeler que Socrate, dans la *République* (V 460b-461e), s'oppose à ce que les enfants des gardiens connaissent leurs véritables parents, ce qui revient à prôner la disparition de la famille traditionnelle [3] ? La méfiance de Platon à l'endroit de la famille serait donc déjà perceptible dans le *Lysis*, dont la rédaction n'est peut-être pas très éloignée de celle de la *République*. Chose certaine, l'une des principales leçons du *Lysis* est que la véritable *philía* ne réside pas dans les liens de parenté créés par les hasards de la procréation, mais dans la parenté plus profonde qui nous unit nécessairement au savoir et au bien [4].

Certains commentateurs répugnent à accorder beaucoup d'importance à l'affirmation de Socrate, en 210d, sous prétexte que ce passage formulerait une conception utilitariste de l'amitié. À les en croire, il s'agirait d'un utilitarisme étroit que Platon rejette et qui serait d'ailleurs dépassé et surmonté dans la suite du dialogue [5]. Cette appréciation nous paraît erronée pour différentes raisons.

1. Cf. aussi Gonzalez 2000, p. 381 n. 7.
2. Cf. *infra*, section 4.3.3.
3. Cf. aussi *Timée* 18c-d.
4. La position d'Épictète, dans les *Entretiens*, serait ainsi en continuité avec celle de Socrate : « Voilà pourquoi on préfère le bien à tous les liens du sang. Mon père n'est rien pour moi, mais seulement le bien » (III 3, 5 ; trad. Souilhé).
5. Cf. Hoerber 1959, p. 23 ; Vicaire 1963, p. 67 ; Kahn 1996, p. 282 et les auteurs mentionnés par Gonzalez 1995, p. 87 n. 39.

Premièrement, il est inexact d'affirmer que Socrate défend une conception étroitement utilitariste de la *philía*. Contrairement à ce que ces commentateurs [1] affirment ou insinuent, ce n'est pas l'utilité que Socrate présente comme le fondement de l'amitié, mais le savoir. Comme le savoir est à la source de tout ce qui est bon et utile, il est la condition de l'utilité. C'est donc à tort que l'on impute à Platon une conception de la *philía* fondée sur l'utilité. Deuxièmement, l'utilité à laquelle songe Platon, et dont il reconnaît qu'elle est une composante de l'amitié, n'est pas un avantage matériel, mais bien une utilité d'ordre moral [2], qui est le seul type d'utilité qui compte aux yeux de Socrate. Cette utilité morale n'a donc qu'un rapport purement homonymique avec l'utilité matérielle qui est, selon Aristote, au fondement de plusieurs amitiés intéressées entre les hommes [3]. Ce genre d'amitié, observe justement Aristote, ne dure pas plus longtemps que ce que dure l'intérêt qui a poussé deux hommes à devenir amis. Or Aristote est lui-même soucieux d'intégrer l'utilité morale à l'amitié vertueuse : après avoir distingué, dans un premier temps, les formes inférieures d'amitié (utilité, plaisir) de la seule forme d'amitié véritable, soit celle qui est fondée sur la vertu, Aristote prend soin de préciser que l'amitié vertueuse est également source de plaisir et d'utilité [4] ; bien sûr, il s'agit d'un plaisir qui est d'une nature plus élevée que le plaisir sensuel recherché par ceux qui s'unissent à cette fin, et, pareillement, d'une utilité qui est inassimilable au profit matériel poursuivi en commun par ceux qui s'associent dans ce but [5]. S'il faut s'offusquer de ce que Socrate présente ici l'utilité comme un attrait qui contribue à rendre aimable celui qui s'est appliqué à devenir savant, alors il faut également blâmer tous les passages, assez nombreux [6], où Socrate affiche sa conviction que la

1. Cf., entre autres, Vlastos 1973, p. 13.
2. Voir, à ce sujet, l'éclairante mise au point de Gonzalez (1995, p. 87 n. 39). Cf. aussi Vlastos 1973, p. 7.
3. Cf. *EN* VIII 3, 1156a10-12 ; 7, 1158a21 ; 10, 1159b12-13.
4. Cf. *EN* VIII 4, 1156b13-16.
5. Sur l'utilité de la vertu, pour soi et pour autrui, cf. *EN* IX 8, 1169a6-13.
6. Cf. *Charmide* 169b et les références signalées *ad loc.* (p. 102 n. 158).

vertu est éminemment utile à l'homme, dans la mesure où elle lui permet d'être meilleur, d'effectuer les bons choix et, enfin, d'être heureux. Répétons-le avec insistance : c'est une utilité morale, et non matérielle, que Socrate a en vue, et si la prise en considération d'une utilité de ce genre, dans une réflexion sur l'amitié, semble encore trop bassement intéressée pour certains commentateurs contemporains qui jouent aux belles âmes et qui poussent les hauts cris au nom d'une amitié exsangue à force d'être désincarnée, ils ne doivent pas s'arrêter à mi-chemin et se contenter de demi-mesures : c'est toute la philosophie de Socrate, et sans doute aussi celle de Platon [1], qu'il leur faut condamner.

Socrate a donc bel et bien accédé à la demande d'Hippothalès qui le priait de lui indiquer ce qu'il faut faire et dire pour obtenir les faveurs d'un garçon (206c). La réponse à cette demande se trouve dans le discours de Socrate à Lysis, discours qui s'adresse en fait aussi bien à Hippothalès qu'à Lysis : en discutant avec celui-ci, Socrate montre à Hippothalès ce qu'il faut dire à l'aimé pour le séduire, et comment il faut le lui dire. Plutôt que de faire son éloge et d'ainsi flatter son orgueil, ce qui a pour effet d'en rendre la « capture » encore plus difficile, il faut plutôt l'humilier et l'inciter à la modestie. La preuve que cette façon de faire est efficace nous est fournie par le dialogue lui-même. La confirmation pragmatique de l'efficacité du discours de Socrate est qu'il lui a suffi d'un seul discours, lors de sa toute première rencontre avec Lysis,

---

1. Dans la *République* (VI 505a-b), Socrate affirme que l'Idée du Bien est la source de l'utilité de toutes les vertus et que sans la connaissance de cette Idée fondatrice, la connaissance de tout le reste, y compris des vertus, est sans utilité. Le lien entre le bien et l'utilité peut se comprendre comme suit : être bon, c'est nécessairement être bon à quelque chose, donc utile à quelque chose. Un bien qui serait inutile, c'est-à-dire bon à rien, ne serait pas un bien. L'utilité du bien vient également de son caractère architectonique : lui seul peut fixer les objectifs que doivent poursuivre les sciences et les techniques pour qu'elles contribuent au bien de l'homme et de la cité (cf. Introduction au *Charmide*, p. 69-70). Le lien entre le bien et l'utilité, que Socrate établit en 210d (*khrêsimos kaì agathós*), réapparaît de loin en loin dans plusieurs dialogues de Platon (cf. *Charmide* 164b, 169b ; *Prot.* 333d-334a, 358b ; *Hippias maj.* 296e, 303e ; *Gorg.* 477a, 499d ; *Euthyd.* 280b, 292a, 292d ; *Ménon* 87e, 96e-97a, 98c, 98e, 99b ; *Rép.* II 379b ; V 461a ; X 608e). Voir aussi *infra*, 204b-c et n. 12.

pour gagner la *philía* de ce dernier. D'autre part, et en
même temps, le discours que Socrate tient à Lysis est une
réponse à la question relative à ce qu'il faut faire pour
gagner l'amitié de quelqu'un. Pour être aimable aux
autres, il faut devenir savant et compétent, car c'est ainsi
que l'on deviendra utile et bon. Si l'on examine attentivement les nombreux exemples que Socrate soumet à Lysis,
on constate qu'ils concernent tous des actions et des
activités ; or pour s'adonner à ces activités d'une façon qui
soit utile, il faut détenir la compétence appropriée. Ce discours sur ce qu'il faut faire pour devenir aimable s'adresse
à la fois à Lysis et à Hippothalès, mais il est clair que ce
deuxième volet de la réponse de Socrate échappe à Hippothalès, qui retient uniquement, du discours de Socrate, la
façon dont on doit s'adresser à l'aimé, comme si la séduction tenait uniquement à une façon de parler et non pas
également à une manière d'être. Bref, Hippothalès n'a
manifestement pas compris qu'il a lui aussi à devenir
aimable et que s'il ne s'applique pas à devenir savant,
toutes ses tentatives de séduction sont vouées à l'échec.

Quant à Lysis, il n'aura donc eu droit, semble-t-il, qu'à
l'un des deux volets de la réponse de Socrate, c'est-à-dire
qu'il n'a eu connaissance que de ce que l'on doit faire
pour mériter ou s'attirer la *philía* des autres. Cela
s'explique, en un sens, par l'âge même de Lysis : comme
il n'est encore qu'un jeune adolescent, il serait sans doute
prématuré de lui enseigner par quels artifices oratoires il
pourra séduire l'aimé ; il importe avant tout, vu son jeune
âge, qu'il s'applique lui-même à mériter la *philía* des
autres. De ce qu'il faut faire et de ce qu'il faut dire pour
gagner l'amitié des autres, c'est certainement le premier
qui importe le plus et auquel il faut s'appliquer en tout premier lieu. De ce point de vue, Lysis n'a pas à se désoler de
n'avoir eu droit qu'à l'un des deux volets de la réponse de
Socrate à Hippothalès. En effet, Hippothalès n'a retenu
que l'autre volet (comment s'adresser au bien-aimé), sans
comprendre que cette parole est vaine si elle n'est pas soutenue par une aspiration au savoir et au bien.

4.3.2 L'absence de l'élegkhos

D'un point de vue formel, l'entretien entre Socrate et Lysis a ceci de remarquable qu'il s'agit d'un entretien non réfutatif. Cette longue discussion se déroule paisiblement, sans heurt, et surtout sans que Socrate soumette Lysis à l'une de ces réfutations implacables dont il a le secret. Dans les autres dialogues de jeunesse, notamment le *Charmide*, le *Lachès* et l'*Euthyphron*, la réfutation est la méthode d'argumentation à laquelle Socrate fait appel aussitôt que ses interlocuteurs ont formulé une tentative de définition. Pour qu'il y ait *élegkhos*, il faut que l'interlocuteur soutienne une thèse et qu'il ait manifesté une certaine prétention au savoir, si timide soit-elle. L'*élegkhos* est donc privé d'objet sur lequel s'exercer si l'interlocuteur ne formule aucune thèse et ne prétend répondre d'aucun savoir. C'est précisément le cas de Lysis : il ne défend aucune position qui deviendrait, par le fait même qu'il revendiquerait un savoir, la cible de l'*élegkhos* socratique. Tout se passe comme si Socrate, dès lors qu'il engage la discussion avec Lysis, avait l'intention d'édifier et d'instruire son jeune interlocuteur, et que l'*élegkhos* lui semblait, à cette fin, une méthode d'argumentation inappropriée. Or l'*élegkhos* était justement conçu, dans les premiers dialogues, comme une étape préliminaire et nécessaire à l'acquisition de la vertu. En n'ayant pas recours à l'*élegkhos*, alors qu'il cherche à édifier son jeune interlocuteur et à l'exhorter au savoir, Socrate semble reconnaître que l'*élegkhos* n'est plus une méthode d'argumentation appropriée pour rendre ses interlocuteurs vertueux. Comme nous le verrons sous peu, à l'occasion de l'analyse de l'entretien entre Socrate et Ménexène, l'*élegkhos* ne semble plus convenir qu'à administrer une « correction ». En outre, si l'on considère que Platon ne fait plus que très occasionnellement appel à l'*élegkhos* dans les dialogues de la maturité, on peut légitimement se demander si cette désaffection à l'endroit de l'*élegkhos* n'est pas déjà sensible dans le *Lysis*, lequel se distinguerait donc, sur ce point, de la plupart des dialogues de jeunesse. Ce n'est donc pas seulement d'un point de vue doctrinal que le *Lysis* s'apparente à certains dialogues plus tardifs, comme le *Banquet* et la *République*, mais aussi d'un point de vue formel et argumentatif [1].

Étant donné que Platon n'a pas lui-même exposé les raisons pour lesquelles il s'est progressivement détourné de l'*élegkhos*, nous sommes contraints d'avancer des hypothèses pour rendre compte de ce fait. Il ne fait aucun doute que Platon a longtemps cru que l'*élegkhos* était un instrument pédagogique approprié pour conduire les interlocuteurs à la vertu ; mais les réactions très négatives que l'*élegkhos* suscitait le plus souvent chez les individus réfutés ont probablement conduit Platon à prendre ses distances vis-à-vis de l'*élegkhos* et à mettre au point un autre type de discours, plus propre à communiquer la vertu [2]. Dans les *Mémorables* (I 4, 1), Xénophon rapporte la critique de ceux qui reprochent à l'*élegkhos* socratique son impuissance à transmettre la vertu.

4.3.3 La dimension apologétique

Une importante dimension de l'entretien entre Socrate et Lysis risque de passer inaperçue si l'on ne fait pas appel aux *Mémorables* de Xénophon. Il est remarquable que l'exposé sur la *philía* débute, dans ces deux textes, par un entretien sur les relations familiales [3], plus particulièrement sur les relations

1. Sur l'absence de l'*élegkhos* dans le *Lysis*, cf. G. Vlastos, « The Socratic elenchus », in *Oxford Studies in Ancient Philosophy*, 1983 (1) p. 57-58 ; Vlastos 1994, p. 163, 164 n. 47, 403 n. 171 ; *Socratic Studies*, Cambridge, 1994, p. 31. En sens contraire, cf. Renaud 2002. Il nous paraît excessif d'affirmer, comme Vlastos, que le *Lysis* ne contient pas d'*élegkhos*. Outre que le premier entretien avec Ménexène (211a-213d) est un bel échantillon de réfutation éristique, les occurrences du verbe *elégkhein* (« réfuter ») présentes dans le dialogue (211d, 222d) attestent que Platon regardait certains échanges comme des réfutations. Ce qui nous paraît admirable et digne d'être souligné avec insistance, c'est que le premier entretien avec Lysis ne se présente pas sous la forme d'un *élegkhos*.
2. Cf. L.-A. Dorion et M. Bandini, *Xénophon : Mémorables*, tome I : *Introduction générale et Livre I*, Paris, Les Belles Lettres, 2000, p. CXXVI-CXLIV. Voir aussi *supra*, Introduction au *Charmide*, p. 65 n. 1.
3. Cf. *Mém.* II 2-3.

parents/enfants. Pour les Grecs, les relations familiales
ressortissent à la *philía* et les parents (père, mère,
frères, sœurs, etc.) sont d'emblée considérés comme
des *phíloi*, de sorte qu'il ne faut pas s'étonner si un
entretien sur la *philía* se penche sur les relations familiales. Mais alors que Xénophon considère que c'est au
sein de la famille que l'on trouve les liens les plus
étroits et les plus stables de *philía* [1], Platon considère au
contraire que ce qui nous est le plus ami, c'est-à-dire le
plus « parent » (*oikeîon*), n'est pas à chercher du côté
de la famille, mais du bien. Il ne fait aucun doute que la
doctrine de la *philía* exposée dans le *Lysis* est à bien des
égards subversive à l'endroit de la famille. Non seulement Platon cherche à substituer à l'*oikeîon*/famille une
autre conception de l'*oikeîon*, complètement affranchie
des liens de parenté, mais sa conception de la *philía* est
subversive à l'endroit de l'autorité parentale. L'une des
principales leçons du premier entretien avec Lysis est
que le lien de parenté, considéré en lui-même, ne suffit
pas à fonder la *philía* entre les parents et les enfants. Il
faut qu'il s'y ajoute, et c'est là une condition essentielle
de toute relation de *philía*, l'utilité fondée sur le savoir
(*sophía*). Bien que cette conclusion ne soit pas tirée
explicitement, Socrate semble ainsi contester l'autorité
des parents. On pourrait, bien sûr, nous objecter que
Socrate n'invite pas Lysis à retirer son affection à ses
parents si ceux-ci se révélaient inutiles, mais qu'il
l'exhorte plutôt, au contraire, à devenir utile afin de
mériter la *philía* de ses parents, comme si ces derniers,
eux, étaient nécessairement utiles et méritaient toujours
l'affection de leurs enfants. En apparence, Socrate considère uniquement la question de savoir comment Lysis
peut se montrer digne de la *philía* de ses parents, et non
pas si ses parents méritent son affection. Cette dernière
question, qui n'est pas soulevée directement dans le
premier entretien, découle cependant de la conclusion
de ce même entretien. Si la condition *sine qua non* de
toute *philía* est l'utilité fondée sur le savoir, il n'y a
aucune raison que les parents soient soustraits à cette

---

1. Cf. *supra*, p. 176 n. 1.

condition, si bien qu'un enfant pourrait retirer à ses parents, pour peu qu'ils s'avèrent inutiles, la *philía* qu'il leur témoignait jusqu'alors [1]. Or c'est précisément cela – le fait d'encourager des fils à retirer leur *philía* à des parents jugés inutiles – que d'aucuns [2], suivant le témoignage de Xénophon [3], ont reproché à Socrate.

Il est assez troublant de constater que Xénophon ne conteste pas que Socrate ait soutenu que les pères et les parents ne méritaient la considération de leurs enfants qu'à proportion de leur utilité. On voit à quel point Platon se montre beaucoup plus prudent que Xénophon ; non seulement Xénophon rapporte une accusation dont nous avons toute raison de croire qu'elle a réellement été portée contre Socrate, mais il accepte également, du seul fait qu'il s'efforce de réfuter cette accusation, de se placer sur le terrain des accusateurs, ce qui lui fait courir le risque de proposer une défense qui ne parvienne pas à surmonter l'accusation et qui en accréditerait ainsi, d'une certaine façon, le bien-fondé. C'est là un risque que Platon évite soigneusement : il ne rapporte pas l'accusation qui reproche à Socrate d'opérer un véritable « détournement » de *philía* à son profit et aux dépens des parents de ses disciples, et son argumentation laisse uniquement entendre, du moins en apparence, qu'il appartient aux enfants de se montrer dignes de la *philía* de leurs parents, et non pas aux parents de mériter la *philía* de leurs enfants. Or que les parents doivent également mériter la *philía* de leurs enfants, c'est ce qui découle pourtant de la conclusion générale de l'entretien avec Lysis. D'un point de vue apologétique, l'argumentation du *Lysis* paraît donc nettement supérieure à celle des *Mémorables*, car Platon parvient subrepticement au même résultat – les parents doivent être utiles pour mériter la *philía* de leurs enfants

---

1. Cf. aussi Gonzalez 2000, p. 383, 389.

2. Il s'agit du rhéteur Polycrate, auteur d'une *Accusation de Socrate* que Xénophon s'efforce de réfuter (cf. *Mém.* I 2, 9-64). Voir aussi *supra*, Introduction au *Charmide*, p. 48.

3. Cf. *Mém.* I 2, 51-55.

– sans jamais prendre le risque de l'exprimer noir sur blanc [1].

4.4 *Fausses pistes (211a-216b)*

Avant d'entreprendre, à partir de 216c, l'exposé de sa propre conception de la *philía*, Socrate s'emploie à mettre en lumière l'inutilité d'une méthode concurrente (l'éristique), ainsi que les difficultés liées aux principales conceptions qui avaient cours sur la nature et l'identité des termes engagés dans une relation de *philía*.

4.4.1 *Une leçon d'éristique (211a-213d)*

Ménexène n'a pas assisté à l'entretien entre Socrate et Lysis, de sorte qu'il n'a pas pu en profiter et en tirer la leçon. Aussi ne faut-il pas s'étonner si le premier entretien avec Ménexène marque une certaine régression, voire un retour à la case départ. Platon s'est manifestement appliqué à opposer l'entretien avec Lysis à celui avec Ménexène, et ce, sur le plan de la forme aussi bien que du contenu. Alors que les deux jeunes amis ne savent pas par où ils se distinguent (207c), si bien qu'ils donnent l'impression d'être égaux en toutes choses, Socrate les perçoit si peu comme des égaux, eu égard, du moins, à leurs dispositions respectives envers la philosophie, qu'il leur réserve, à l'un et l'autre, des traitements fort inégaux. Alors que l'entretien avec Lysis est linéaire, dépourvu d'agressivité, non réfutatif et qu'il prend fin sur une conclusion positive, la discussion avec Ménexène, qui est d'emblée placée sous le signe de la confrontation, se présente comme une suite d'*élegkhoi* qui se succèdent les uns

---

1. L'accusation portée contre Socrate préfigure celle dont Zénon de Kition sera la cible. Il lui fut en effet reproché, selon Diogène Laërce, d'avoir soutenu « que tous ceux qui ne sont pas bons sont des ennemis, des adversaires, des esclaves et des étrangers les uns pour les autres, que ce soient les parents pour leurs enfants, les frères ou les familiers entre eux. À nouveau, dans la *République*, il présente les bons comme les seuls qui soient citoyens, amis, familiers et libres, de sorte que pour les Stoïciens les parents et les enfants sont des ennemis les uns pour les autres, car ils ne sont pas sages » (VII 32-33 ; trad. Goulet).

aux autres de façon à décrire un parcours sinueux et laby-
rinthique, dont l'issue finale, loin d'être positive, est le
constat d'une aporie et d'un échec. Le contraste entre ces
deux entretiens est à ce point frappant, alors que l'on a
affaire à deux interlocuteurs du même âge qui sont de très
bons amis, que l'on est en droit de se demander ce qui justifie, de la part de Socrate, un traitement aussi inégal de
jeunes amis qui apparaissent comme des égaux.

La façon dont Socrate s'adresse aux garçons doit être
déterminée, si elle ne relève pas de l'arbitraire ou du
caprice, par le jugement qu'il porte sur eux avant d'engager la discussion avec l'un et l'autre. De fait, chacun des
deux entretiens est précédé d'un court passage où Socrate
prend la mesure de son interlocuteur et c'est précisément
cette « évaluation » qui lui permet d'ajuster son discours à
son interlocuteur. Avant même d'adresser la parole à
Lysis, Socrate a été vivement impressionné par l'attitude
et la réserve de l'adolescent, au point même qu'il le qualifie de *kalós kagathós* (207a). Ce jugement favorable est
sans doute ce qui détermine la discussion positive et constructive que Socrate engage avec Lysis. Il en va tout autrement pour Ménexène : Socrate le présente comme un éristique (211b), c'est-à-dire comme un dialecticien retors,
très versé dans la pratique de la réfutation pour elle-même.
Il n'en faut pas plus pour que Socrate sache à quoi s'en
tenir et pour qu'il détermine le type d'entretien qu'il aura
avec ce jeune « disputeur ». Après avoir feint d'être inti-
midé par la réputation de redoutable jouteur que s'est
taillée l'adolescent, Socrate passe à l'attaque, avec le
dessein bien arrêté de servir une leçon d'éristique à
Ménexène [1]. Il ne faut donc pas s'étonner si la discussion
qui s'engage ne conduit nulle part et si elle comporte un
lot de sophismes. Socrate veut en effet administrer une
leçon, ou, si l'on préfère, donner une « raclée » au jeune
Ménexène, d'abord pour lui montrer qu'il est encore plus
féru que lui en matière d'éristique, ensuite, et surtout, pour
lui faire comprendre que l'éristique, dont le but exclusif
est la réfutation coûte que coûte de l'interlocuteur, n'est
pas une méthode d'argumentation appropriée lorsque la

---

1. Cf. 211c et n. 74.

discussion est entendue comme une recherche poursuivie en commun [1]. L'échec de la discussion, qui n'échappe pas à la sagacité de Lysis (213d), était en fait prévisible, puisqu'il était programmé dès le départ, c'est-à-dire dès le moment où Socrate, comprenant qu'il avait affaire à un éristique, résolut de le prendre à son propre jeu.

Il n'est pas indifférent que Ménexène ait appris l'éristique auprès de son oncle Ctésippe (211c). La compétence de Ctésippe en matière d'éristique remonte à l'*Euthydème*, où il participe, en compagnie de Socrate, à un entretien avec Euthydème et Dionysodore, deux frères qui font profession d'enseigner l'éristique. Ce renvoi explicite du *Lysis* à l'*Euthydème* permet d'effectuer un rapprochement entre, d'une part, les deux types de discours que Socrate utilise avec ses jeunes interlocuteurs (Lysis et Ménexène), et, d'autre part, les deux types de protreptique que Platon oppose l'un à l'autre dans l'*Euthydème*. Lorsque les deux frères s'adressent au jeune Clinias, dans l'*Euthydème*, ils emploient une dialectique réfutative qui a pour seul résultat de laisser le jeune homme complètement hébété (275c-277d). À cette forme d'éristique stérile, qui pratique la réfutation pour elle-même, Socrate préfère une dialectique plus constructive, plus didactique, qui permet à Clinias de découvrir certaines vérités essentielles (278d-282e). La même opposition entre les deux mêmes types de discours est présente dans le *Lysis*, à cette différence que c'est Socrate qui use tour à tour, au gré de son appréciation des qualités de son interlocuteur, des deux types de discours. L'opposition que l'*Euthydème* situe, par rapport à un même interlocuteur (Clinias), dans une différence de méthodes, incarnée pour l'une par les éristiques, pour l'autre par Socrate, devient plutôt, dans le *Lysis*, une différence d'approche qui est dictée par la différence d'aptitude qu'un seul et même meneur de jeu (Socrate) croit percevoir chez ses interlocuteurs successifs. En tout état de cause, le *Lysis* et l'*Euthydème* témoignent tous deux, de la part de Platon, d'une méfiance inédite à l'endroit de l'*élegkhos*. Le type de discours qui semble désormais le plus

---

1. Cf. Bordt 1998, p. 148 ; 2000, p. 159. Sur la discussion comme recherche commune, cf. *Charmide* 158d et n. 58 de la traduction.

approprié pour le protreptique, c'est-à-dire pour l'exhortation et l'édification d'un jeune interlocuteur doué, n'est plus l'*élegkhos*, mais une forme de maïeutique bienveillante qui conduit à des résultats positifs. Par où l'on voit, une fois de plus, que le *Lysis* se démarque des autres dialogues de jeunesse.

En ce qui a trait au contenu même de cet entretien, la question soulevée est celle de savoir si l'ami est celui qui aime, ou celui qui est aimé, ou les deux indifféremment (212b). Au cours d'une discussion propre à donner le tournis, où il ne songe qu'à réfuter le pauvre Ménexène, Socrate « démontre » tour à tour que l'ami n'est ni celui qui aime, ni celui qui est aimé, ni l'un et l'autre indifféremment, de sorte que l'on ne voit plus qui pourrait bien être l'ami ! L'échec (programmé) de la discussion avec Ménexène tient à ce qui est, aux yeux de Socrate, le principal défaut de l'éristique, à savoir le caractère purement verbal de cette forme de dialectique [1]. Si ceux qui participent à l'examen d'une question s'adonnent à une dialectique malveillante qui se contente de glisser à la surface des mots, sans jamais considérer la chose même en question, il n'y a rien d'autre à attendre de ce genre d'entretien que des réfutations en cascades qui ne font pas progresser la recherche d'un iota. La suite du dialogue démontrera qu'il faut nécessairement tenir compte, dans une explication du fondement de l'amitié, de ces trois points de vue : celui qui aime (le sujet), ce qui est aimé (l'objet) et la réciprocité. On n'a donc pas à retenir, parmi les trois possibilités mentionnées par Socrate, une possibilité à l'exclusion des autres. Plus fondamentalement encore, cet entretien avec Ménexène commet l'erreur d'analyser une relation d'amitié comme s'il était évident qu'il s'agissait d'une relation entre deux termes, alors que l'on sait déjà, depuis l'entretien avec Lysis, qu'une relation de *philía* met en jeu trois termes, à savoir les deux amis (ou les deux amoureux) et ce qui se trouve au fondement de leur attirance réciproque. Ce troisième terme, qui a été dévoilé au cours de ce premier entretien, et que le dialogue doit maintenant se réapproprier, est le savoir qui est à la source de tout bien

---

1. Cf. Gonzalez 1995, p. 76.

et de toute utilité véritable. Comme cet entretien avec Ménexène fait complètement abstraction de l'élément qui motive la *philía* entre deux êtres [1], il n'est pas étonnant que la discussion tourne court et ne parvienne pas à répondre à la question initiale.

Avant de passer à l'étape suivante du dialogue, il faut traiter du passage 212d, où Socrate semble rejeter l'hypothèse de la réciprocité. La position de Platon, en ce qui a trait à la réciprocité, n'est pas la même selon qu'il considère la relation entre deux hommes ou celle qu'ils entretiennent à l'endroit du troisième terme qui est au fondement de leur *philía*. La première relation est nécessairement réciproque, alors que la seconde ne peut pas l'être. Pour démontrer qu'il existe des relations de *philía* non réciproques, Socrate énumère, en 212d, six objets de *philía* qui se répartissent en deux groupes, soit trois animaux (chevaux, cailles et chiens) et trois objets inanimés (vin, gymnastique et savoir). L'argument de Socrate vise à montrer, contre le réquisit de la réciprocité, que l'homme peut aimer une chose, aussi bien animée qu'inanimée, sans que cette chose l'aime en retour. La réciprocité ne serait donc pas indispensable à la relation de *philía*. Si Socrate avait voulu montrer que la réciprocité n'est pas une caractéristique essentielle à toute relation de *philía* entre hommes, il aurait fallu qu'il eût recours, plutôt qu'à des exemples d'affection pour des objets inanimés et des animaux, à des cas d'amitié non réciproque entre hommes. Or le but de Socrate n'est pas de montrer que la réciprocité n'est pas une caractéristique essentielle de la *philía* entre hommes – car il ne fait aucun doute qu'elle en est une [2] –, mais plutôt qu'il peut y avoir, à l'extérieur des relations humaines, des liens de *philía* où la réciprocité est absente. Il est en fait primordial, pour Socrate, d'insister sur la pos-

---

1. Cf. Fraisse 1974, p. 133 : « Pour rendre compte de l'existence de la *philía*, on ne peut s'arrêter ni à l'aimant, ni à l'aimé, ni à la relation amicale elle-même : aimer, être aimé, être amis semblent procéder d'une activité *qui oriente l'homme vers autre chose que lui-même*, autre chose qui peut à la rigueur lui être indifférent, mais non hostile » (nous soulignons). Voir aussi p. 148 : Platon « refuse de faire de l'amitié humaine quelque chose qui contient en soi-même sa raison d'être ».

2. Cf. 212a, 222a et 223b.

sibilité de ce genre de relation de *philía* dépourvue de réciprocité. Si le premier objet d'amour (*prôton phílon*), qui correspond au terme ultime de toutes nos aspirations, n'est pas un être humain, il est impératif qu'une relation de *philía* non réciproque puisse s'établir entre l'homme et le *prôton phílon*. Ce passage-ci ne doit donc pas être lu comme une exclusion de la réciprocité entre les hommes (elle est au contraire essentielle), mais comme une anticipation du passage (219b-220b) où Socrate établira que toute relation de *philía* entre hommes se fonde sur une aspiration commune à un bien qui les dépasse et qui ne peut pas leur rendre l'amour dont il est l'objet.

Il ne fait aucun doute que la réciprocité constitue, aux yeux du Socrate de Xénophon, une condition essentielle de l'amitié [1]. De même, dans un passage qui semble bien être une réplique à la position développée par Socrate dans le *Lysis*, Aristote affirme clairement qu'il n'y a pas d'amitié pour les choses inanimées et que l'amitié entre hommes suppose la réciprocité [2].

4.4.2 L'amitié entre semblables (213d-215c)

Reprenant la discussion avec Lysis, Socrate lui propose d'examiner les maximes prêtées aux poètes et aux sages, suivant lesquels c'est le semblable qui devient l'ami du semblable. Ce serait donc à partir et sur le fond d'une certaine ressemblance que deux êtres peuvent nouer entre eux des liens d'amitié. Socrate n'a pas sitôt rapporté cette position qu'il en entreprend la critique : ce ne sont pas tous les semblables qui peuvent être amis entre eux, car les hommes méchants, tout semblables qu'ils soient, ne peuvent pas être amis ; en outre, il n'est même pas assuré que les bons, qui sont semblables en tant qu'ils sont bons, peuvent être amis entre eux. Pour rejeter cette possibilité, qui semblait être la seule qui pût être retenue, Socrate développe deux arguments : 1) dans la mesure où ils sont semblables, deux hommes ne peuvent pas se rendre l'un à l'autre des services qu'ils ne pourraient pas se rendre à eux-mêmes (214e-215a). 2) Les bons se suffisent à eux-

---

1. Cf. *Mém.* II 6, 4 ; IV 4, 24 ; *Économique* V 12.
2. Cf. *EN* VIII 2, 1155b27-1156a5 ; *EE* VII 2, 1236a10-15.

mêmes sous le rapport de la bonté, de sorte qu'ils n'ont aucun avantage ni aucun profit à attendre des autres (215a-c). Pour être parfaitement intelligible, cet argument a besoin d'un complément. On voit mal, si l'on ne considère que 215a-c, comment Socrate peut se croire autorisé à conclure, de ce qu'une personne est bonne, qu'elle est également, pour cette raison même, autarcique et qu'elle ne peut attendre aucun profit d'autrui [1]. Cet argument doit être lu à la lumière de 210d, où Socrate affirme à Lysis que le savoir le rendra bon et utile. Si le bien a pour corollaire l'utilité, l'argument de 215a peut se reformuler ainsi : si un homme est bon, il est également utile, et s'il est entièrement bon, il recèle en lui-même toute forme d'utilité, de sorte que les autres ne peuvent lui être d'aucune utilité.

Les deux arguments que nous venons de présenter nécessitent un examen détaillé. En ce qui a trait au premier argument, ce qui permet à Socrate de rejeter la possibilité que les semblables puissent être amis entre eux, sous prétexte qu'ils n'ont rien à attendre de l'autre qu'ils ne possèdent déjà eux-mêmes, c'est la confusion entre « semblable » et « identique ». Si l'on comprend « semblable » comme « identique », on peut en effet se demander ce qu'un autre identique à soi peut nous apporter que nous n'ayons pas déjà. Mais comme le semblable n'est pas l'identique, il comporte une part d'altérité qui peut précisément pourvoir à ce qui nous manque. L'assimilation frauduleuse du semblable à l'identique a été dénoncée par de nombreux commentateurs [2]. Et quand bien même l'autre serait l'identique (au sens aristotélicien d'un « autre moi-même »), qu'est-ce qui empêche qu'il puisse à l'occasion rendre service dans des circonstances où l'on ne peut pas se porter secours à soi-même ? L'argument de Socrate paraît non seulement contre-intuitif, dans la mesure où l'expérience la plus courante démontre que l'ami, qu'il soit le semblable ou l'identique, est souvent celui qui peut nous venir

---

1. Cf. Price 1989, p. 5 n. 6 : « Socrates says nothing to make precise or plausible the premiss that good men are self-sufficient. »
2. Cf., entre autres, Hoerber 1959, p. 23 ; Levin 1971, p. 246 ; Versenyi 1975, p. 191 ; Guthrie 1975, p. 147 ; Robinson 1986, p. 72.

en aide dans des circonstances où nous sommes dans l'impossibilité d'agir, mais aussi purement verbal, puisqu'il n'accorde aucune importance aux circonstances effectives où un ami se révèle utile. Il ne fait aucun doute, enfin, que Platon a parfois conçu l'amitié comme une forme de ressemblance, et soutenu que l'amitié unissait des semblables [1]. Dans les *Lois* (IV 716c-d), l'Athénien affirme que l'homme sage (*sóphrōn*) est l'ami du dieu (*theôi phílos*), car il lui ressemble (*hómoios*). La ressemblance est donc présentée comme cela même qui permet l'amitié entre l'homme et la divinité. Ce passage des *Lois* est lui-même à rapprocher du *Théétète* (176a), où Socrate invite l'homme à s'assimiler au dieu autant qu'il est possible (*homoíōsis theôi katà tò dunatón*). C'est par la pratique de la justice et des autres vertus morales que l'homme deviendra semblable au dieu et qu'il s'assimilera à lui. En pratiquant les vertus, l'homme devient cher au dieu (*theóphilon*) et c'est ainsi qu'il devient son ami. Chez Platon, le thème de l'assimilation à la divinité est donc étroitement lié à la possibilité même de l'amitié avec dieu. Or Aristote, qui rejette la possibilité d'une forme d'amitié entre dieu et les hommes [2], mais qui reconnaît par ailleurs que l'amitié suppose une certaine ressemblance [3], n'emploie jamais l'expression *homoíōsis theôi*. L'aurait-il employée qu'il aurait ainsi laissé entendre que l'homme peut devenir l'ami de la divinité. Il est sans doute significatif que dans le fameux passage de l'*Éthique à Nicomaque* où il invite l'homme à s'immortaliser dans la mesure du possible [4], Aristote n'écrit pas que l'homme doit s'assimiler au dieu (puisque l'homme ne lui sera jamais semblable), mais plutôt qu'il doit s'efforcer de

---

1. Bordt (2000, p. 166) soutient que Platon reconnaît l'amitié entre semblables dans les passages suivants : *Gorg.* 510b ; *Banq.* 195b ; *Rép.* I 329a ; *Phèdre* 240c et *Lois* VIII 837a. Il faut cependant être prudent avec les passages du *Banquet* (195b) et de la *République* (I 329a) car la thèse de l'amitié entre semblables y est énoncée par des personnages (Agathon et Céphale respectivement) dont on ne peut pas présumer qu'ils expriment le point de vue de Platon. En revanche, il faut ajouter *Gorgias* 513b et *République* IX 590d à la liste de Bordt. Voir aussi *Prot.* 337d.

2. Cf. *EN* VIII 9, 1159a5.

3. Cf., entre autres, *EN* VIII 4.

4. Cf. *EN* X 7, 1177b33.

vivre en fonction de son intellect, qui est le seul trait d'union entre la divinité et lui.

La possibilité de l'amitié entre semblables est reconnue non seulement par d'autres passages du corpus platonicien, mais également dans le *Lysis*. Si, pour peu que l'on nous permette d'anticiper sur la suite du dialogue, le modèle platonicien de l'amitié comporte trois termes (un homme ni bon ni mauvais qui aspire au bien se lie d'amitié avec un autre ni bon ni mauvais qui partage la même aspiration), les deux hommes qui se lient d'amitié sont semblables pour autant qu'ils sont l'un et l'autre ni bons ni mauvais [1]. Il est vrai que Socrate rejette explicitement (216e) la possibilité que le ni bon ni mauvais soit un objet d'amitié pour un autre ni bon ni mauvais, mais ce qu'il rejette, en l'occurrence, c'est plutôt que le ni bon ni mauvais soit le véritable objet d'amitié d'un autre ni bon ni mauvais. Autrement dit, étant donné que Socrate ne situe pas la véritable relation d'amitié dans la liaison entre deux êtres, mais plutôt dans l'aspiration de chacun d'eux à un bien qui les dépasse l'un et l'autre, il se croit justifié de soutenir que la relation de *philía* ne s'établit pas entre semblables. Mais s'il existe néanmoins des liens de *philía* entre les hommes, et que la très grande majorité de ceux-ci entrent dans la catégorie des ni bons ni mauvais, force est d'admettre que l'amitié entre semblables est possible.

Le deuxième argument, qui conclut à l'impossibilité de l'amitié entre les bons, est la première formulation d'une aporie que l'on retrouve dans la plupart des traités ultérieurs consacrés à l'amitié : si le sage est bon, et que sa bonté suffit à son bonheur, est-ce à dire qu'il n'a pas besoin d'amis pour être heureux ? La position de Platon, dans le *Lysis*, est sans équivoque : les hommes bons sont parfaitement autarciques, de sorte qu'ils peuvent très bien se passer de l'amitié. À la différence de Platon, Aristote [2] et Sénèque [3] s'efforcent, tant bien que mal, de réconcilier

1. Cf. Bordt 1998, p. 168, 199 n. 505.
2. Les trois traités éthiques d'Aristote comportent une section consacrée à l'aporie de l'amitié et de l'autarcie (cf. *EN* IX 9 ; *EE* VII 12 ; *GM* II 15).
3. Cf. *Lettres à Lucilius*, IX.

l'autarcie du sage et l'amitié. C'est là une entreprise difficile, ainsi qu'en témoigne leur argumentation embarrassée, car ils souscrivent à la fois à l'idéal d'autarcie et à l'amitié, soit deux modes d'être difficilement conciliables. Si nous avons quelque peine à comprendre le problème de la compatibilité entre l'autarcie et l'amitié, c'est que l'autarcie a cessé d'être, pour nous Modernes, l'idéal qu'elle a longtemps représenté pour les Anciens. Si la philosophie peut s'entendre, selon la formulation du *Théétète* (176a), comme un effort d'assimilation à la divinité, et que l'un des principaux attributs de la divinité est l'autosuffisance [1], il s'ensuit que le sage doit s'appliquer à devenir le plus autarcique possible. Selon la conception que le philosophe se fait de l'autarcie qui est à la portée de l'homme, il considérera que l'amitié est compatible, ou non, avec la recherche de l'autosuffisance.

Plusieurs commentateurs considèrent, à tort selon nous, que l'argument développé par Socrate en 215a-c ne doit pas être pris au pied de la lettre et qu'il ne reflète pas véritablement la pensée de Platon [2]. En d'autres termes, et en dépit des apparences, Platon ne voudrait pas dire que l'homme bon peut se passer de l'amitié. Pour rejeter la lettre même de 215a-c, ces commentateurs avancent les arguments suivants :

1) L'argument que les bons n'ont pas besoin d'amis se fonderait sur le « principe suspect [3] » suivant lequel l'amour a pour fondement l'utilité. Si l'utilité n'est pas une composante essentielle de l'amitié, un argument de Socrate qui

1. Cf. Platon, *Euthyph.* 15a ; Xénophon, *Mém.*, I 6, 10 ; Aristote, *EE* VII 12, 1244b7 ; VIII 3, 1249b13-16 ; *MM* II 15, 1212b35 sq. ; *Politique* I 2, 1253a29 ; Lucien, *Le Cynique* 12 ; Lucrèce I 48, II 650, III 23-24 ; Diogène Laërce VI 104 (Diogène) ; X 139 (Épicure), etc.

2. La question de savoir si Platon admet, ou non, l'amitié entre les bons a fait l'objet d'un passionnant débat, à la fin du XIXᵉ siècle, entre H. von Arnim et M. Pohlenz. Ce débat aux multiples rebondissements a été utilement résumé et analysé par Bolotin (1979, p. 201-225). À en juger par les prises de position conflictuelles que l'on observe encore aujourd'hui, ce débat fait toujours rage : les interprètes continuent de se diviser entre ceux qui croient à l'amitié entre les bons (Kahn 1996 ; Bordt 1998, p. 71-72, 171-172 ; 2000, p. 165 ; Smith-Pangle 2001, p. 319 n. 20) et ceux qui, respectueux de la lettre même du texte, la considèrent impossible (Bolotin 1979, p. 225 ; Gonzalez 1995, p. 77 n. 19 ; 2003, p. 35-36).

3. Cf. Kahn 1996, p. 284.

se fonde sur l'utilité ne doit pas être pris au pied de la lettre ; or comme l'argumentation de Socrate, en 215a-c, se fonde sur l'utilité, et que celle-ci serait un fondement suspect, la conclusion qui découle de l'argumentation – les bons n'ont pas besoin d'amis – doit elle aussi inspirer la méfiance [1]. Si l'on suit ces commentateurs, la raison pour laquelle la position de Socrate, en 215a-c, ne doit pas être prise au pied de la lettre, est qu'elle se fonde sur un autre passage (210c-d) qui ne doit pas non plus être pris au pied de la lettre ! Il est exact que 215a-c doit être lu, et complété, à la lumière de 210c-d [2]. Mais nous ne croyons pas que la position exposée en 210c-d soit « suspecte » et qu'elle invaliderait, pour cette raison, l'argument développé en 215a-c. Contrairement à ce que prétendent ceux qui invoquent 210c-d pour rejeter 215a-c, l'utilité n'a jamais été présentée comme le fondement de l'amitié. De plus, si l'utilité est comprise en termes exclusivement moraux, il n'y a rien de suspect à soutenir que l'utilité découle du savoir et qu'elle contribue à rendre aimable celui qui est devenu savant.

2) La position de Socrate, telle qu'elle est exposée en 215a-c, a également été rejetée sous prétexte qu'elle serait l'expression d'une « fausse anthropologie » [3]. Autrement dit, parce qu'il serait impossible, sur le plan anthropologique, que l'homme puisse être parfaitement autarcique et se passer de toute relation de *philía*, l'affirmation de l'autarcie du bon, en 215a-c, ne devrait pas être imputée à Platon. Mais c'est là confondre deux choses : que nous considérions l'autarcie comme un état inaccessible à l'homme [4] n'entraîne pas pour autant que Platon n'a pas pu considérer qu'un homme autarcique pourrait s'affranchir de toute relation d'amitié. Que Platon ait souscrit à

1. Cf. Kahn 1996, p. 284 et Levin 1971, p. 244-245.
2. Cf. *supra*, p. 192.
3. Cf. Bordt 1998, p. 172.
4. Aristote est l'un des rares philosophes grecs à avoir soutenu que l'autarcie absolue n'était pas à la portée de l'homme (cf. *Politique* I 2, 1253a25-29). Le Stagirite ne renonce toutefois pas à une certaine forme d'autarcie, ainsi que le prouve son plaidoyer en faveur de la vie théorétique (cf. *EN* X 7-9), qui est le mode d'existence qui s'apparente le plus à l'autarcie divine.

l'idéal de l'autarcie, comme l'immense majorité des philosophes grecs, c'est ce dont le passage suivant de la *République* ne permet pas de douter : « Mais nous [*scil.* Socrate] admettons aussi que s'il existe un homme tel qu'il se suffise pleinement lui-même pour bien vivre (*autárkēs pròs tò eû zễn*), et qu'à la différence des autres il ait le moins besoin d'autrui, c'est bien cet homme sage [1]. » Au reste, que la position de 215a-c soit bien à prendre au pied de la lettre est également confirmé par le fait que c'est précisément cette position qu'Aristote conteste dans l'*Éthique à Nicomaque* (IX 9). Si Platon n'avait pas réellement soutenu que l'homme bon est autarcique et qu'il peut donc se passer d'amis, on comprendrait mal qu'Aristote se soit efforcé de démontrer la compatibilité du bonheur, de la vertu et de l'amitié [2]. L'argument de la « fausse anthropologie » montre bien à quel point le problème de l'autarcie, qui est l'une des questions fondamentales de la philosophie antique, nous est devenu étranger. Un exemple parmi d'autres : dans le *Banquet des Sept Sages* de Plutarque, les convives discutent entre eux de la question de savoir si les sages doivent se passer de nourriture [3]. Cette discussion n'a de sens que dans le contexte de l'aspiration à l'autarcie : comme les dieux sont autosuffisants et qu'ils n'ont pas besoin de se nourrir, le sage qui s'applique à leur ressembler devrait, en conséquence, s'émanciper complètement de son besoin de nourriture. On peut certes soutenir qu'il est impossible, sur le plan de l'anthropologie, que des hommes puissent vivre sans s'ali-

1. III 387d-e ; trad. Leroux. L'absence d'amitié chez les sages a été soutenue par deux autres Socratiques, soit Stilpon (Sénèque, *Lettres à Lucilius*, IX 1-3 = *SSR* II O 33) et Théodore (Diogène Laërce II 98 = *SSR* IV H 13).

2. Bien qu'Aristote ne mentionne pas Platon et qu'il ne fait pas non plus directement référence au *Lysis* lorsqu'il rapporte, au début de *EN* IX 9, l'opinion de ceux qui soutiennent que l'homme heureux n'a pas besoin d'amis, nous pouvons considérer qu'il a en vue la position défendue par Socrate dans le *Lysis* (cf. Price 1989, p. 9 ; Gonzalez 1995, p. 87 n. 38 ; S. Stern-Gillet, *Aristotle's philosophy of friendship*, Albany (N.Y.), 1995, p. 125-126). Les livres VIII et IX de l'*Éthique à Nicomaque* abondent en allusions implicites au *Lysis* (cf. *supra*, p. 191 n. 2), mais Aristote n'y fait jamais expressément référence.

3. Cf. §§14-16, 157a-160c.

menter, mais cette impossibilité anthropologique ne signifie pas que Plutarque était ironique lorsqu'il a imaginé
cette conversation, au demeurant passionnante, entre les
sages.

3) Un autre argument, pour rejeter la conclusion de
215a-c, consiste à insister sur les passages, empruntés à
d'autres dialogues [1], où Platon semble reconnaître la possibilité d'une relation de *philía* entre des hommes bons. Si
Platon souscrit ailleurs à l'amitié entre les bons, c'est
donc, croit-on, qu'il n'adhère pas à la position soutenue
par Socrate dans le *Lysis*. C'est à nos yeux une erreur de
privilégier le témoignage des autres dialogues à celui du
Lysis, car ils sont à la fois peu nombreux et peu déve-
loppés. Platon se contente d'y affirmer, en passant, la possibilité de l'amitié entre les bons. Ces indications furtives
ne sauraient être préférées à la position exposée dans le
Lysis. Comme la suite du dialogue le révèle, l'amitié, de
même que l'amour, n'est possible qu'en raison d'une
déficience inhérente à l'homme. Le principal défaut de
sa nature, la principale lacune qu'il aspire à combler,
concerne le bien. Aussi le bien est-il le véritable objet de
la *philía*. Si l'homme est à ce point épris du bien, il ne peut
donc pas être bon, ainsi que Socrate le reconnaît lui-même
en affirmant que l'homme est ni bon ni mauvais (220d). Si
l'homme était bon, au sens absolu du terme, il n'éprouve-
rait aucun besoin et il n'aspirerait pas au bien. Comme
l'homme ne désire que ce qui lui fait défaut, l'aspiration
au bien, commune à tous les hommes, est l'indice que
l'homme n'est pas bon (au sens absolu). Voilà pourquoi
l'amitié entre les hommes bons est impossible.

On a cru pouvoir résoudre l'apparente contradiction
entre le *Lysis* et d'autres dialogues en affirmant que le bon
est non pas celui qui appartient au genre « bon », mais
celui qui aspire au bien [2]. Cela permettrait d'expliquer que
Platon affirme tantôt l'impossibilité de l'amitié entre les
bons, tantôt sa possibilité. Cette contradiction se résout
pour peu que l'on n'entende pas toujours « bons » dans le

---

1. Cf. Kahn (1996, p. 284 n. 30) et Bordt (2000, p. 165), qui renvoient
l'un et l'autre à *Phèdre* 255b ; *Lois* VIII 837a-d.
2. Cf. Bordt 1998, p. 72, 168 n. 399, 231 ; 2000, p. 165.

même sens : l'impossibilité de l'amitié concerne les bons
au sens absolu du terme, alors que sa possibilité vise ceux
qui, sans être bons *stricto sensu*, aspirent au bien. Cette
solution est cependant démentie par le texte même du
Lysis. Celui qui aspire au bien est celui qui en est privé, au
moins partiellement, de sorte qu'il ne peut pas être bon.
Aussi n'est-ce pas le bon qui aspire au bien, mais le ni bon
ni mauvais. Si l'on affirme qu'il suffit d'aspirer au bien
pour être bon, c'est la catégorie même de ni bon ni mauvais, à laquelle Socrate attache la plus grande importance,
qui perd sa raison d'être. Socrate affirme, dans le *Ménon*
(86b-c), qu'il est convaincu que la recherche de ce qu'il ne
sait pas contribue à le rendre meilleur (*beltíōn*). La
recherche marque certes un progrès, mais la quête du
savoir ne suffit pas pour autant à le rendre savant, ni l'aspiration au bien à le rendre bon. Socrate est à l'image du
philosophe : ni bon ni mauvais, ni savant ni (complètement) ignorant, il aspire au bien et au savoir dont il se sait
dépourvu [1].

4.4.3 *L'amitié entre contraires (215c-216b)*

Invoquant à nouveau l'autorité des poètes, cette fois-ci
Hésiode, Socrate propose d'examiner une autre théorie,
qui prend le contre-pied de la précédente : ce n'est pas
entre les semblables que se noue l'amitié, mais plutôt
entre les contraires. Socrate fait ici preuve d'une grande
ironie : faisant mine d'admirer la sagesse des poètes, il
cherche en fait à montrer qu'il s'agit d'une fausse sagesse,
puisque, sur un même sujet, les deux plus grands poètes se
contredisent. Ce n'est pas un hasard, en effet, si la première position s'autorisait d'une citation d'Homère, alors
que la seconde est tirée d'Hésiode. Comme les deux plus
grands poètes se contredisent sur cette question, et que
Socrate les réfute l'un et l'autre, c'est l'autorité même de
ces deux poètes qui se trouve discréditée.

La réfutation de l'hypothèse de l'attirance des contraires
se fait en un tournemain. Si ce sont les contraires qui

---

1. Cf. 218a-b et n. 139 de la traduction. Cf. aussi 220d, où Socrate
s'inclut dans l'ensemble des hommes ni bons ni mauvais qui aspirent au
bien.

deviennent amis l'un de l'autre, ne devra-t-on pas admettre, en vertu de cette hypothèse, que les ennemis sont amis entre eux ? Comme il s'agit d'une hypothèse générale, qui vise à rendre compte de toutes les relations d'amitié, il suffit d'un seul contre-exemple pour la réfuter.

4.5 *Le modèle de l'amitié (216c-222e)*

Le passage 216c marque un tournant dans l'argumentation du dialogue. C'est à partir de ce point que Socrate, tournant le dos aux opinions des poètes et d'autres « sages », avance, l'un après l'autre, les principaux éléments de sa conception de l'amitié. Il convient de suivre pas à pas son argumentation, car elle est ponctuée de certaines remises en question [1] qui peuvent laisser croire, à tort, que Socrate finit par renoncer aux principaux éléments du modèle qu'il développe. Aussi est-il essentiel de bien identifier quels sont, parmi ces éléments, ceux que l'on peut considérer comme des acquis définitifs.

4.5.1 Première étape : le sujet, l'objet et la cause efficiente de l'amitié (216c-218c)

Socrate affirme à deux reprises, sous le coup d'une inspiration divine [2], que c'est le ni bon ni mauvais qui est l'ami du bien. Cette position, qui sera maintenue jusqu'à la fin du dialogue, identifie à la fois le sujet de la *philía* (le ni bon ni mauvais) et son objet (le bien). Comme l'homme ne peut vouloir ou désirer le mal [3], il s'ensuit que l'objet de son amour ou de son désir est toujours ce qu'il se figure être un bien. Peu importe qu'il s'agisse d'un bien réel ou apparent, l'homme est toujours à la poursuite d'un bien. En ce qui concerne le sujet de la *philía*, Socrate l'identifie par voie d'élimination : si les hommes se distribuent en trois catégories (bons, mauvais, ni bons ni mauvais), et que ni les semblables ni les opposés ne peuvent être amis

1. Cf. 218c et 221d.
2. Cf. 216d et n. 124.
3. Cf. 216e et *Ménon* 77c-78b.

entre eux, il ne reste qu'une seule possibilité : ce sont les ni bons ni mauvais qui aspirent au bien (216d-e).

En dépit des apparences, cette position sera maintenue jusqu'à la fin du dialogue. Le ni bon ni mauvais est un avatar de la notion d'intermédiaire qui joue un rôle de toute première importance dans la pensée de Platon. L'intermédiaire, c'est tout ce qui appartient à la fois au monde des hommes et à celui des dieux, et qui favorise, moyennant une conversion appropriée, le passage du monde des hommes à celui des dieux. Dans cette catégorie de l'intermédiaire, on peut ranger l'âme, Socrate, Éros, les « démons » et tous les hommes qui répondent à l'appel de la philosophie (cf. 218a-b).

Mais pourquoi le ni bon ni mauvais aspire-t-il au bien ? Selon une première explication, que Socrate développe longuement avant de la remettre en question, c'est en raison de la présence du mal que le ni bon ni mauvais aspire au bien. Ainsi le corps, qui est ni bon ni mauvais, aspire-t-il à la santé (= bien) en raison de la présence d'une maladie (= mal). Mais le mal ne doit pas avoir gâté et corrompu l'être en qui il est présent au point de le rendre entièrement mauvais, car cet être serait désormais dans l'impossibilité de désirer le bien. De même que, pour aspirer au savoir, l'homme ne doit pas être en proie à une ignorance telle qu'elle ne lui permettrait même pas de se rendre compte qu'il est ignorant, de même, pour désirer le bien, l'être en lequel le mal réside doit échapper, au moins partiellement, à l'emprise funeste de son « hôte » indésirable.

4.5.2 Deuxième étape : la cause finale de l'amitié (218c-219b)

L'étape précédente a permis d'identifier le mal comme cause efficiente de l'aspiration au bien : si le ni bon ni mauvais recherche le bien, c'est à cause de la présence du mal en lui. Socrate ajoute maintenant à cette cause efficiente une cause finale. Reprenant l'exemple du malade, il montre que le corps (= ni bon ni mauvais), à cause de la maladie qui l'affecte (= cause efficiente), aime la médecine (= bien) en vue de la santé (= cause finale). Non seulement l'aspiration au bien tient à au moins deux causes, mais le bien auquel on aspire est lui-même multiple : le malade aime certes le médecin, mais cette relation de *philía* dépend elle-même d'un autre *phílon*, en l'occurrence la santé. La question se pose donc de déterminer si les biens auxquels on aspire sont en nombre fini et s'il existe entre eux une certaine hiérarchie.

4.5.3 Troisième étape (219b-220b) : le prôton phílon

Il a été établi, dans ce qui précède, que le malade aime la médecine (ou le médecin) en vue de la santé. La médecine a ainsi le statut de bien intermédiaire en vue d'un bien « absolu », à savoir la santé. Mais cette analyse régressive peut également s'appliquer à la santé : est-elle aimée pour elle-même ou en vue d'autre chose ? La réponse de Socrate est que la santé est elle-même aimée en vue d'une autre chose, qui peut à son tour n'être qu'un bien intermédiaire subordonné à un autre bien, d'où le risque d'une régression à l'infini dont les conséquences seraient ruineuses, puisque l'homme serait impuissant à identifier la fin ultime de ses aspirations. Si l'objet de son affection est toujours à nouveau subordonné à un autre objet, sans qu'il y ait de terme assignable à cette fuite en avant de ses aspirations, l'homme se trouve ballotté en tous sens dans un réseau de désirs dont il ne connaît pas la fin ultime. Pour conjurer le spectre d'une telle régression à l'infini, Platon affirme, plus qu'il ne la démontre, la nécessité d'un premier objet d'amour (*prôton phílon*), c'est-à-dire d'un objet qui n'est pas aimé en vue d'un autre, mais pour lui-même, et dont la recherche est cause que l'on aime tous les biens intermédiaires qui conduisent à lui. Ce premier objet d'amour, qui est cause de l'attachement que l'on témoigne à tout le reste, n'est rien d'autre que le bien [1].

La thèse du *prôton phílon* soulève plusieurs questions qui engagent l'interprétation non seulement du *Lysis*, mais aussi, d'un certain point de vue, du platonisme. Aussi nous pencherons-nous sur les questions qui nous paraissent les plus importantes : 1) le *prôton phílon* et le bonheur ;

1. Cf. 220b et n. 161.

2) l'unicité du *prôton phílon* ; 3) le *prôton phílon* comme
objet d'amour exclusif ; 4) le *prôton phílon* et les dialogues de la maturité.

4.5.3.1 Le *prôton phílon* et le bonheur

Plusieurs commentateurs n'ont pas manqué d'effectuer
un rapprochement entre l'analyse régressive du *Lysis* et
l'analyse analogue que l'on trouve au livre premier de
l'*Éthique à Nicomaque* (= *EN*) [1]. Après avoir affirmé que
toutes les activités humaines tendent à un bien, Aristote
montre que ces biens ne sont eux-mêmes que des intermédiaires ou des moyens en vue d'autres biens, qui ne sont
pas non plus poursuivis pour eux-mêmes, etc. Pour mettre
un terme à cette fuite éperdue, et pour éviter que notre
désir soit « vide et vain [2] », c'est-à-dire privé d'un objet
identifiable qui donne rétrospectivement un sens à l'ensemble de nos aspirations et de nos actions, Aristote
affirme l'existence d'un bien premier qui n'est plus poursuivi en vue d'un autre bien et qui est la cause du fait que
l'on recherche les biens intermédiaires. Ce bien premier,
terme ultime de notre aspiration au bien, auquel tous les
autres biens sont subordonnés, est ce que le Stagirite
nomme le « souverain bien » (*tò áriston*). Comme on le
voit, c'est en vertu d'une analyse très similaire à celle du
Lysis qu'Aristote affirme dans l'*EN* la nécessité d'un
« souverain bien ». Certains interprètes, non contents de
ce rapprochement, n'hésitent pas à affirmer l'identité du
prôton phílon et du souverain bien d'Aristote, à savoir le
bonheur. Le bonheur a en effet toutes les caractéristiques
d'un bien autarcique : il est recherché pour lui-même et il
est synonyme de satisfaction et de contentement absolu.
Mais si tous s'accordent à reconnaître que l'analyse
régressive du *Lysis* préfigure celle que l'on trouve dans
l'*EN*, d'aucuns s'opposent à ce que l'on identifie le *prôton
phílon* au bonheur [3]. Il semble acquis que le *prôton phílon*
correspond au bien [4], mais il n'y a rien, dans le texte du

---

1. Cf., entre autres, Kahn 1996, p. 288 ; Narcy 1997, p. 224-225.
2. Cf. *EN* I 1, 1094a21.
3. Cf. Kahn 1996, p. 288 n. 40.
4. Cf. 220b et n. 161.

Lysis, qui permette de caractériser ce bien. En l'absence d'une telle caractérisation, on a beau jeu de faire valoir que rien n'autorise l'assimilation du *prôton phílon* au bonheur. Si l'on nous permet d'anticiper quelque peu sur la suite de notre exposé, ceux qui ne reconnaissent qu'un seul *prôton phílon* se trouvent contraints, nous semble-t-il, d'accepter l'identification du *prôton phílon* au bonheur, car si le *prôton phílon* que l'homme poursuit n'a rien à voir avec le bonheur, ne dissocie-t-on pas la finalité des aspirations humaines de ce qui en constitue l'indéracinable espérance ? Certes, l'assimilation du *prôton phílon* au bonheur n'est pas explicite dans le *Lysis*, mais on peut la déduire du *Banquet*, de l'*Euthydème* et du *Charmide*. Dans le *Banquet*, l'objet ultime de l'amour n'est rien d'autre que le Beau (lequel est identique au Bien), dont la vision ou la saisie procure le bonheur le plus parfait [1]. On peut donc supposer, sur la base de ce rapprochement avec le *Banquet*, que la saisie du *prôton phílon*, identifié au bien, est également synonyme de bonheur. Dans l'*Euthydème* (278e sq.), le bonheur apparaît nettement comme un bien auquel tous les hommes aspirent sans qu'il soit lui-même recherché en vue d'un autre bien. Le bonheur de l'*Euthydème* présente ainsi les mêmes caractéristiques formelles que le *prôton phílon* du *Lysis*, de sorte qu'il semble légitime de les associer. Cette association semble d'autant plus justifiée que Socrate avait lui-même présenté le bonheur, lors de son premier entretien avec Lysis, comme la fin ultime de ce que l'on souhaite pour l'être cher (cf. 207d) [2]. Enfin, comme le *prôton phílon* correspond au bien (220b) et que la connaissance du bien (et du mal) est la condition *sine qua non* du bonheur véritable [3], il s'ensuit que le *prôton phílon* et très étroitement associé au bien, au bonheur et à la connaissance.

1. Cf. 205a et 205d.
2. Les commentateurs suivants acceptent l'identification du *prôton phílon* au bonheur : Versenyi 1975, p. 195 ; Teloh 1986, p. 217 n. 2, 219 n. 22 ; Price 1989, p. 8 ; Vlastos 1994, p. 165 n. 49 ; Adams 1995, p. 273, 276, 281 ; T. Irwin, *Plato's Ethics*, Oxford, 1995, p. 54.
3. Cf. *Charmide* 173a-174b.

4.5.3.2 L'unicité du *prôton phílon*

L'analyse régressive développée en 219c-220b a certes démontré la nécessité d'un *prôton phílon* pour conjurer le spectre d'une régression à l'infini, mais elle n'a pas pour autant démontré qu'il n'y a qu'un seul *prôton phílon*. On pourrait imaginer que l'argumentation de Socrate vise uniquement à démontrer la nécessité qu'il y ait, au terme de chaque aspiration particulière, un objet d'amour ultime qui donne sens et cohérence à cette aspiration particulière, et non pas à soutenir l'existence, pour l'ensemble de nos aspirations, d'un seul *prôton phílon* auquel aboutirait et dans lequel se réconcilierait la totalité autrement confuse de nos aspirations disparates. Y a-t-il donc un seul *prôton phílon* qui fédère et ordonne toutes nos aspirations [1], ou cet ensemble d'aspirations se divise-t-il en un certain nombre de séries, plus ou moins cohérentes, qui aboutissent chacune à un *prôton phílon* distinct, sans qu'il y ait de *prôton phílon* unique et fédérateur de l'ensemble [2] ?

L'exemple du père qui met tout en œuvre pour sauver son fils malade (219d-220a) jette un éclairage intéressant sur cette question. Il ne fait aucun doute que cet exemple a pour but d'illustrer la distinction que Socrate établit entre le *prôton phílon* et les biens intermédiaires. Si Platon considère que le fils malade peut légitimement être assimilé au *prôton phílon*, nous devons, semble-t-il, donner raison à ceux qui soutiennent l'existence d'une multitude de premiers objets d'amour. Comme le fils malade ne peut pas incarner l'ultime objet d'amour auquel aspire l'ensemble des hommes, nous sommes contraints de reconnaître qu'il y a une pluralité de premiers objets d'amour. Il y a toutefois deux bonnes raisons de douter que Platon accorde au fils le statut d'un *prôton phílon*. 1) Assez curieusement, on ne relève aucune occurrence, dans ce passage, des termes de la famille de *phileîn* pour décrire

---

1. L'unicité du *prôton phílon* a dernièrement été défendue par Bordt 1998, p. 201-202.
2. C'est la position des commentateurs suivants : Versenyi 1975, p. 192-194 ; Robinson 1986, p. 75 ; Mackenzie 1988, p. 35 ; T. Irwin, *Plato's Ethics*, Oxford, 1995, p. 54.

l'attachement du père à l'endroit de son fils [1]. 2) Alors qu'il vient à peine de présenter l'exemple du fils malade, Socrate demande (220a) s'il n'en va pas de même pour l'amitié et l'objet d'amour, ce qui laisse entendre que l'exemple du fils ne concernait pas l'amitié et l'objet d'amour. Cette conclusion ne laisse pas d'étonner, puisque les relations familiales ressortissent à la *philía*, mais il faut se rappeler que Socrate, selon notre lecture de 210b-d, n'admettait pas que toutes les relations familiales fussent *a priori* et par définition des liens de *philía*. Sans aller jusqu'à prétendre que l'exemple du fils malade ne ressortit pas à la *philía*, nous jugeons plus prudent de ne pas l'utiliser pour établir la pluralité des premiers objets d'amour.

L'unicité du *prôton phílon* nous semble plus conforme à la lettre et à l'esprit du texte que sa prétendue multiplicité. À trois reprises (219d, 220b et d), Socrate parle au singulier du *prôton phílon* en vue duquel sont aimés *tous les autres objets d'amour*. Si l'ensemble de ce qui est aimé est aimé en vue d'un *prôton phílon*, l'unicité de celui-ci ne semble plus faire de doute [2]. En outre, ceux qui admettent une pluralité de premiers objets d'amour attribuent à Platon une conception du bien qui rappelle curieusement celle d'Aristote. Comme le *prôton phílon* est identique au bien [3], l'affirmation d'une pluralité de premiers objets d'amour induit nécessairement la thèse d'un bien fragmenté et dispersé, comme l'est le bien d'Aristote, qui se dit selon les dix catégories [4]. Or rien ne paraît plus contraire au platonisme que cette conception d'un bien originellement et irrémédiablement éclaté.

4.5.3.3 Le *prôton phílon* est-il le seul objet d'amour ?

Suivant l'analyse régressive qui a été développée, le *prôton phílon* est l'ultime objet d'amour et celui dont la poursuite nous fait aimer tous les biens intermédiaires. Rien ne semble empêcher que les biens intermédiaires

---

1. Pour exprimer l'affection du père, Platon écrit qu'il « fait grand cas » (*perì polloû poieîn*, 219d) de son fils et qu'il le « préfère » (*protimân*, 219d) à toutes ses richesses.

2. Cf. Glidden 1981, p. 56 n. 145 ; Lesses 1986, p. 41 n. 6.

3. Cf. 220b et n. 161.

4. Cf. *EN* I 4.

soient également aimés, encore qu'ils ne le soient pas exclusivement pour eux-mêmes. Or Platon laisse claire-ment entendre, à deux reprises (219d et 220b), que le seul objet d'amour est le *prôton phílon* et que c'est uniquement en vertu d'un abus de langage que l'on dit des biens inter-médiaires qu'ils sont aimés ou qu'ils sont amis. En vérité, ces biens intermédiaires ne sont rien de plus, au regard du véritable objet d'amour, que des « images » (*eídōla*).

Si les biens intermédiaires ne sont pas véritablement aimés pour eux-mêmes, et que le *prôton phílon* désigne un bien qui est irréductible à une personne et qui excède la relation entre deux individus, on peut se demander si Platon considère que la personne puisse être aimée pour elle-même, à la façon d'un véritable objet d'amour ou d'amitié. Si les biens intermédiaires ne sont rien de plus, selon l'expression même de Platon, que des « images » du véritable objet d'amour, on voit mal comment la personne pourrait être aimée pour elle-même [1]. Une telle conception de l'amour, qui réserve à la vérité et à l'intelligible [2] le pri-vilège d'être l'objet d'amour authentique, semble ravaler la personne au rang de moyen ou d'instrument en vue du *prôton phílon*. La question de savoir si la conception pla-tonicienne de l'amour réserve ou non à l'homme le statut d'un véritable objet d'amour, c'est-à-dire d'un *phílon* qui peut être aimé pour lui-même, a soulevé un passionnant débat dont l'enjeu, on le voit, est considérable [3]. Le *prôton phílon* et l'être humain constituent-ils deux objets d'amour simultanés et compatibles, sans qu'il y en ait un qui soit instrumentalisé au service de l'autre, ou l'amour que l'on porte au premier, à titre de fin, exclut-il toute forme d'amour véritable à l'endroit du second, ravalé au rang de

---

1. Cf. Vlastos 1973, p. 31 : « [...] the individual, in the uniqueness and integrity of his or her individuality, will never be the object of our love. This seems to me the cardinal flaw in Plato's theory. »

2. Cf. *Rép.* VI 490b ; 501d ; Vlastos 1973, p. 19 n. 53.

3. Ce débat a été provoqué par une étude de Vlastos (1973) dont l'une des principales conclusions est que la conception platonicienne de l'amitié et de l'amour, telle qu'elle est développée dans le *Lysis* et le *Ban-quet*, ne permet pas l'amour d'autrui pour lui-même, contrairement à la conception aristotélicienne de l'amitié (cf. *EN* IX 4). Cette interprétation de Vlastos a été contestée par plusieurs commentateurs (cf. Price 1981 ; Mooney 1990 ; Mahoney 1996 ; Roth 1995).

simple moyen ou d'instrument [1] au service du *prôton
phílon* ? Tel est l'enjeu de ce débat.

Si la lettre même de l'argumentation de Socrate semble
donner raison à ceux qui lui imputent une conception instrumentaliste de l'amitié, le comportement amoureux de
Socrate dément une telle interprétation. Si Socrate défen-
dait une conception instrumentaliste, les jeunes gens dont
il se déclare amoureux lui serviraient de marchepied [2] dans
sa quête du bien. Or il s'en faut de beaucoup que Socrate
les traite de la sorte ; ce qu'il aime chez les jeunes gens
dont il est épris, c'est précisément leur aspiration au bien,
de sorte que l'amour pour une personne n'est pas dissocié
de l'amour pour le bien. Loin d'exclure l'amour pour un
individu singulier, l'amour du bien est en quelque sorte
galvanisé par l'aspiration au bien que l'on perçoit chez
une autre personne, comme le confirme le passage suivant,
tiré de l'*Alcibiade*, où Socrate confie à celui dont il se
déclare amoureux : « Mais celui qui aime ton âme ne
s'éloignera pas tant qu'elle ira vers le meilleur [3]. » On
aurait également tort de reprocher à Socrate de défendre
une conception de l'amitié où l'autre n'est pas aimé pour
« lui-même ». Car enfin, que faut-il entendre au juste par
« pour lui-même » ? Dans la perspective de Socrate, le
« soi », ce que nous sommes, correspond à l'âme et rien
n'est plus apparenté (*oikeîon*) à cette dernière, rien ne lui
appartient davantage, rien ne lui est plus intime que le
bien, de sorte qu'aimer un être en raison de son aspiration
au bien, ainsi que Socrate en fait le serment à Alcibiade,
n'est pas l'aimer pour ce qu'il n'est pas, mais au contraire
pour ce qu'il est au plus intime de lui-même. L'aspiration
au *prôton phílon* peut être ainsi comprise comme le fondement le plus sûr d'un amour durable pour autrui [4].

1. Les commentateurs suivants attribuent à Platon une conception instrumentaliste de l'amitié : Adams 1995 ; Reshotko 1997, p. 16-17.
2. Dans un passage du *Banquet* (211c), Socrate compare à des
« échelons » que l'on gravit les beaux corps qui font entrevoir une beauté
d'un ordre supérieur. Vlastos (1973, p. 32 n. 95) voit dans ce passage une
confirmation de la conception instrumentaliste de l'amour qu'il attribue
à Platon.
3. 131d ; trad. Pradeau.
4. Dans le même sens, voir l'analyse pénétrante de Gonzalez 2003,
p. 35-36.

4.5.3.4 Le *Lysis* et les dialogues de la maturité

On a souvent proposé d'identifier le *prôton phílon* au Beau du *Banquet* ou encore au Bien de la *République* [1]. La division chronologique des dialogues de Platon risquerait donc de faire perdre de vue la proximité doctrinale qui existe entre le *Lysis* d'une part, le *Banquet* et la *République* d'autre part. Mais une chose est de constater qu'il y a une parenté doctrinale entre le *Lysis* et le *Banquet* (ou encore la *République*), une autre d'affirmer qu'une doctrine en particulier, celle des formes intelligibles, est déjà présente dans le *Lysis*. Pour étayer l'hypothèse de la présence des formes dans le *Lysis*, certains commentateurs ont beaucoup insisté sur l'emploi des termes *parousía* (« présence », 217b-218c) et *eídōlon* (« image », 219d). Étant donné que les occurrences du terme *parousía* font l'objet d'une note dans la traduction [2], nous nous limiterons ici à l'occurrence du terme *eídōlon* (219d). Rapprochant cette occurrence d'un passage du *Banquet* (212a), où Platon emploie le même terme à deux reprises pour désigner les simulacres sensibles de formes intelligibles, certains commentateurs n'ont pas manqué de conclure que l'occurrence du terme *eídōlon*, dans le *Lysis*, attestait la présence de la doctrine des formes [3]. Autrement dit, lorsque Socrate qualifie d'*eídōla* les objets que l'on aime en vue du *prôton phílon*, il faudrait comprendre que ces objets d'amour intermédiaires ont le même statut ontologique, par rapport au *prôton phílon*, que les choses sensibles par rapport à la forme intelligible. Il n'y a toutefois aucun passage, dans le *Lysis*, qui associe, de près ou de loin, le *prôton phílon* à une forme intelligible transcendante, que ce soit celle du Beau (*Banquet*) ou encore celle du Bien (*République*). Non seulement rien ne permet d'associer le *prôton phílon* à une forme transcendante, mais les grandes dichotomies (sensible/intelligible, mouvement/repos, opinion/science, devenir/être) qui sont associées à la doctrine des formes intelligibles et qui sont

---

1. Voir les nombreuses références signalées par Adams 1995, p. 272 n. 12 et Smith-Pangle 2001, p. 310 n. 10.
2. Cf. 218c et n. 141.
3. Cf. Glaser 1935.

constitutives de la métaphysique platonicienne, sont également absentes du *Lysis*. Au reste, le terme *eídōlon* n'appartient pas au vocabulaire technique de la théorie des formes ; c'est en un sens métaphorique que Platon, dans le *Banquet*, compare les choses sensibles à des simulacres et l'on a eu raison d'observer qu'aucun écrivain ne voudrait faire d'une métaphore une camisole de force [1].

Est-ce à dire, étant donné que la doctrine des formes intelligibles est désespérément absente du *Lysis* et que rien ne permet d'assimiler le *prôton phílon* à une forme transcendante, qu'il faut renoncer à rapprocher le *Lysis* du *Banquet*, au point même de soutenir, avec certains [2], que la doctrine du *Lysis* n'est pas (encore) platonicienne ? C'est une erreur de poser la question du rapprochement entre le *Lysis* et le *Banquet* uniquement du point de vue de la doctrine des formes. Il faut prendre acte de l'absence des formes dans le *Lysis*, mais ce constat ne suffit pas à décourager toute tentative de rapprochement entre le *Lysis* et le *Banquet*, non plus qu'à nier que le *Lysis* soit l'expression d'une doctrine platonicienne. L'un des principaux éléments communs au *Lysis* et au *Banquet* [3] est le modèle ternaire de la relation amoureuse, modèle que nous pourrions appeler le « triangle platonicien ». Selon ce modèle ternaire, toute relation de *philía* implique trois termes : deux individus (A et B) s'engagent dans une relation de *philía* réciproque grâce à un troisième terme, le bien, qui transcende cette relation tout en en étant la condition de possibilité. Autrement dit, A ne peut aimer B, et réciproquement, qu'à la condition que chacun reconnaisse en l'autre une aspiration au bien. C'est sur le fond de cette aspiration commune au bien, laquelle n'est pas réciproque puisque le

1. Cf. Vlastos 1973, p. 37.
2. Cf. Vlastos 1973, p. 35-37.
3. Kahn (1996, p. 266) a dressé une liste de sept rapprochements précis entre des passages du *Lysis* et du *Banquet*. Cette liste de rapprochements est très éclairante, car elle révèle que les sept passages du *Lysis* qui ont des parallèles dans le *Banquet* se situent tous dans la section du dialogue (216c-222d) où Socrate élabore progressivement le modèle de l'amitié, ce qui tend à confirmer que cette partie du dialogue n'est qu'en apparence aporétique. En ce qui a trait aux rapports entre le *Lysis* et le *Banquet*, cf. aussi Robin 1964, p. 9-10 ; Levin 1971, p. 246-247 ; Rowe 2000.

bien ne peut pas les aimer en retour, que A et B peuvent nouer entre eux les liens d'une *philía* véritable et durable [1]. Le troisième terme, qui est le véritable objet d'amour, transcende la relation qu'il permet de fonder, même s'il n'est pas, dans le *Lysis*, transcendant *stricto sensu*, c'est-à-dire séparé du sensible. Le *Banquet* se distingue donc du *Lysis* par l'ajout d'une dimension proprement métaphysique, en vertu de laquelle le troisième terme consiste en une forme intelligible qui est nettement séparée du sensible. Cette addition de nature métaphysique ne doit pas faire perdre de vue l'essentiel, à savoir que le modèle de l'amour est fondamentalement le même dans les deux dialogues ; et eu égard à ce modèle, la parenté doctrinale entre les deux dialogues est manifeste, quand bien même elle ne repose pas sur les formes intelligibles. Enfin, si ce modèle qui subordonne la *philía* entre les hommes à leur aspiration commune pour le bien est l'expression d'une conviction qui est au cœur du platonisme [2], nous n'avons plus aucune bonne raison de nous ranger à l'avis de ceux qui contestent que le *Lysis* véhicule une doctrine platonicienne [3].

1. La description de ce modèle platonicien de l'amitié doit beaucoup à Bordt (1998, p. 82 ; 2000, p. 158 et 168). Voir aussi Gonzalez 2000, p. 392 ; 2003, p. 30.

2. Un passage de la *Lettre VII*, où Platon parle en son nom propre, confirme que le plus sûr fondement de l'amitié entre les hommes est leur recherche du bien : « Aussi bien ne suis-je peut-être plus d'âge à être l'allié de personne dans une entreprise guerrière ; toutefois, je suis de tout cœur avec vous, si jamais, invoquant notre amitié mutuelle, vous souhaitez faire quelque chose de bien » (350d, trad. Brisson).

3. En conclusion de son article sur l'objet de l'amour chez Platon (1973), Vlastos a ajouté un appendice, intitulé « Is the *Lysis* a vehicle of Platonic doctrine ? » (p. 35-37), où il s'efforce de démontrer que le *Lysis* n'est pas encore l'expression d'une doctrine platonicienne. Certes, si l'on réduit le platonisme à la doctrine des formes intelligibles, on a beau jeu de démontrer que le *Lysis* n'est pas encore platonicien. Nous sommes plutôt d'avis, avec Fraisse (1974, p. 146), que « le *Lysis* place le problème de la *philía* au cœur même du platonisme, et contribue à l'analyse sans cesse reprise de l'adhésion de la conscience au bien qui sas fin ».

4.5.4 Quatrième étape : substitution du désir au mal (220c-221d)

Dans la première étape de l'élaboration du modèle de l'amitié (216c-218c), Socrate a attribué au mal une causalité efficiente eu égard à la poursuite du bien. C'est précisément cette causalité du mal que Socrate va maintenant remettre en question, jusqu'à lui en substituer une autre, celle du désir.

Ce qui pose problème, dans la causalité du mal, c'est que le bien ne semble pas être recherché pour lui-même. Si l'aspiration au bien était conditionnée par la présence du mal, nous n'aurions plus aucune raison de rechercher le bien si jamais le mal disparaissait. Le caractère aimable du bien semble ainsi suspendu à une condition qui correspond à ce qui est le plus contraire au bien. Socrate refuse d'admettre, dans l'hypothèse de la disparition du mal, que le bien ne servirait à rien et ne nous serait plus d'aucune utilité. Cette affirmation de Socrate, qui a tout l'air d'un cri du cœur, mérite d'être soulignée : affirmer que le bien, en l'absence du mal, ne nous est plus d'aucune utilité, revient à affirmer que le bien ne serait plus pour nous un objet d'amour. Socrate affirme donc à nouveau, comme il l'avait déjà expliqué à Lysis (210d), que l'objet d'amour doit être utile. Socrate affirmera une dernière fois, à la fin du dialogue (222b-c), qu'il est impossible d'aimer ce qui ne présente aucune utilité.

Afin d'affranchir l'aspiration au bien de la présence du mal, Socrate imagine un monde d'où le mal serait absent. Les hommes cesseraient-ils donc pour autant d'aspirer au bien ? Il semble que non. Cette fiction d'un monde libéré du mal permet donc d'établir, non pas que le mal n'est pas une cause de l'aspiration au bien, mais qu'il n'en est pas la seule cause [1]. Si les hommes n'aspirent pas moins au bien dans un monde que le mal a déserté, cela signifie que la causalité du mal est insuffisante. Quelle serait donc, en ce cas, la cause universelle de l'aspiration au bien ? Dans un monde affranchi du mal, les hommes n'en continueraient pas moins de *désirer* ce qui leur semblerait susceptible de

---

1. Cf. Bolotin 1979, p. 180.

combler les manques et les déficiences de leur nature, de sorte que le désir semble être la cause permanente de la recherche du bien.

On peut se demander, par ailleurs, si la substitution du désir au mal, à titre de cause de l'aspiration au bien, permet vraiment de résoudre le problème qui est à l'origine de cette substitution. La causalité du mal avait ceci de fâcheux que le bien n'était pas aimé pour lui-même et qu'il semblait même inutile, et donc indigne d'être aimé, dans l'hypothèse d'une disparition du mal. N'en va-t-il pas de même avec la causalité du désir ? Si le désir est cause de l'aspiration au bien, en quoi celui-ci serait-il davantage aimé pour lui-même [1] ? Et si l'on imaginait un monde sans désir, de même que Socrate a imaginé un monde sans mal, le bien ne deviendrait-il pas privé de raison d'être ? La seule issue à ce problème, semble-t-il, et la seule façon de s'assurer que le bien est aimé pour lui-même, consiste à dire que la causalité de l'aspiration au bien est homogène au bien, alors que le mal est non seulement hétérogène, mais encore contraire au bien. Le désir est d'une certaine façon homogène au bien puisqu'il procède d'une déficience (et non pas d'une absence) du bien, ce qui laisse entendre que le bien est déjà présent, bien que de façon partielle, chez celui qui est en proie au désir.

Le désir procède donc d'un manque et d'une lacune sous le rapport du bien ; mais encore faut-il être conscient de ce déficit. Si Socrate est un irrésistible séducteur, c'est précisément parce qu'il provoque chez ses jeunes interlocuteurs la prise de conscience de leur ignorance, qui peut elle-même être comprise comme le sentiment d'une lacune eu égard au bien, puisque le savoir et le bien sont en corrélation. Autrement dit, lorsque Socrate amène un jeune homme à reconnaître son ignorance, il fait naître en lui à la fois le désir du savoir et l'aspiration au bien ; mais comme Socrate incarne, aux yeux de ce jeune homme, le savoir et le bien dont il éprouve le manque, il est inévitable que son désir se fixe sur Socrate et qu'il en tombe amoureux. Or si Socrate est fidèle à sa déclaration d'ignorance, il ne peut pas consentir à être l'objet exclusif de ce désir, car sinon il

---

1. Cf. Bolotin 1979, p. 174.

serait coupable d'un véritable détournement de désir et d'aspiration. Aussi son rôle est-il assez délicat : d'une part, il doit entretenir chez le jeune homme le désir qui est la condition même de son progrès sur la voie de la connaissance et de la vertu ; mais, d'autre part, il doit refuser que le désir dont il est l'objet parvienne à ses fins et soit consommé, car le désir ne doit pas être détourné de son véritable objet : le savoir et le bien [1].

4.5.5 Cinquième étape : l'« apparenté » (oikeîon) (221e-222e)

La dernière étape de l'élaboration du modèle de l'amitié mérite d'être analysée avec le plus grand soin, car c'est à ce moment que le dialogue s'engage, à l'initiative de Socrate, dans une mauvaise direction qui conduira finalement à une impasse. Mais le lecteur attentif dispose de tous les éléments nécessaires pour assembler les dernières pièces du puzzle, de sorte qu'il peut éviter de tomber dans le piège que Socrate tend à ses jeunes interlocuteurs et déjouer le constat d'aporie qui est dressé, avec un brin de malice, à la fin du dialogue.

Le désir est l'expression d'une déficience et l'être en proie au désir aime ce dont il éprouve le manque. Or ce qui nous fait défaut, affirme Socrate, c'est ce qui nous a été enlevé, ce dont nous avons été dépossédés (221e). Il s'ensuit que l'objet de notre désir nous appartient et nous est apparenté (*oikeîon*), c'est-à-dire qu'il nous est propre et qu'il fait partie de notre nature. Ce qui nous est cher, ce qui nous est ami (*phílon*), c'est donc ce qui nous est *oikeîon*, « apparenté » [2]. En affirmant que le *phílon* est l'*oikeîon*, mais un *oikeîon* qui ne correspond pas à la famille, Platon prend nettement parti : à l'encontre de ceux qui font dire à Socrate, comme Xénophon [3], que les rela-

---

1. Cf. aussi *Phèdre* 249a.
2. L'équivalence que Platon établit entre *phílon*, *oikeîon* et « ce qui appartient à notre nature » est facilitée du fait que *phílos* avait à l'origine, en grec ancien, la valeur d'un adjectif ou d'un pronom possessif (« mon », « mien », etc.). Cf. Bordt 1998, p. 50, 141-142 et surtout Gonzalez 2000 (« The traditional *phílos-oikeîos* identification in ancient Greece », p. 383-387).
3. Cf. *supra*, p. 176 n. 1.

tions familiales représentent la forme la plus achevée et la plus stable de *philía*, Platon soutient, par la bouche de Socrate, que le *phílon* est certes l'*oikeîon*, mais un *oikeîon* qui se définit par une affinité de nature, plutôt que par les liens du sang.

L'amour, l'amitié et le désir ont tous pour objet l'*oikeîon*, si bien que toute relation d'amour, d'amitié ou de désir implique une affinité, ou apparentement naturel, entre celui qui désire (ou aime) et l'objet de son désir (ou de son amour). Mais si l'on demeure à ce niveau d'analyse, Socrate justifierait toute forme de désir, d'amitié, ou d'amour, puisqu'il suffirait d'éprouver un désir (ou de l'amitié, ou de l'amour) à l'endroit d'un être ou d'une chose pour décréter aussitôt que cet être nous est apparenté, qu'il nous appartient (*oikeîon*), que nous en avons été dépossédés et qu'il faut donc nous le réapproprier. L'analyse doit être approfondie, car sinon elle fournirait, à ce stade du dialogue, une justification à tout désir, quel qu'il soit, pourvu seulement qu'il soit éprouvé. Si l'*oikeîon* correspond en réalité au bien et au *prôton phílon*, Socrate doit à tout prix déterminer avec plus de précision ce qui nous est véritablement apparenté.

Les choses qui nous sont apparentées n'ont pas toutes la même valeur, puisqu'il existe différents degrés d'apparentement. Telle est la conclusion qu'il faut tirer, nous semble-t-il, du passage suivant : « Par conséquent, les enfants, repris-je, si quelqu'un éprouve du désir, ou un amour passionné pour une autre personne, il ne pourrait pas la désirer, ni l'aimer passionnément, ni même lui témoigner de l'amitié, s'il ne se trouvait pas de quelque manière apparenté à l'aimé sous le rapport de l'âme, ou d'une disposition de l'âme, ou des occupations, ou de l'aspect physique » (221e-222a). L'apparentement entre deux amis s'établit toujours en fonction de quelque chose qui joue à l'endroit des amis le rôle de troisième terme unificateur. Ce par rapport à quoi il y a apparentement, et donc *philía*, peut être, suivant l'énumération de Socrate, l'âme, les dispositions de l'âme, le type d'activité auquel on s'adonne et, enfin, l'aspect physique. Comme il ne fait à nos yeux aucun doute que cette énumération obéit à un ordre décroissant d'importance, l'apparentement sous le rapport de l'âme apparaît comme la forme la plus élevée de *philía*. Toute relation de *philía* suppose donc une forme d'apparentement, mais les apparentements ne présentent pas tous la même valeur, car certains se fondent sur l'âme, d'autres sur le genre d'occupation, d'autres encore sur l'aspect physique. Par exemple, Lysis et Ménexène sont incontestablement amis l'un de l'autre, mais leur amitié ne repose probablement pas, en raison de leur jeune âge, sur une affinité qui relève de l'âme. Leur apparentement dépend plutôt de ce qui fonde les amitiés entre enfants, soit les jeux et les occupations communes. Leur jeune âge leur interdit également de comprendre qu'il existe une autre forme d'amitié, plus élevée, qui repose sur l'aspiration de l'âme à la vertu et au bien.

Le modèle de l'amitié élaboré par Socrate demeurerait incomplet sans la démonstration que l'*oikeîon*, le *prôton phílon* et le bien sont une seule et même chose. L'identité du *prôton phílon* et du bien a déjà été affirmée par Socrate [1] et elle n'a pas été remise en question par la suite. Si Socrate parvient à établir que l'*oikeîon* correspond au bien, il pourra mettre la dernière main à sa conception de l'amitié : la forme la plus élevée de *philía* entre les hommes est celle qui se fonde sur l'aspiration commune de leur âme à un bien qui les dépasse, certes, mais qui correspond également, en raison d'un apparentement originel, à leur nature la plus intime, de sorte que ce bien est pour ainsi dire la meilleure part d'eux-mêmes, dont ils auraient (en partie) été dépossédés.

L'identification de l'*oikeîon* au bien devrait se conclure dans le passage 222b-e, peu avant la fin du dialogue. Mais pour des raisons qui tiennent surtout à l'âge de Lysis et de Ménexène, et au souci de respecter l'ignorance de Socrate [2], nous n'aurons droit qu'à une tentative avortée d'assimilation du bien à l'*oikeîon*. Mais l'échec des interlocuteurs à procéder à cette assimilation n'est pas à interpréter comme une impossibilité en soi, car le dialogue offre au lecteur tous les éléments nécessaires à la justification du bien-fondé de cette assimilation.

1. Cf. 220b et n. 161.
2. Cf. *supra*, Avant-propos, p. 12-14.

Après avoir fait reconnaître aux enfants que l'*oikeîon* doit à tout prix se distinguer du semblable, car sinon on aboutirait à une position – l'amitié entre semblables – qui a déjà fait l'objet d'une réfutation en règle, Socrate leur pose la question suivante : « Notre position sera-t-elle aussi qu'à toute chose le bien est apparenté (*oikeîon*), et le mal étranger (*allótrion*), ou bien que le mal est apparenté (*oikeîon*) au mal, le bien au bien, et ce qui n'est ni bon ni mauvais à ce qui n'est ni bon ni mauvais ? » (222c). L'échec (apparent) du dialogue tient à ce que les enfants choisissent la mauvaise branche de l'alternative que leur soumet Socrate. En optant pour la seconde branche de l'alternative, ils ne se rendent pas compte qu'ils soutiennent en fait cela même dont ils viennent tout juste d'admettre l'impossibilité, à savoir que l'*oikeîon* correspond au semblable. Il y a d'excellentes raisons de croire que la solution au problème réside dans la première branche de l'alternative, qui demeure ici en suspens, à la façon d'une possibilité pleine de promesses que Platon offre à son lecteur la chance de saisir [1]. Il n'appartient qu'à nous de répondre à cette invitation et de saisir cette occasion de solution. La première branche de l'alternative, qui identifie l'*oikeîon* au bien, apporte au modèle de l'amitié l'élément qui lui manquait. Pour les besoins de notre démonstration, il est nécessaire de faire un bref rappel. La conclusion à laquelle Socrate est parvenu, en 221d, est que le ni bon ni mauvais est ami du bien en raison du désir. Cette conclusion apparaît comme un acquis définitif. Socrate établit ensuite, au terme d'une élucidation de ce qui est visé par le désir, que c'est l'*oikeîon* qui correspond à l'objet du désir. Mais l'on sait déjà que l'objet de la *philía* est le bien et que l'*oikeîon* est d'une certaine façon indéterminé, puisqu'il peut se situer au niveau aussi bien de l'âme que du corps. Pour découvrir ce qui nous est réellement apparenté, et pour éviter que toutes les formes d'apparentement soient sur le même pied, il reste à arti-

---

1. Plusieurs commentateurs voient dans la première branche de l'alternative la solution de l'aporie (cf. Taylor 1929, p. 73 ; Fraisse 1974, p. 147-148 ; Guthrie 1975, p. 149-150 ; Gonzalez 1995, p. 82 ; 2000, p. 394). *Contra*, cf. Robin 1964, p. 7 ; Bordt 1998, p. 230-231.

culer la notion de bien à celle d'*oikeîon*. Or Socrate invite
justement ses deux jeunes interlocuteurs à établir un lien
entre ces deux notions (222c). Ce sera finalement une occasion manquée, mais l'échec de Lysis et de Ménexène est en
grande partie attribuable à Socrate, puisque c'est lui qui, en
prenant l'initiative de proposer une alternative, sème la
confusion dans l'esprit des garçons et les prive de la possibilité de se concentrer sur une seule question, soit celle qui
articule l'*oikeîon* au bien. La formulation même de la première branche de l'alternative mérite d'être examinée
attentivement [1]. Si l'*oikeîon* est ce qui nous est apparenté et
ce dont on éprouve le manque, il s'ensuit que ce à quoi le
bien est apparenté ne peut pas être le bien ; en effet, outre
que cela reviendrait à affirmer l'amitié entre semblables, le
bien ne peut pas désirer le bien, puisqu'il ne souffre
d'aucune déficience sous le rapport du bien. Ce ne peut pas
non plus être le mal qui est apparenté au bien, puisque
Socrate affirme que le mal lui est étranger. Il ne reste qu'une
seule possibilité : ce qui est apparenté au bien, c'est le ni bon
ni mauvais [2]. On retrouve donc ainsi le sujet (= le ni bon ni
mauvais) et l'objet (= le bien) qui ont été identifiés plus tôt
dans le dialogue. Que la première branche de l'alternative
corresponde à la bonne réponse, c'est ce dont il n'est plus
permis de douter à la lecture du passage parallèle qui se
trouve dans le *Banquet* :

> Il y a bien aussi un récit qui raconte que chercher la moitié de
> soi-même, c'est aimer. Ce que je dis moi [*scil.* Diotime], c'est
> qu'il n'est d'amour ni de la moitié ni du tout, à moins par
> hasard que ce soit, mon ami, une bonne chose (*agathón*), car
> les gens acceptent de se faire couper les mains et les pieds,
> quand ces parties d'eux-mêmes leur semblent mauvaises. Je
> ne crois pas en effet que chacun s'attache à ce qui lui appar-
> tient, sauf si l'on s'entend pour appeler « bon » (*agathón*) ce
> qui nous appartient (*oikeîon*), ce qui est à nous, et « mauvais »
> (*kakón*) ce qui nous est étranger (*allótrion*). En effet, les êtres
> humains n'aiment rien d'autre que ce qui est bon [3].

---

1. « Notre position sera-t-elle aussi que le bien est apparenté (*oikeîon*)
à toute chose et que le mal lui est étranger (*allótrion*) […] ? »
2. Cf. Gonzalez 1995, p. 82 ; 2000, p. 394.
3. 205d-206a ; trad. Brisson. L'opposition entre ce qui nous est propre
(*oikeîon*) et ce qui nous est étranger (*allótrion*) apparaît déjà en 210c. Cf.
aussi *Charmide* 163c-d.

Récapitulons : la notion d'*oikeîon* a fait l'objet, depuis sa réintroduction dans le dialogue (221e), d'une détermination de plus en plus précise. L'*oikeîon* fondateur de l'amitié peut ressortir à des intérêts très divers, que Socrate réunit sous quatre chefs : l'âme, les dispositions de l'âme, les occupations et l'apparence physique. La *philía* de ceux qui s'aiment en raison d'une attirance purement physique se fonde donc elle aussi sur une forme d'affinité (*oikeîon*). Est-ce à dire, si toutes les amitiés supposent une forme d'apparentement (*oikeîon*), que Platon les met toutes sur le même pied ? Pour éviter cet aplatissement et ce nivellement par le bas des différents types d'amitié, Platon soutient que parmi toutes les formes d'apparentement, il y en a une qui surpasse les autres : l'âme et son aspiration au bien [1]. Qu'est-ce qu'aimer quelqu'un pour son âme, aux yeux de Socrate, sinon l'aimer en raison et à proportion de l'aspiration de son âme au bien ? C'est le sens profond de la promesse de Socrate à Alcibiade : « Mais celui qui aime ton âme ne s'éloignera pas tant qu'elle ira vers le meilleur [2]. » Le bien détient cette immense supériorité, sur les autres formes possibles d'apparentement, d'être le seul *oikeîon* qui soit commun à tous les hommes, ainsi que l'affirme la première branche de l'alternative. Les autres formes d'apparentement sont toujours partielles, en ce qu'elles concernent seulement certains hommes, et encore est-ce pour un temps limité. Notre amour pour une femme ou pour un homme se fonde-t-il uniquement sur une attirance physique ? Cette affinité particulière entre deux êtres risque de ne pas durer plus longtemps que ce que dure la beauté corporelle. À la différence de tous ces apparentements partiels et limités

---

1. L'aspiration de l'âme au bien est aussi une aspiration au savoir. Cette double quête, ou plutôt cette quête unique d'un double objet (savoir et bien), n'est en fait rien d'autre que la philosophie elle-même (cf. 218a-b et n. 139). On rejoint ainsi la principale conclusion du premier entretien avec Lysis : l'accès au savoir rend bon (210d).

2. *Alc.* 131d, trad. Pradeau. La même idée est également exprimée dans les *Mémorables* de Xénophon : « Il [*scil.* Socrate] disait souvent qu'il était amoureux de quelqu'un, mais, à l'évidence, il ne recherchait pas ceux que la nature avait heureusement dotés de corps dans la fleur de l'âge, mais ceux que la nature avait heureusement dotés d'âmes portées à la vertu » (IV 1, 2).

dans le temps, l'aspiration au bien est commune à tous les hommes et elle ne faiblit pas avec le temps. L'aspiration au bien, plutôt qu'à la beauté corporelle, à la richesse, à la gloire ou au plaisir, est le seul désir qui soit à la poursuite du véritable *oikeîon*, soit de cette part de nous-mêmes dont nous avons le sentiment, douloureux, d'avoir été dépossédés et dont la réappropriation nous apporterait enfin la plénitude d'une nature réconciliée avec elle-même.

*
**

Les écrivains, les philosophes et les psychanalystes qui ont réfléchi sur l'amour ont bien mis en lumière l'importance du triangle dans une relation amoureuse. Deux amoureux laissés à eux-mêmes, comme le montre magistralement Albert Cohen dans *Belle du Seigneur*, sont des condamnés au désamour. Le rêve des amoureux ne devrait pas être de se retrouver seuls sur une île déserte – leur amour n'y survivrait pas –, mais d'avoir toujours à leur disposition un tiers, objet de leur désir commun, dont la poursuite galvanisera leur amour. Las ! Ce tiers, indispensable aliment de l'amour, se présente souvent sous la forme d'un obstacle (*Tristan et Iseut*, *Roméo et Juliette*) ou encore d'un rival qui a certes pour effet de galvaniser l'amour, mais au prix de tourments incessants, pour celui qui connaît l'enfer de la jalousie, ou encore de la mort, dans le cas des amants dont l'union semble impossible dans cette vie-ci. Si tout amour se nourrit d'un tiers, le modèle ternaire de Platon présente l'immense avantage, sur les triangles concurrents, de parvenir au même résultat – l'exaltation de l'amour –, sans payer le lourd tribut qui est le lot des deux autres, soit les tourments du jaloux ou la mort des amants.

BIBLIOGRAPHIE

La bibliographie qui suit est très sélective. Pour la compléter, on consultera l'indispensable bibliographie des études platoniciennes amorcée par H. Cherniss et poursuivie par L. Brisson : cf. H. Cherniss, « Plato 1950-1957 », *Lustrum* (4 & 5) 1959 & 1960 ; L. Brisson, « Platon 1958-1975 », *Lustrum* (20) 1977 ; L. Brisson (avec la collaboration de H. Ioannidi), « Platon 1975-1980 », *Lustrum* (25) 1983, p. 31-320 ; « Platon 1980-1985 », *Lustrum* (30) 1988, p. 11-294 ; « Platon 1985-1990 », *Lustrum* (34) 1992, p. 7-329 ; L. Brisson (avec la collaboration de F. Plin), *Platon 1990-1995 : bibliographie*, Paris, Vrin, 1999, 415 p.

Dans l'Introduction et les notes de la traduction, nous avons fait référence aux études qui apparaissent dans cette bibliographie en indiquant uniquement le nom de l'auteur, l'année de publication et la page concernée (e.g. « Bordt 1998, p. 130 »).

1. *Éditions, traductions et commentaires*

BOLOTIN, D. (1979), *Plato's Dialogue on Friendship*, [traduction et commentaire], Ithaca (N.Y.), Cornell University Press, 229 p.

BORDT, M. (1998), *Lysis*, [traduction et commentaire], Göttingen, Vandenhoeck & Ruprecht (Platon Werke, Band V 4), 1998, 264 p.

BURNET, J. (1903), *Platonis opera*, [texte], Oxford, vol. 3.

CHAMBRY, E. (1967), *Platon : Second Alcibiade, Hippias mineur, Premier Alcibiade, Euthyphron, Lachès, Charmide, Lysis, Hippias majeur, Ion* [1937], [traduction et notes], Paris, GF-Flammarion, 442 p.

COUSIN, V. (1827), *Œuvres de Platon*, tome 4, Paris [*Lysis* = p. 1-78].

CROISET, A. (1921), *Platon : Hippias majeur, Charmide, Lachès, Lysis*, [texte et traduction], Paris, Les Belles Lettres, 155 p. ; réimpression, avec une introduction et des notes de J.-F. Pradeau : Paris, Les Belles Lettres (Classiques en poche, n° 40), 1999, XXVII-72 p.

LOMBARDO, S. (1997), *Lysis*, [traduction et notes], in J.M. Cooper et D. Hutchinson (éds.), *Plato. Complete Works*, Indianapolis, Hackett, p. 688-707.

ROBIN, L. (1950), *Platon : œuvres complètes*, [traduction et notes], 2 vol., Paris, Gallimard (Bibliothèque de la Pléiade), XIX-1448 et 1671 p. [*Lysis* = vol. I, p. 321-350].

TRABATTONI, F. (éd.), (2003-2004), *Platone : Liside*, [texte, traduction, notes et essais], Milan, LED, 2 vol., 376 et 264 p.

VICAIRE, P. (1963), *Platon : Lachès et Lysis*, [introduction, texte et commentaire], Paris, P.U.F., IV-108 p.

WATT, D., (1987), *Lysis*, [introduction et traduction], in T.J. Saunders (éd.), *Plato : Early Socratic Dialogues*, Londres, Penguin Books, p. 117-161.

2. *Études*

ADAMS, D. (1992), « The *Lysis* Puzzles », *History of Philosophy Quarterly* (9) p. 3-17.

– (1995), « A Socratic Theory of Friendship », *International Philosophical Quarterly* (35) p. 269-282.

ANNAS, J. (1977), « Plato and Aristotle on Friendship and Altruism », *Mind* (86) p. 532-554.

ARNIM, H. von (1916), « Platos Lysis », *Rheinisches Museum* (71) p. 364-387.

BORDT, M. (2000), « The Unity of Plato's *Lysis* », in Brisson & Robinson 2000, p. 157-171.

BOSCH-VECIANA, A. (1998), « Plato's *Lysis* : Aporia and Dialectic Logoi. Friendship "realized" all Throughout the Dialogue », *Revista Catalana de Teologia* (23) p. 109-118.

– (2003), *Amistat i unitat en el Lisis de Plató. El Lisis com a narració d'una συνουσία dialogal socràtica*, Barcelona, Barcelonesa d'Edicions, 465 p.

Bossi, B. (2000), « Is the *Lysis* Really Aporetic ? », in Brisson & Robinson 2000, p. 172-179.

Brisson, L. & Robinson, T.M. (éds.) (2000), *Plato : Euthydemus, Lysis, Charmides*, Proceedings of the V Symposium Platonicum, (International Plato Studies, vol. 13), Sankt Augustin, Academia Verlag, VII-402 p.

Fraisse, J.-C. (1974), *Philia. La notion d'amitié dans la philosophie antique*, Paris, Vrin, 504 p. [cf. p. 128-150 : « Analyse du *Lysis* : l'idée d'*oikeiotês* »].

Friedländer, P. (1964), *Plato*, vol. II : *The Dialogues (first period)*, New York, Pantheon Books, 389 p. [cf. chap. 6 : « Lysis », p. 92-104].

Gadamer, H.G. (1982), « *Logos* et *ergon* dans le *Lysis* de Platon », in *L'Art de comprendre*, Paris, Aubier, p. 279-295.

Glaser, K. (1935), « Gang und Ergebnis des Platonischen Lysis », *Wiener Studien* (33) p. 65-66.

Glidden, D.K. (1980), « The Language of Love : *Lysis* 212a8-213c9 », *Pacific Philosophical Quarterly* (61) p. 276-290.

– (1981), « The *Lysis* on Loving One's Own », *Classical Quarterly* (31) p. 39-59.

Gonzalez, F.J. (1995), « Plato's *Lysis* : an Enactment of Philosophical Kinship », *Ancient Philosophy* (15) p. 69-90.

– (2000), « Socrates on Loving One's Own : a Traditional Conception of *Philia* Radically Transformed », *Classical Philology* (95) p. 379-398.

– (2003), « How to Read a Platonic Prologue : *Lysis* 203a-207d », in A. Michelini (éd.), *Plato as Author*, Leiden, Brill, p. 15-44.

Grote, G., (1865), *Plato and the Other Companions of Socrates*, vol. I, Londres, John Murray, XXXIX-564 p. [cf. chap. XVIII : « Lysis », p. 502-526].

Guthrie, W.K.C. (1975), *A History of Greek Philosophy*, vol. IV : *Plato : the Man and his Dialogues, Earlier Period*, Cambridge, Cambridge University Press, XVIII-603 p. [cf. p. 134-154 : « The *Lysis* »].

Haden, J. (1983), « Friendship in Plato's Lysis », *Review of metaphysics* (37) p. 327-356.

Hoerber, R.G. (1959), « Plato's *Lysis* », *Phronesis* (4) p. 15-28.

KAHN, C.H. (1996), *Plato and the Socratic Dialogue. The Philosophical Use of a Literary Form*, Cambridge, C.U.P., XXI-431 p. [cf. chap. 9 : « The Object of Love », p. 258-291].

KÜHN, W. (2000), « L'examen de l'amour intéressé (*Lysis* 216c-220e) », in Brisson & Robinson 2000, p. 217-225.

LESSES, G. (1986), « Plato's *Lysis* and Irwin's Socrates », *International Studies in Philosophy* (18) p. 33-43.

LEVIN, D.N. (1971), « Some Observations Concerning Plato's *Lysis* », in J.P. Anton & G.L. Kustas (éds.), *Essays in Ancient Greek Philosophy*, Albany, SUNY Press, p. 236-258.

MACHEREY, P. (1995), « Le *Lysis* de Platon : dilemme de l'amitié et de l'amour », in S. Jankélévitch & B. Ogilvie (éds.), *L'Amitié, dans son harmonie, dans ses dissonances*, Paris, Autrement (Série « Morales », 17), p. 58-75.

MACKENZIE, M.M. (1988), « Impasse and Explanation : From the *Lysis* to the *Phaedo* », *Archiv für Geschichte der Philosophie* (70) p. 15-45.

MAHONEY, T.A. (1996), « Is Socratic *erôs* in the *Symposium* Egoistic ? », *Apeiron* (29) p. 1-18.

McTIGHE, K. (1983), « Nine Notes on Plato's *Lysis* », *American Journal of Philology* (104) p. 67-82.

MOONEY, T.B. (1990), « Plato's Theory of Love in the *Lysis* : a Defence », *Irish Philosophical Journal* (7) p. 131-159.

MORRIS, T.F. (1986), « Plato's *Lysis* », *Philosophy Research Archives* (11) p. 269-279.

NARCY, M. (1997), « Le Socratisme du *Lysis* », in G. Giannantoni & M. Narcy (éds.), *Lezioni socratiche*, Naples, Bibliopolis, p. 205-233.

– (2000), « Le Socrate du *Lysis* est-il un sophiste ? », in Brisson & Robinson 2000, p. 180-193.

NIGHTINGALE, A.W. (1993), « The Folly of Praise : Plato's Critique of Encomiastic Discourse in the *Lysis* and *Symposium* », *Classical Quarterly* (43) p. 112-130.

PRICE, A.W. (1981), « Loving Persons Platonically », *Phronesis* (26) p. 25-34.

– (1989), *Love and Friendship in Plato and Aristotle*, Oxford, Clarendon Press, XIV-264 p. [cf. Chapter I : « Friendship and Desire in the *Lysis* », p. 1-14].

RENAUD, F. (2002), « Humbling as Upbringing : the Ethical Dimension of the *elenchus* in the *Lysis* », in G.A. Scott (éd.), *Does Socrates Have a Method ? Rethinking the elenchus in Plato's Dialogues and Beyond*, University Park (Pa.), The Pensylvania State University Press, p. 183-198.

RESHOTKO, N. (1997), « Plato's *Lysis* : a Socratic Treatise on Desire and Attraction », *Apeiron* (30) p. 1-18.

ROBIN, L. (1964), *La Théorie platonicienne de l'amour* [1933], Paris, P.U.F., VII-189 p.

ROBINSON, D.B. (1986), « Plato's *Lysis* : the Structural Problem », *Illinois Classical Studies* (11) p. 63-83.

ROTH, M.D. (1995), « Did Plato Nod ? Some Conjectures on Egoism and Friendship in the *Lysis* », *Archiv für Geschichte der Philosophie* (77) p. 1-20.

ROWE, C. (2000), « The *Lysis* and the *Symposium* : *Aporia* and *Euporia* ? », in Brisson & Robinson 2000, p. 204-216.

SAMB, D. (1991), « La signification du *prôton phílon* dans le *Lysis* », *Revue philosophique de la France et de l'Étranger* (116) p. 513-516.

SANTA CRUZ, M.I. (2000), « Qualité et qualifié : à propos du *Lysis* 217b-218a », in Brisson & Robinson 2000, p. 226-233.

SCHEFER, C. (2001), « Platons Lysis as Mysterieneinweihung », *Museum Helveticum* (58) p. 157-168.

SCHOPLICK, V. (1969), *Der platonische Dialog* Lysis, Diss. Freiburg Augsburg, IV-91 p.

SEDLEY, D. (1989), « Is the *Lysis* a Dialogue of Definition ? », *Phronesis* (34) p. 107-108.

SHOREY, P. (1930), « The Alleged Fallacy in Plato *Lysis* 220e », *Classical Philology* (25) p. 380-383.

– (1933), *What Plato Said*, Chicago, The University of Chicago Press, VII-686 p. [cf. p. 113-118 : « Lysis »]

SMITH PANGLE, L. (2001), « Friendship and Human Neediness in Plato's *Lysis* », *Ancient Philosophy* (21) p. 305-323.

SOLÈRE-QUEVAL, S. (1994), « Un petit détour de Socrate. Essai de relecture du *Lysis* », in L. Jerphagnon, J. Lagrée et D. Delattre (éds.), *Ainsi parlaient les Anciens*, In honorem Jean-Paul Dumont, Lille, Presses Universitaires de Lille, p. 71-82.

SPRAGUE, R.K. (1976), *Plato's philosopher-king. A study of the theoretical background*, Colombia, University of South Carolina Press, XVII-129 p. [cf. chap. IV : « *Lysis* 217a-227b and *Euthydemus* 288d-292e », p. 43-56].

TAYLOR, A.E. (1929), *Plato, the Man and his Work* [1926], Londres, Methuen, XII-562 p. [cf. p. 64-74].

TEJERA, V. (1990), « On the Form and Authenticity of the *Lysis* », *Ancient Philosophy* (10) p. 173-191.

TELOH, H. (1986), *Socratic Education in Plato's Early Dialogues*, Notre Dame University Press, VII-241 p. [cf. chap. 5 : « Friendship and Education in the *Lysis* », p. 69-81].

TESSITORE, A. (1990), « Plato's *Lysis*. An Introduction to Philosophic Friendship », *The Southern Journal of Philosophy* (28) p. 115-132.

TINDALE, C.W. (1984), « Plato's *Lysis* : a Reconsideration », *Apeiron* (18) p. 102-109.

VERSENYI, L. (1975), « Plato's *Lysis* », *Phronesis* (20) p. 185-198.

VLASTOS, G. (1973), « Is the *Lysis* a Vehicle of Platonic Doctrine ? », *Platonic Studies*, Princeton, Princeton University Press, p. 35-37.

– (1994), *Socrate. Ironie et philosophie morale* [1991], Paris, Aubier, 455 p. [cf. Note complémentaire 8.6 : « À propos d'un passage du *Lysis* : 219b-220b », p. 415-416].

WENDER, D. (1978), « Letting Go : Imagery and Symbolic Naming in Plato's *Lysis* », *Ramus* (7) p. 38-45.

REMARQUES SUR LE TEXTE TRADUIT

Le texte traduit est celui établi par J. Burnet, *Platonis opera*, tome III, Oxford, 1903. Voici une liste des quelques points sur lesquels nous ne suivons pas cette édition :

	Burnet	nous lisons
204a9-b1	[*autoû*]	*autoû*
218b8	*oú*	*hoû*
219b3	*toû phílou <toû phílou>*	*toû phílou*
219c6	*ióntas ề aphikésthai*	*ióntas kaì aphikésthai*
220b1	*hetérou*	*hetérōi*

Pour la division du texte en pages (203-223) et en paragraphes (a, b, c, d, e), qui remonte à l'édition d'Henri Estienne (Genève, 1578), nous avons également suivi l'édition de J. Burnet.

LYSIS

[ou : sur l'amitié, genre maïeutique [1]]

SOCRATE

[203a] J'allais de l'Académie [2] droit au Lycée [3] par la route extérieure située au pied même du rempart. Une fois arrivé près de la porte où se trouve la fontaine de Panops, j'ai rencontré Hippothalès [4], le fils de Hiéronyme, Ctésippe [5] de Péanée [6], et beaucoup d'autres jeunes gens qui les accompagnaient. En me voyant approcher, Hippothalès m'interpella :

« Eh Socrate, où vas-tu donc et d'où viens-tu [7] ?

– **[203b]** Je viens de l'Académie, lui dis-je, et je vais directement au Lycée.

– Viens plutôt ici, directement à nous, reprit-il. Tu ne t'approches pas ? Cela en vaut pourtant la peine.

– Où, demandai-je, et de qui veux-tu parler par "nous" ?

– Là, me dit-il, en me montrant en face du mur une enceinte dont la porte était ouverte. C'est là, reprit-il, que nous passons notre temps en compagnie d'une foule de beaux garçons.

– **[204a]** Quel est donc cet endroit et quel est votre passe-temps ?

– C'est une palestre de construction récente, répondit-il. Le plus souvent, nous passons notre temps en discussions et nous aurions plaisir à t'y voir prendre part.

– À la bonne heure ! dis-je. Mais qui enseigne en ce lieu [8] ?

– C'est l'un de tes copains, répondit-il, et qui fait ton éloge : Mikkos [9].

– Par Zeus ! répondis-je, ce n'est pas un homme de rien, mais un sophiste très capable.

– Veux-tu nous suivre, demanda-t-il, pour voir ceux qui s'y trouvent ?

– **[204b]** J'aimerais premièrement que l'on me dise ici même [10] pour quelle raison je dois y aller et qui est le beau garçon de l'endroit [11].

– Chacun de nous a ses préférences, Socrate, répondit-il.

– Mais ta préférence à toi, Hippothalès, quelle est-elle ? Dis-le-moi. »

Cette question le fit rougir. Et moi de reprendre : « Hippothalès, fils d'Hiéronyme, tu n'as plus à me dire si tu es ou non amoureux de quelqu'un, car je sais non seulement que tu aimes, mais que tu es déjà très avancé sur le chemin de l'amour. Je ne vaux rien **[204c]** et ne suis bon à rien [12] dans les autres domaines, mais, en vertu de quelque don divin, je sais immédiatement reconnaître qui aime et qui est aimé [13]. »

Ces paroles eurent pour effet de le faire rougir bien plus encore. Alors Ctésippe intervint : « Voilà qui est charmant, Hippothalès : tu rougis et tu tardes à révéler son nom à Socrate ; mais s'il passe un peu de temps avec toi, il sera exaspéré de t'entendre le répéter sans arrêt. Quant à nous, Socrate, il nous a rebattu et rempli les **[204d]** oreilles du nom de Lysis [14]. Et s'il a un peu bu, nous avons très facilement l'impression, à notre réveil, d'entendre encore le nom de Lysis. Ce qu'il raconte dans la conversation courante est déjà terrible, mais ce n'est rien au côté des écrits, en vers et en prose, qu'il s'est mis à déverser sur nous. Mais ce qui est encore plus terrible, c'est qu'il chante aussi en l'honneur de son bien-aimé d'une voix épouvantable, que nous sommes contraints de supporter. Et maintenant que tu lui poses une question, il rougit ! »

– **[204e]** Lysis, repris-je, est jeune, à ce qu'il semble. Ce qui me le fait croire, c'est que son nom ne me dit rien.

– C'est qu'on ne prononce guère son nom, répondit-il ;
on l'appelle encore du nom de son père en raison de la très
grande notoriété de ce dernier. Cela dit, je sais bien que les
formes [15] du garçon ne te sont pas inconnues, tant s'en
faut ; car elles suffisent, à elles seules, à le faire connaître.

– Qu'on me dise, repris-je, de qui il est le fils.

– C'est le fils aîné de Démocrate [16] d'Aixoné, répondit-
il.

– Eh bien, Hippothalès, repris-je, c'est un amour noble
et grand sous tous rapports que tu as trouvé ! Allons, fais-
moi une démonstration de ce dont **[205a]** tu leur as déjà
fait étalage, pour que je voie si tu sais ce qu'un amant doit
dire de son bien-aimé lorsqu'il lui adresse la parole, ou
lorsqu'il en parle à d'autres.

– Socrate, demanda-t-il, est-ce que tu accordes de la
valeur à ce qu'il raconte ?

– Nies-tu, repris-je, être amoureux de celui dont il
parle ?

– Bien sûr que non, se récria-t-il, mais je nie composer
des vers ou de la prose en l'honneur de ce garçon.

– Il n'a pas toute sa tête, intervint Ctésippe, car il
divague et il est devenu fou [17]. »

Et moi de reprendre : « Hippothalès, ce n'est pas l'un de
tes vers que je demande **[205b]** à entendre, ni même un
chant si tu en as composé un pour ce jeune garçon, mais
leur contenu, pour que je voie de quelle façon tu te conduis
avec ton bien-aimé. [18]

– Ctésippe te le dira, répondit-il, car il le sait et s'en
souvient avec précision, s'il est vrai, comme il le prétend,
qu'il est fatigué de m'entendre toujours [19].

– Par les dieux, répondit Ctésippe, bien sûr que je m'y
connais ! Et c'en est même ridicule, Socrate. Voilà un
amoureux qui consacre au garçon l'essentiel de ses pensées et qui ne trouve rien à en dire qui lui soit propre,
[205c] rien que même un enfant ne puisse dire ; comment
cela ne prêterait-il pas à rire ? Ce que toute la ville chante
concernant Démocrate, Lysis – le grand-père de l'enfant –,
tous leurs ancêtres, leur fortune, leurs écuries, les vic-
toires qu'ils ont remportées à Delphes, à l'Isthme et à
Némée, à l'occasion des courses de chevaux et de qua-
driges [20], voilà ce qu'il célèbre en vers et en prose, avec en

prime d'autres faits qui remontent à Cronos [21] ! Il nous a fait l'autre jour le récit détaillé, dans un poème, de l'hospitalité qu'un de leurs ancêtres a accordée à Héraklès en vertu de liens de parenté ; **[205d]** cet ancêtre était lui-même issu de Zeus et de la fille du fondateur de leur dème [22], bref c'était l'une de ces histoires que les vieilles [23] racontent, et il en a beaucoup d'autres du même genre, Socrate. Voilà ce qu'il nous contraint d'écouter lorsqu'il les raconte et les chante [24]. »

Sur ce, je m'exclamai : « Comme tu es ridicule, Hippothalès : tu composes et tu chantes ton propre éloge avant même d'avoir remporté la victoire !

– Mais ce n'est pas en mon honneur, Socrate, protesta-t-il, que je récite des vers et que je chante.

– Du moins ne le crois-tu pas, répondis-je.

– Qu'est-ce à dire ? demanda-t-il.

– **[205e]** C'est avant tout à toi, répondis-je, que ces odes se rapportent. En effet, si tu ravis un garçon de cette trempe, tes compositions et tes chants seront à ton honneur et feront en réalité l'éloge de ta victoire, puisque tu auras obtenu les faveurs d'un garçon de ce rang. Mais s'il t'échappe, plus tu auras insisté dans ton éloge de ce garçon, plus tu paraîtras ridicule d'être frustré d'une aussi grande beauté. **[206a]** Celui qui est habile dans les choses de l'amour, mon ami, ne loue pas l'aimé avant de l'avoir ravi [25], car il craint la tournure des événements. D'autant plus que les beaux garçons deviennent pleins de suffisance et d'orgueil lorsqu'ils sont l'objet de louanges et de propos qui les exaltent. N'es-tu pas de cet avis ?

– Si, si, répondit-il.

– Et plus ils sont orgueilleux, plus ils sont difficiles à ravir ?

– C'est probable.

– À ton avis, quel genre de chasseur serait-on si l'on effrayait le gibier que l'on chasse et qu'on le rendait encore plus difficile à capturer [26] ?

– **[206b]** De toute évidence, un piètre chasseur.

– De même, le fait d'exaspérer par ses discours et par ses chants, au lieu de charmer, trahit une grande ignorance des Muses, n'est-ce pas ?

– C'est mon avis.

– Vois donc, Hippothalès, à ce que ta poésie ne t'expose pas à tous ces résultats. Je ne crois pas que tu sois disposé à reconnaître qu'un homme dont la poésie lui cause du tort puisse être un bon poète, puisqu'il se nuit à lui-même [27].

– Non, par Zeus, répondit-il, car ce serait le comble de l'aberration ! Mais c'est bien pour **[206c]** cela, Socrate, que je te mets dans la confidence, et si tu sais quelque chose d'autre, donne-moi un conseil sur ce que l'on peut dire ou faire [28] pour se rendre aimable aux yeux de son bien-aimé.

– Ce n'est pas facile à dire, répondis-je, mais si tu étais prêt à faire en sorte qu'il s'entretienne avec moi, je pourrais peut-être te faire une démonstration de ce dont il faut l'entretenir [29] au lieu des louanges qu'au dire de ceux-ci tu lui récites et chantes.

– Mais cela ne présente aucune difficulté, répondit-il. En effet, si tu entres avec Ctésippe et que tu te mets à discuter après avoir pris place, je crois qu'il viendra de lui-même à toi, Socrate, car il aime tout particulièrement écouter [30]. **[206d]** Ajoute que, comme on célèbre la fête d'Hermès, les jeunes se sont mêlés aux enfants au même endroit [31] ; il viendra donc à toi. Sinon, il est lié à Ctésippe par l'intermédiaire de Ménexène, le cousin de Ctésippe. Il se trouve en effet que Ménexène est son meilleur ami. Ctésippe n'aura donc qu'à l'appeler, s'il ne vient pas de lui-même.

– C'est ce qu'il faut faire », répondis-je.

Sur ce, prenant **[206e]** Ctésippe avec moi, je m'approchai de la palestre. Les autres suivaient derrière nous. Comme nous faisions notre entrée, nous tombâmes sur des enfants qui venaient d'offrir des sacrifices et qui, comme la cérémonie tirait à sa fin, jouaient aux osselets dans leurs beaux habits. La plupart jouaient dans la cour à l'extérieur ; quelques-uns, dans un angle du vestiaire, jouaient à pair ou impair avec de très nombreux osselets [32], qu'ils tiraient de petites corbeilles. Les autres formaient un cercle autour d'eux pour les observer. Lysis faisait partie des spectateurs : il se tenait debout parmi **[207a]** les enfants et les jeunes, une couronne sur la tête, et il détonnait par son apparence, non seulement par sa beauté qui lui méritait sa réputation, mais parce qu'il avait une allure

noble [33]. Quant à nous, nous nous assîmes après nous être
retirés du côté opposé, car c'était un endroit calme, et nous
engageâmes la conversation. Lysis se retournait souvent
dans notre direction pour nous observer et il brûlait, à
l'évidence, de s'approcher. Il était jusque-là dans l'embarras et il hésitait à s'approcher seul, lorsque Ménexène,
[207b] revenant de la cour, fit son entrée en jouant. Quand
il nous aperçut, Ctésippe et moi, il vint prendre place à nos
côtés. En le voyant, Lysis le suivit et vint s'asseoir près de
nous en compagnie de Ménexène [34]. Les autres s'approchèrent également, y compris Hippothalès ; comme il en
voyait plusieurs qui avaient pris place, il se cacha derrière
eux et se plaça de façon, croyait-il, à ne pas être vu de
Lysis, de crainte de le contrarier. C'est dans cette position
qu'il nous écoutait.

Je tournai mon regard sur Ménexène et je lui demandai :
« Fils de Démophon, **[207c]** lequel de vous deux est le
plus vieux ?

– Nous en débattons [35], répondit-il.

– Dans ce cas, repris-je, lequel est le plus noble est également objet de litige.

– Tout à fait, répondit-il.

– Et, pareillement, lequel est le plus beau [36] ? »

Sur ce, ils se mirent à rire tous les deux.

« Chose certaine, repris-je, je ne vous demanderai pas
lequel de vous deux est le plus riche, car vous êtes amis,
n'est-ce pas ?

– Parfaitement, répondirent-ils.

– On dit qu'entre amis tout est commun [37], de sorte que
vous ne vous distinguez en rien sous ce rapport, si du
moins ce que vous dites de votre amitié est vrai. »

Ils approuvèrent. **[207d]** Je m'apprêtais, après cela, à lui
demander lequel des deux était le plus juste et le plus
savant [38]. Sur ces entrefaites, quelqu'un s'approcha et fit
lever Ménexène, prétextant que le pédotribe [39] le récla-
mait : c'était à lui, m'a-t-il semblé, de surveiller le sacri-
fice. Ménexène s'éloigna donc ; pour ma part, je demandai
à Lysis [40] :

« Je suppose, Lysis, que ton père et ta mère t'aiment
beaucoup ?

– Bien sûr, répondit-il.

– Dans ce cas ils souhaitent que tu sois le plus heureux possible ?

– **[207e]** Comment ne le souhaiteraient-ils pas ?

– À ton avis, est-il heureux l'homme réduit en esclavage auquel on ne permet de rien faire de ce qu'il désire [41] ?

– Par Zeus, à mon avis non, répondit-il.

– Eh bien, si ton père et ta mère t'aiment et désirent te voir heureux, il est évident qu'ils s'appliquent de toutes les façons à te rendre heureux.

– Cela va de soi, répondit-il.

– Ils te laissent donc faire ce que tu veux, ils ne te punissent pas et ils ne t'empêchent pas non plus de faire ce dont tu as envie.

– Si, par Zeus, ils m'en empêchent, Socrate, et même très souvent.

– Qu'est-ce que tu racontes ? repris-je. Ils veulent te voir parfaitement heureux **[208a]** et ils t'empêchent de faire ce que tu veux ? Par exemple, dis-moi, s'il te prenait envie, à l'occasion d'une course, de monter sur l'un des chars de ton père [42] et d'en prendre les rênes, tes parents ne te le permettraient pas et ils t'en empêcheraient ?

– Non, par Zeus, ils ne me le permettraient pas, répondit-il.

– Mais à qui alors le permettraient-ils ?

– Au cocher qui reçoit un salaire de mon père.

– Que dis-tu ? Ils permettent à un salarié, plutôt qu'à toi, de faire ce qu'il veut avec les chevaux, et en plus **[208b]** ils lui versent de l'argent pour cela ?

– Oui, et alors ? dit-il.

– Mais l'attelage de mulets, je suppose qu'ils te le donnent à conduire, et que si tu voulais prendre le fouet pour les frapper, ils te laisseraient faire.

– Pourquoi me laisseraient-ils faire ? demanda-t-il.

– Comment ? repris-je, personne n'est autorisé à les frapper ?

– Mais si, répondit-il, le muletier est autorisé.

– Est-ce un esclave ou un homme libre ?

– Un esclave, répondit-il.

– Et ils ont pour cet esclave, semble-t-il, davantage de considération que pour toi, leur fils, et ils lui confient leurs biens plutôt qu'à toi, et ils le laissent faire ce qu'il veut, alors que toi ils t'en **[208c]** empêchent ? Allons, réponds-moi encore sur ce point : est-ce qu'ils te laissent te gouverner toi-même [43], ou bien pas même pour cela ne te font-ils confiance ?

– Comment, demanda-t-il, pourraient-ils me faire confiance ?

– Alors il y a quelqu'un qui te gouverne ?

– Celui-ci, mon pédagogue [44], répondit-il.

– Est-ce un esclave ?

– Oui, et après ? C'est du moins notre esclave, répondit-il.

– Il est plutôt étrange, repris-je, qu'un homme libre soit gouverné par un esclave. Et que fait ce pédagogue lorsqu'il te gouverne ?

– Il me conduit chez le maître d'école, répondit-il.

– Ne te gouvernent-ils pas eux aussi, ces **[208d]** maîtres d'école ?

– Tout à fait.

– Ils sont donc bien nombreux les maîtres et les précepteurs que ton père t'impose de son plein gré. Mais lorsque tu rentres à la maison, auprès de ta mère, est-ce que, lorsqu'elle tisse, elle te laisse faire ce que tu veux avec la laine ou le métier à tisser, pour que tu sois, grâce à elle, au comble du bonheur ? Car elle ne t'empêche pas, j'imagine, de toucher à la spatule, à la navette ou à tout autre instrument qui sert au travail de la laine. »

Il éclata de rire et me répondit : « Par Zeus, **[208e]** Socrate, non seulement elle m'en empêche, mais je recevrais des coups si j'y touchais.

– Par Héraklès [45], m'écriai-je, n'aurais-tu pas commis une faute à l'endroit de ton père ou de ta mère ?

– Par Zeus, bien sûr que non, répondit-il.

– Mais pour quel motif t'empêchent-ils aussi farouchement d'être heureux et de faire ce que tu veux [46], et pourquoi, à longueur de journée, t'éduquent-ils comme si tu étais toujours l'esclave de quelqu'un et, pour le dire en un mot, à ne rien faire du peu que tu désires ? Tous ces biens ne te sont donc d'aucune utilité, à ce qu'il semble, puisque tous **[209a]** les contrôlent plutôt que toi, et ce corps si noble ne t'est pas non plus utile, puisque là aussi c'est un autre qui l'entretient et le soigne, tandis que toi, Lysis, tu

ne commandes à rien et tu ne fais rien non plus de ce que
tu désires [47].

– C'est que je n'en ai pas encore l'âge, Socrate, répondit-il.

– Ce n'est pas cela, fils de Démocrate, qui est pour toi un
empêchement, puisque ton père et ta mère, je crois, s'en
remettent à toi et n'attendent pas que tu aies l'âge dans le
cas suivant : lorsqu'ils veulent qu'on leur fasse la lecture ou
qu'on écrive pour eux, tu es, m'est avis, **[209b]** la première
personne de la maison à qui ils le demandent. N'est-ce pas ?

– Tout à fait, répondit-il.

– Eh bien, il t'est permis, en ce domaine, d'écrire en
premier lieu celle des lettres de ton choix, et pareillement
pour la deuxième ; et il t'est permis de lire de la même
façon [48]. Et lorsque tu prends la lyre [49], ni ton père ni ta
mère, si je ne m'abuse, ne t'empêchent de pincer ou de
relâcher la corde de ton choix, ni de la faire vibrer et
résonner avec le plectre. Ou bien t'en empêchent-ils ?

– Bien sûr que non.

– Quelle est donc la raison, Lysis, pour laquelle **[209c]**
ils ne formulent aucune interdiction en ces matières, alors
qu'ils en formulent dans les domaines dont nous avons
parlé tout à l'heure ?

– Je crois, répondit-il, que c'est parce que je connais ces
matières, mais non les autres.

– Soit, excellent jeune homme, répondis-je. Ce n'est
donc pas en raison de ton âge que ton père attend pour te
faire confiance en tout ; mais le jour où il te considérera
plus avisé que lui, ce jour-là il s'en remettra à toi et pour
lui-même et pour ce qui lui appartient.

– Oui, je le crois, répondit-il.

– Allons, repris-je. Eh bien ? La règle que ton père a
suivie à ton endroit ne s'applique-t-elle pas, identique, à
ton voisin ? **[209d]** Crois-tu qu'il te confiera sa maison à
administrer lorsqu'il te considérera plus avisé que lui en
matière d'administration domestique, ou qu'il verra lui-
même à sa gestion ?

– C'est à moi qu'il s'en remettra, j'imagine.

– Eh bien ? Crois-tu que les Athéniens [50] ne te confie-
ront pas leurs affaires lorsqu'ils s'apercevront que tu es
suffisamment avisé ?

– Je le crois.

– Par Zeus ! repris-je, et que dire du Grand Roi [51] ? Est-ce à son fils aîné, auquel revient le gouvernement de l'Asie, qu'il confierait le soin d'ajouter ce qui lui plaît à la sauce [209e] des viandes en train de mijoter, ou bien à nous, si, nous étant rendus auprès de lui, nous lui faisions la démonstration que nous sommes plus avisés que son fils en ce qui a trait à la préparation des mets ?

– À nous, c'est évident, répondit-il.

– Son fils, il ne lui permettrait même pas d'y ajouter un petit quelque chose, alors que nous, même si nous voulions y ajouter des poignées de sel, il nous laisserait faire.

– Comment nous le refuserait-il ?

– Et qu'en serait-il si son fils souffrait des yeux ? Est-ce qu'il le laisserait toucher à ses propres [210a] yeux, s'il considère qu'il n'est pas médecin, ou bien l'en empêche-rait-il ?

– Il l'en empêcherait.

– Quant à nous, pour peu qu'il croie que nous sommes versés en médecine, et même si nous voulions lui ouvrir les yeux pour y saupoudrer de la cendre, je crois qu'il ne s'y opposerait pas, puisqu'il considérerait que notre avis est le bon.

– Tu dis vrai.

– Est-ce qu'il s'en remettrait aussi à nous, plutôt qu'à lui-même ou à son fils, dans tous les autres cas [52] où nous lui donnerions l'impression d'être plus savants qu'eux [53] ?

– C'est obligé, Socrate, répondit-il.

– Voici donc ce qu'il en est, mon cher Lysis, repris-je. Dans les domaines [210b] où nous serons devenus avisés, tout le monde s'en remettra à nous, aussi bien les Grecs que les Barbares [54], les hommes que les femmes [55] ; nous ferons dans ces domaines ce que nous voudrons et personne ne nous fera obstacle volontairement ; c'est plutôt nous qui serons libres et qui commanderons aux autres dans ces domaines qui nous seront propres – car nous pourrons en tirer profit –, tandis que dans les domaines dont nous n'aurons pas acquis l'intelligence, personne ne s'en remettra à nous pour nous y laisser faire ce que bon nous semble, mais tous nous en [210c] empêcheront autant qu'ils le pourront, non seulement les étrangers, mais aussi notre père, notre mère et ce qui nous est encore plus parent qu'eux [56], s'il en est ; nous serons nous-mêmes soumis aux autres [57] en ces domaines qui nous seront étrangers [58], car nous n'en tirerons aucun profit [59]. Conviens-tu qu'il en est ainsi ?

– J'en conviens.

– Pourrons-nous être chers à quelqu'un, et quelqu'un pourra-t-il nous aimer dans les domaines où nous ne serons d'aucune utilité [60] ?

– Bien sûr que non, répondit-il.

– Par conséquent, ni ton père ne t'aime dans la mesure où tu es inutile, ni personne n'aime qui que ce soit d'autre pour autant qu'il est inutile [61].

– Il ne semblerait pas [62], **[210d]** répondit-il.

– Il en résulte que si tu deviens savant, mon enfant, tous te seront amis et tous te seront apparentés, car tu seras utile et bon ; sinon, personne ne sera ton ami, ni ton père, ni ta mère, ni tes parents [63]. Comment peut-on avoir une haute idée de soi-même [64], Lysis, dans les sujets dont on n'a pas encore idée ?

– Comment pourrait-on ? dit-il.

– Si tu as besoin d'un maître, c'est donc que tu n'es pas encore avisé.

– C'est vrai.

– Tu ne peux donc pas non plus te permettre d'avoir une haute idée de toi-même, puisque tu es encore dépourvu d'idées.

– Non, par Zeus, Socrate, répondit-il, je n'ai pas l'impression d'avoir une haute idée de moi-même [65]. »

[210e] Sur ce, je portai mon regard sur Hippothalès et il s'en est fallu de peu que je commette une bourde, car il me vint à l'esprit de lui dire : « C'est ainsi, Hippothalès, qu'il faut s'entretenir [66] avec son bien-aimé : en le diminuant et en le rabaissant [67], et non pas, comme tu fais, en le gonflant d'orgueil et en le gâtant [68]. » Voyant qu'il s'agitait et qu'il était troublé par ce qui avait été dit, je me rappelai qu'il souhaitait que Lysis ne s'aperçût pas de sa présence. Je me ressaisis donc et **[211a]** je m'abstins de lui adresser la parole. Sur ces entrefaites, Ménexène revint et regagna auprès de Lysis la place qu'il avait quittée. Alors Lysis, dans un geste d'amitié enfantine [69], me dit à voix basse, à l'insu de Ménexène :

« Ce que tu viens de me dire, Socrate, dis-le aussi à Ménexène. »

Je lui répondis : « Tu le lui diras toi-même, Lysis, car tu m'as accordé toute ton attention [70].

– C'est exact, répondit-il.

– Efforce-toi donc, repris-je, de te souvenir le mieux **[211b]** possible de mes paroles, afin de tout lui rapporter clairement ; et si l'un de mes propos vient à t'échapper, tu me le demanderas à nouveau lors de notre prochaine rencontre [71].

– C'est bien ce que j'ai la ferme intention de faire, Socrate, tu peux en être sûr, répondit-il. Mais dis-lui autre chose que je puisse moi aussi écouter en attendant l'heure de rentrer à la maison.

– Eh bien, je n'ai plus qu'à m'exécuter, repris-je, puisque tu m'y invites. Mais vois à me venir en aide, si jamais Ménexène entreprend de me réfuter. Ne sais-tu pas que c'est un spécialiste de la dispute [72] ?

– Par Zeus, dit-il, c'est un très grand spécialiste et c'est précisément pour cette raison que je suis désireux **[211c]** de te voir discuter avec lui.

– Afin, repris-je, que je sois tourné en ridicule [73] ?

– Non, par Zeus, répondit-il, mais pour que tu lui donnes une leçon [74].

– Et comment ferai-je ? lui demandai-je. Ce ne sera pas facile, car c'est un redoutable bonhomme, un élève de Ctésippe [75], qui est là en personne, ne le vois-tu pas ?

– Ne te préoccupe de personne, Socrate, répondit-il, et va, discute avec lui.

– Alors discutons », dis-je.

Comme nous échangions ces propos entre nous, Ctésippe intervint : « Eh vous deux, pourquoi êtes-vous seuls à vous régaler [76] et ne **[211d]** nous accordez-vous pas une part de l'entretien ?

– Dans ce cas partageons, repris-je. Voici : Lysis ne saisit pas l'une de mes affirmations [77], mais il croit, à ce qu'il prétend, que Ménexène en a le savoir [78], et il m'invite à l'interroger.

– Eh bien ! reprit-il, pourquoi ne l'interroges-tu pas ?

– Mais je vais l'interroger, dis-je. Réponds, Ménexène, à tout ce que je pourrai te demander. Il se trouve que depuis mon enfance il y a un bien que je désire en particulier, comme quelqu'un d'autre pourrait en désirer un autre. **[211e]** L'un, vois-tu, désire acquérir des chevaux, l'autre des chiens, celui-ci de l'or et celui-là des honneurs. Pour ma part, je suis indifférent à tout cela, mais avoir des amis, je le désire passionnément, et j'aimerais mieux avoir un bon ami que la plus belle caille ou le plus beau coq [79] au monde, et même, par Zeus, je le préférerais au plus beau cheval ou au plus beau chien [80]. Et je crois, par le chien [81], que je préférerais de beaucoup un compagnon à l'or de Darius [82], ou à Darius lui-même – c'est dire à quel point je suis désireux de me faire un compagnon. Aussi, quand je vous **[212a]** vois, Lysis et toi, je suis stupéfait et je vous considère heureux d'être parvenus, si jeunes, à acquérir rapidement et facilement ce bien, c'est-à-dire que toi, tu as fait de Lysis ton ami en un tournemain et pour de bon, et lui pareillement avec toi [83]. Pour ma part, je suis encore tellement loin de posséder un tel bien que je ne sais même pas de quelle façon l'on devient ami l'un de l'autre [84] ; et c'est précisément là-dessus que je souhaite te questionner, vu que tu en as l'expérience. Alors dis-moi : quand quelqu'un en aime un autre, lequel des deux **[212b]** devient ami [85] de l'autre ? Celui qui aime de celui qui est aimé, ou celui qui est aimé de celui qui l'aime ? Ou bien n'y a-t-il aucune différence ?

– À mon avis, répondit-il, il n'y a aucune différence.

– Que veux-tu dire ? repris-je. Les deux deviennent donc amis l'un de l'autre, pourvu qu'un seul aime l'autre ?

– C'est bien mon avis, répondit-il.

– Mais quoi ? N'est-il pas possible que celui qui aime ne soit pas aimé en retour par celui qu'il aime ?

– C'est possible.

– Mais alors, est-il possible que celui qui aime soit même détesté ? C'est ce qui arrive parfois aux amants, semble-t-il, dans leur relation à leur bien-aimé ; car bien qu'ils aiment le plus possible, **[212c]** certains croient qu'ils ne sont pas aimés en retour, et d'autres qu'ils sont même détestés [86]. Cela ne te semble-t-il pas vrai ?

– Tout à fait vrai, répondit-il.

– Eh bien, repris-je, dans un tel cas, l'un aime et l'autre
est aimé ?

– Oui.

– Alors lequel des deux est l'ami de l'autre ? Celui qui
aime de celui qui est aimé, peu importe qu'il ne soit pas
aimé en retour ou qu'il soit même détesté, ou bien celui
qui est aimé de celui qui aime ? Ou encore ni l'un ni
l'autre, dans un pareil cas, n'est l'ami de l'autre, puisque
ce ne sont pas les deux qui s'aiment l'un l'autre ?

– Il en irait **[212d]** plutôt ainsi, semble-t-il.

– Nous avons donc changé d'avis par rapport à notre
opinion précédente. Tantôt, en effet, si l'un des deux
aimait, les deux étaient amis ; maintenant, si ce ne sont pas
les deux qui aiment, aucun des deux n'est ami.

– Il se peut, répondit-il.

– Il est donc impossible que ce qui n'aime pas en retour
soit un ami pour qui l'aime [87].

– Il ne semble pas que ce soit possible.

– Il n'y a donc pas non plus d'amis des chevaux si les
chevaux ne les aiment pas en retour, ni d'amis des cailles,
des chiens, du vin ou des exercices, ni d'amis du savoir, si
le savoir ne les aime pas en retour [88]. Ou bien est-il
possible d'aimer ces choses **[212e]** sans pourtant en être
aimés, auquel cas le poète se trompe, lui qui dit : "Heureux qui est aimé de ses enfants, de ses chevaux solipèdes,
de ses chiens de chasse et d'un hôte à l'étranger [89]" ?

– Je ne crois pas qu'il se trompe, répondit-il.

– Alors tu es d'avis qu'il dit vrai ?

– Oui.

– C'est donc l'aimé qui est l'ami de qui l'aime, à ce
qu'il semble, Ménexène, et ce, même si l'aimé ne l'aime
pas ou même le déteste. Prenons l'exemple des petits
enfants qui viennent de naître : il y en a qui n'aiment pas
encore et d'autres qui **[213a]** haïssent déjà lorsqu'ils reçoi-
vent une correction des mains de leur mère ou de leur père,
mais ils n'en restent pas moins, au moment même où ils
haïssent, ce que leurs parents ont de plus cher au monde [90].

– À mon avis, répondit-il, il en est bien ainsi.

– D'après ce raisonnement, l'ami n'est donc pas celui
qui aime, mais celui qui est aimé.

– On dirait.

– Pareillement, l'ennemi est donc celui qui est détesté, et non pas celui qui déteste.

– Il semble bien.

– Si c'est l'aimé qui est l'ami, et non pas celui qui aime, ils sont donc nombreux à être aimés de leurs ennemis et haïs de leurs amis, c'est-à-dire qu'ils sont **[213b]** les amis de leurs ennemis et les ennemis de leurs amis. Ce serait pourtant le comble de l'absurdité, mon cher ami, ou plutôt une impossibilité, je crois, d'être l'ennemi de son ami et l'ami de son ennemi.

– Tu sembles dire vrai, Socrate, répondit-il.

– Eh bien, si c'est une impossibilité, c'est celui qui aime qui serait l'ami de l'aimé.

– Il semble bien.

– Et, de façon analogue, c'est celui qui déteste qui est l'ennemi de celui qui est détesté.

– Nécessairement.

– Dans ces conditions, il est inévitable que nous en venions à convenir la même chose **[213c]** que tout à l'heure, à savoir que l'on est souvent l'ami de qui n'est pas notre ami, et souvent même de notre ennemi, lorsqu'on aime celui qui ne nous aime pas, ou même qui nous déteste ; et que l'on est souvent l'ennemi de qui n'est pas notre ennemi, ou même de notre ami, lorsqu'on déteste celui qui ne nous déteste pas, ou qu'on déteste celui qui même nous aime.

– Il se peut bien, répondit-il.

– Que faire, repris-je, si les amis ne sont ni ceux qui aiment, ni ceux qui sont aimés, ni ceux qui à la fois aiment et sont aimés [91] ? Car hormis ceux-là y en a-t-il d'autres encore dont nous puissions dire qu'ils deviennent amis les uns des autres ?

– Non, par Zeus, Socrate, répondit-il, je n'en vois pas d'autres.

– **[213d]** Est-ce à dire, Ménexène, repris-je, que nous avons d'un bout à l'autre mal conduit cette recherche [92] ?

– C'est mon avis, Socrate », intervint Lysis, qui se mit à rougir [93] en même temps qu'il prononçait ces mots. J'eus l'impression que cette remarque lui avait échappé contre son gré en raison de l'attention extrême [94] qu'il accordait à la discussion, et il était évident qu'il avait écouté dans un état de grande concentration. Désireux donc de donner un peu de répit à Ménexène et ravi par le sens philosophique [95] de Lysis, je changeai d'interlocuteur **[213e]** et je dis, en m'adressant à Lysis :

« J'ai l'impression, Lysis, que tu dis vrai : si nous avions cherché correctement, nous n'aurions pas erré de la sorte. N'empruntons donc plus cette route, car notre recherche m'a tout l'air de ressembler à un chemin difficile ; mais celle vers laquelle nous nous sommes déjà tournés [96], il me semble que nous devons nous y engager, en reprenant l'examen à la lumière **[214a]** des poètes. Ils sont en effet pour nous comme les pères de la sagesse [97] et comme des guides. Ce qu'ils disent n'est certes pas à dédaigner lorsqu'ils révèlent l'identité des amis ; à ce qu'ils prétendent, c'est le dieu lui-même qui les rend amis, en les conduisant l'un auprès de l'autre. C'est à peu près ce qu'ils veulent dire, je crois, lorsqu'ils s'expriment ainsi : "toujours un dieu conduit le semblable vers son semblable [98]" **[214b]** et le lui fait connaître. N'es-tu jamais tombé sur ce vers ?

– Si, si, répondit-il.

– Eh bien, tu as dû également tomber sur les écrits de ces grands savants qui affirment la même chose, à savoir qu'il est nécessaire que le semblable soit toujours l'ami du semblable ? Il s'agit, si je ne m'abuse, de ceux qui font de la nature et de l'univers [99] l'objet de leurs discussions et de leurs écrits.

– Tu dis vrai, répondit-il.

– Ont-ils raison de le dire ? demandai-je.

– Peut-être, répondit-il.

– Peut-être, repris-je, ont-ils à moitié raison, peut-être aussi ont-ils entièrement raison, mais nous ne les comprenons pas. Il nous semble en effet que plus le méchant se rapproche **[214c]** du méchant et le fréquente assidûment, plus il devient son ennemi. Car il commet l'injustice ; or il est impossible, j'imagine, qu'il y ait amitié entre ceux qui commettent l'injustice et leurs victimes [100]. N'en est-il pas ainsi ?

– Si, répondit-il.

– Sous ce rapport, en tout cas, ce qu'ils disent est à moitié faux, s'il est vrai que les méchants sont semblables entre eux.

– Tu dis vrai.

– Mais j'ai le sentiment qu'ils veulent plutôt dire que les bons sont semblables entre eux et amis les uns des autres, alors que les méchants, comme on le dit aussi à leur sujet, ne sont jamais semblables, pas même à eux-mêmes, mais **[214d]** qu'ils sont impulsifs et instables [101]. Or celui qui est, par rapport à lui-même, dissemblable et différent peut difficilement devenir semblable à un autre ou son ami. N'est-ce pas aussi ton opinion ?

– Bien sûr, répondit-il.

– Voici donc, selon moi, mon cher, ce que veulent dire, de façon voilée [102], ceux qui affirment que le semblable est ami du semblable : l'amitié n'est possible qu'entre les bons seuls, tandis que le méchant n'entre jamais dans une amitié véritable, ni avec le bon ni avec le méchant [103]. Est-ce également ton avis ? »

Il fit un signe d'assentiment.

« Nous savons donc désormais qui sont les amis. Le raisonnement nous **[214e]** indique en effet que ce sont les bons.

– C'est bien mon avis, répondit-il.

– C'est aussi le mien, repris-je. Et pourtant il y a là quelque chose qui me gêne. Allons-y, par Zeus, examinons ce qui éveille mes soupçons [104]. Le semblable étant ami du semblable dans la mesure où il lui est semblable, est-il également utile à celui qui lui ressemble ? Disons-le plutôt en ces termes : le semblable pourrait-il faire à son semblable quoi que ce soit d'utile ou de nuisible que ce dernier ne pourrait pas se faire à lui-même ? Que peut-il en attendre qu'il ne pourrait également attendre de **[215a]** lui-même ? Comment de tels êtres pourraient-ils s'apprécier l'un l'autre, s'ils ne peuvent être d'aucun secours l'un pour l'autre ? Est-ce possible ?

– C'est impossible.

– Et comment ce qui n'est pas apprécié pourrait-il être objet d'amitié ?

– En aucune façon.

– Alors le semblable n'est pas ami du semblable ; mais le bon serait-il ami du bon pour autant qu'il est bon, et non pas semblable ?

– Peut-être.

– Mais quoi ? N'est-ce pas que le bon, dans la mesure
où il est bon, se suffit à lui-même sous ce rapport ?

– Si.

– Et celui qui se suffit ne manque de rien dont il a suffisamment.

– Comment n'en serait-il pas ainsi ?

– Et celui qui ne **[215b]** manque de rien ne peut pas non
plus apprécier quelque chose [105].

– Il ne le peut pas, en effet.

– Et celui qui n'apprécie pas ne pourrait pas non plus
aimer.

– Bien sûr que non.

– Et celui qui n'aime pas n'est pas ami.

– Il ne semble pas.

– Comment, pour commencer, pourrions-nous admettre
que les bons soient amis des bons, eux qui n'éprouvent
aucun regret les uns des autres lorsqu'ils sont absents, car
ils se suffisent à eux-mêmes y compris lorsqu'ils sont
séparés, et qui n'éprouvent aucun besoin les uns des
autres [106] lorsqu'ils sont présents ? Y a-t-il moyen que des
individus de cette espèce fassent grand cas les uns des
autres ?

– En aucune façon, répondit-il.

– Ils ne sauraient donc être amis **[215c]** s'ils ne font pas
grand cas l'un de l'autre.

– C'est vrai.

– Examine donc, Lysis, le point où nous avons été
induits en erreur. Nous sommes-nous trompés sur toute la
ligne ?

– Comment cela ? demanda-t-il.

– J'ai déjà entendu quelqu'un dire [107], et je m'en rappelle à l'instant, que la plus grande hostilité règne entre les
semblables et entre les bons [108] ; il citait notamment
Hésiode comme témoin, lui qui affirme que "le potier en
veut au potier, l'aède à l'aède **[215d]** et le mendiant au
mendiant [109]" ; il affirmait qu'il en est nécessairement
ainsi dans tous les autres cas et que ce sont surtout les
choses les plus semblables qui sont remplies de jalousie,
de rivalité et d'inimitié les unes envers les autres, alors que
les choses les plus dissemblables [110] débordent d'amitié
réciproque ; il est forcé, disait-il, que le pauvre soit l'ami

du riche [111], le faible du fort pour obtenir son aide [112], le malade du médecin [113], et qu'en toutes choses celui qui ne sait pas apprécie et aime celui qui sait [114]. **[215e]** Il poursuivait son discours en termes encore plus magnifiques, en affirmant qu'il s'en faut de beaucoup que le semblable soit l'ami du semblable, et qu'il est plutôt le contraire d'un ami, car ce sont les termes les plus opposés qui sont le plus amis entre eux. En effet, c'est de ce qui lui est le plus opposé que chacun éprouve le désir [115], et non pas de son semblable : le sec désire l'humide, le froid le chaud, l'amer le doux, l'aigu le grave, le vide le plein, le plein le vide [116], et ainsi de suite pour les autres choses suivant le même raisonnement, car le contraire est un aliment pour le contraire, et le semblable **[216a]** ne tire aucun profit du semblable. En tout cas, mon ami, il passait pour très habile en tenant ce discours, car il parlait bien. Mais à votre avis, poursuivis-je, comment parlait-il ?

– Bien, répondit Ménexène, à en juger du moins par ce que l'on vient d'entendre.

– Affirmerons-nous donc que c'est le contraire qui est au plus haut degré l'ami du contraire ?

– Tout à fait [117].

– Soit, repris-je. Mais n'est-ce pas absurde, Ménexène ? Ne vont-ils pas aussitôt, tout joyeux, bondir sur nous, ces hommes au savoir universel, les spécialistes de la contradiction [118], qui nous demanderont si **[216b]** l'inimitié n'est pas ce qu'il y a de plus contraire à l'amitié. Et que leur répondrons-nous ? N'est-il pas nécessaire de reconnaître qu'ils disent vrai ?

– C'est nécessaire.

– Dans ce cas, demanderont-ils, l'ennemi est-il ami de l'ami, et l'ami de l'ennemi ?

– Ni l'un ni l'autre, répondit-il.

– Et le juste est-il l'ami de l'injuste, le modéré [119] du débauché et le bon du mauvais ?

– À mon avis, il n'en va pas ainsi.

– Mais pourtant, repris-je, si c'est précisément en vertu de leur contrariété qu'une chose est amie d'une autre, il est nécessaire que ces contraires aussi soient amis.

– Nécessairement.

– Par conséquent, ni le semblable n'est ami du semblable, ni le contraire du contraire.

– On dirait que non.

– **[216c]** Mais soumettons encore ceci à l'examen. L'ami n'étant en vérité rien de ce que nous avons considéré, faisons bien attention qu'il ne nous échappe que c'est en fin de compte ce qui n'est ni bon ni mauvais qui est l'ami du bien [120].

– Qu'est-ce que tu veux dire ? demanda-t-il.

– Par Zeus, répondis-je, je n'en sais rien, mais je suis réellement pris de vertige devant l'impasse où se trouve la discussion, et il se pourrait bien, suivant le vieux proverbe [121], que ce soit le beau qui est objet d'amitié. Il ressemble en tout cas à quelque chose de doux, de lisse et de brillant [122], **[216d]** et c'est sans doute pourquoi, vu sa nature, il nous glisse facilement entre les doigts et nous échappe. J'affirme donc que le bien est beau [123] ; ne le crois-tu pas ?

– Si.

– Ainsi j'affirme, en m'exprimant à la façon d'un oracle [124], que ce qui est l'ami du beau et du bien est ce qui n'est ni bon ni mauvais. Écoute bien ce qui me permet de faire cette prédiction. J'ai le sentiment qu'il existe, pour ainsi dire, trois genres : le bon, le mauvais et ce qui n'est ni bon ni mauvais [125]. Et toi, quel est ton sentiment ?

– C'est aussi mon avis, répondit-il.

– Il me semble aussi que le bon n'est pas l'ami du bon, ni le mauvais du mauvais, ni le bon **[216e]** du mauvais, comme s'y oppose également le raisonnement qui précède [126]. Il reste donc, s'il y a une chose qui soit amie d'une autre, que ce qui n'est ni bon ni mauvais soit l'ami ou du bon ou de quelque chose qui ressemble à ce qu'il est lui-même [127]. Car il n'y a rien, j'imagine, qui puisse devenir l'ami du mauvais [128].

– C'est la vérité.

– Et nous avons dit tout à l'heure [129] que le semblable n'est pas non plus l'ami du semblable. N'est-ce pas ?

– Si.

– Ce qui n'est ni bon ni mauvais ne pourra donc pas être l'ami de quelque chose qui lui ressemble [130].

– Il ne semble pas.

– Il en résulte que c'est du bien **[217a]**, et de lui seul, que ce qui n'est ni bon ni mauvais peut devenir l'ami.

– C'est forcé, semble-t-il.

– N'est-ce pas la bonne voie, mes enfants, que nous indique ce qui vient d'être dit ? demandai-je. Considérons un corps en santé : il n'a besoin ni de la médecine ni de secours ; de fait, il se suffit [131], de sorte qu'il n'y a personne en santé qui devienne ami du médecin en raison de sa santé. N'est-ce pas ?

– Personne, en effet.

– C'est plutôt le malade, je crois, en raison de sa maladie [132].

– Assurément. **[217b]**

– Or la maladie est un mal, tandis que la médecine est utile et bonne [133].

– Oui.

– Mais le corps, en tant que corps, n'est ni bon ni mauvais, j'imagine.

– C'est juste.

– Mais le corps est contraint, en raison de la maladie, de s'attacher à la médecine et de l'aimer.

– C'est mon avis.

– Ce qui n'est ni bon ni mauvais devient donc l'ami du bien en raison de la présence du mal [134].

– Il semblerait.

– Mais il est évident que c'est avant de devenir lui-même mauvais sous l'influence du mal qu'il abrite. Car une fois devenu lui-même mauvais, **[217c]** il ne pourra plus désirer le bien ni être son ami ; car il est impossible, avons-nous dit [135], que le mal soit l'ami du bien.

– C'est en effet impossible.

– Examinez bien ce que je vais dire. J'affirme que certaines choses sont de même nature que ce qui est présent en elles, voire identiques, et d'autres non. C'est comme si l'on voulait teindre quelque chose d'une couleur, la teinture serait en quelque sorte présente en la chose teinte.

– Tout à fait.

– Est-ce que la chose teinte est alors de même nature, sous le rapport de la couleur, que l'enduit ?

– **[217d]** Je ne comprends pas, répondit-il.

– Alors présentons les choses de cette manière, repris-je. Si l'on enduisait de blanc de céruse tes cheveux blonds, est-ce qu'ils seraient blancs ou n'en auraient-ils que l'apparence ?

– Ils en auraient l'apparence, répondit-il.

– Et pourtant la blancheur serait présente en eux.

– Oui.

– Mais cela ne les rendrait pas plus blancs et, bien que la blancheur soit présente en eux, ils ne seraient ni blancs ni noirs.

– C'est vrai.

– Mais lorsque, mon cher, la vieillesse induit en eux cette même couleur, ils deviennent alors identiques à ce qui est présent en eux, à savoir blancs en raison de la présence de la blancheur.

– **[217e]** Comment ne le deviendraient-ils pas ?

– C'est donc cela que je te demandais à l'instant : lorsqu'une chose est présente en une autre, est-ce que celle-ci devient semblable à ce qui est présent en elle ? Ou bien il y aura ressemblance si elle est présente d'une certaine manière, sinon, non ?

– Plutôt de cette dernière façon, répondit-il.

– Ce qui n'est ni bon ni mauvais peut donc parfois, malgré la présence du mal, n'être pas mauvais encore, alors que d'autres fois, au contraire, il lui devient semblable.

– Parfaitement.

– Eh bien, lorsqu'il n'est pas encore mauvais, malgré la présence du mal, cette présence même lui fait désirer le bien ; mais si elle le rend mauvais, elle le prive tout à la fois du désir et de l'amitié pour le bien. Car désormais il n'est plus **[218a]** ni bon ni mauvais, mais mauvais ; et il n'est pas possible, avons-nous dit, que le mauvais soit l'ami du bien [136].

– C'est en effet impossible.

– Voilà bien pourquoi, nous pouvons également affirmer que ceux qui sont déjà savants, dieux ou hommes [137], ne recherchent plus le savoir, et que ne le recherchent pas non plus ceux qui sont à ce point ignorants qu'ils en sont mauvais, car il n'y a personne d'ignorant ni de mauvais qui aspire au savoir. Restent donc ceux qui souffrent de ce

mal, l'ignorance, mais pas au point d'être devenus irréflé-
chis et ignorants sous son effet, **[218b]** et qui reconnaissent encore qu'ils ne savent pas ce qu'ils ne savent pas [138].
Voilà pourquoi ceux qui aspirent au savoir sont ceux qui
ne sont encore ni bons, ni mauvais, alors que tous ceux qui
sont mauvais n'aspirent pas au savoir, non plus que les
bons [139]. Il nous est en effet apparu, dans les raisonnements
précédents, que ni le contraire n'est l'ami du contraire, ni
le semblable du semblable. Ne vous en souvenez-vous
pas ?

– Parfaitement, répondirent-ils.

– Cette fois, Lysis et Ménexène, nous avons très certainement trouvé, repris-je, qui est l'ami et quel est l'objet de
son amitié [140]. Nous affirmons que ce qui n'est ni bon ni
mauvais, sous le rapport de l'âme, du **[218c]** corps, ou
sous tout rapport, est l'ami du bien en raison de la
présence [141] du mal. » Ils m'approuvèrent sur toute la ligne
et m'accordèrent qu'il en était bien ainsi.

Bien entendu, je ne me sentais plus de joie, comme un
chasseur [142] qui vient tout juste de prendre ce qu'il traquait.
Et ensuite me vint, je ne sais d'où, le soupçon très étrange
que les propositions dont nous avions convenu n'étaient
pas vraies ; affligé, je m'écriai sur-le-champ : « Oh ! Lysis
et Ménexène, c'est d'un songe, j'en ai peur, que nous nous
sommes enrichis [143].

– **[218d]** Comment cela ? demanda Ménexène.

– Je crains, repris-je, qu'au sujet de ce qui est ami, nous
ne soyons tombés sur certains propos comparables à ceux
que tiennent les imposteurs.

– Comment cela ? demanda-t-il.

– Voici ce qu'il faut examiner, repris-je. Celui qui est
ami, l'est-il de quelque chose ou non ?

– Forcément de quelque chose, répondit-il.

– Et l'est-il en vue et à cause de rien, ou bien en vue et
à cause de quelque chose [144] ?

– En vue et à cause de quelque chose [145].

– Est-ce que cette chose, en vue de laquelle l'objet ami
est cher à celui qui l'aime, est elle-même un ami, ou bien
n'est-elle ni un ami ni un ennemi ?

– **[218e]** Je ne te suis pas très bien, répondit-il.

– C'est normal, répondis-je. Mais sans doute que cet exemple te permettra de suivre, et je crois que moi-même je comprendrai mieux ce que je dis [146]. Le malade, dont nous parlions à l'instant [147], est ami du médecin, n'est-ce pas ?

– Oui.

– C'est donc à cause de la maladie et en vue de la santé qu'il est ami du médecin ?

– Oui.

– Or la maladie est un mal ?

– Comment n'en serait-elle pas un ?

– Et qu'en est-il de la santé ? demandai-je. Est-elle un bien, un mal ou ni l'un ni l'autre ?

– Un bien [148], **[219a]** répondit-il.

– Nous avons donc dit, à ce qu'il semble, que le corps, qui n'est ni bon ni mauvais, est ami de la médecine à cause de la maladie, c'est-à-dire à cause d'un mal, alors que la médecine est un bien. C'est en vue de la santé que la médecine remporte l'amitié, et la santé est un bien. N'est-ce pas ?

– Oui.

– La santé est-elle amie ou non ?

– Elle est amie.

– Mais la maladie est ennemie.

– Parfaitement.

– Ce qui n'est ni bon ni mauvais **[219b]** est donc ami d'un bien à cause d'un mal et d'un ennemi, en vue d'un bien et d'un ami.

– Cela en a tout l'air.

– C'est donc en vue de l'ami que l'ami est ami à cause de l'ennemi.

– Il semblerait.

– Bien, dis-je. Puisque nous en sommes venus à ce point, les enfants, donnons-y toute notre attention pour ne pas être induits en erreur. Que l'ami soit devenu l'ami de l'ami, c'est-à-dire que le semblable devient l'ami du semblable, ce que nous avons déclaré impossible, je laisse cela de côté [149]. Mais voici ce que nous devons examiner pour éviter que la discussion présente ne nous induise en erreur. **[219c]** La médecine, disions-nous, est aimée en vue de la santé.

– Oui.

– Dans ce cas, la santé est également aimée ?

– Bien sûr.

– Si elle est aimée, c'est donc en vue de quelque chose [150].

– Oui.

– D'une chose qui est aimée, si nous sommes conséquents avec ce dont nous avons précédemment convenu.

– Tout à fait.

– Eh bien, cette chose sera-t-elle aussi à son tour aimée en vue d'un objet aimé [151] ?

– Oui.

– N'est-il donc pas nécessaire que nous refusions de poursuivre dans cette voie et [152] que nous parvenions à un certain principe, qui ne nous renverra plus à un autre objet d'amour, et que l'on en arrive plutôt à ce qui est le **[219d]** premier objet d'amour [153], en vue duquel, affirmons-nous, toutes les autres choses sont aimées ?

– C'est obligé.

– Voici ce que je veux dire : pour éviter que toutes les autres choses dont nous avons dit qu'elles sont aimées en vue de lui, comme autant d'images [154] de lui, ne nous induisent en erreur, c'est lui, ce premier, qui est le véritable objet d'amour [155]. Comprenons-le de la façon suivante [156] : lorsqu'on fait grand cas d'une chose, par exemple quand un père accorde plus de prix à son fils qu'à tous ses autres biens, est-ce qu'un père de ce genre, du fait qu'il estime **[219e]** son fils par-dessus tout, fera également grand cas d'autre chose ? Par exemple, s'il se rendait compte que son fils a bu de la ciguë, est-ce qu'il ferait grand cas du vin, s'il croyait que le vin pourrait sauver son fils ?

– Et alors ? demanda-t-il.

– Alors il fera aussi grand cas du vase qui contient le vin ?

– Bien sûr.

– Est-ce à dire qu'il n'attache pas moins d'importance à un récipient en argile, ou à trois cotyles [157] de vin, qu'à son propre fils ? Voici plutôt ce qui en est : tout soin de ce genre ne s'adresse pas aux moyens que l'on se procure en vue d'une fin, mais à la fin en vue de laquelle on se pro-

cure tous les moyens **[220a]** de ce genre. Je ne nie pas que
nous affirmions souvent que nous faisons grand cas de l'or
et de l'argent, mais cela ne correspond pas pour autant à la
vérité ; ce dont nous faisons grand cas, en réalité, c'est ce
qui nous paraît être la fin en vue de laquelle l'on se procure l'or et toutes les autres choses que l'on se procure.
Est-ce la position que nous soutiendrons ?

– Parfaitement.

– Eh bien, le même raisonnement vaut-il aussi pour
l'ami ? Car toutes les choses dont nous affirmons qu'elles
nous sont amies en vue **[220b]** d'un ami, nous donnons
l'impression d'en parler à l'aide d'un terme inapproprié [158]. Or ce qui est réellement ami a tout l'air d'être ce
vers quoi tendent toutes ces prétendues amitiés [159].

– Il y a chance qu'il en soit ainsi, répondit-il.

– Dans ce cas, ce qui est réellement ami n'est pas aimé
en vue d'un certain ami [160] ?

– C'est vrai.

– Voilà donc une chose acquise : ce n'est pas en vue
d'un certain ami que l'ami est objet d'amitié. Mais est-ce
que le bien [161] est objet d'amitié ?

– Oui, à mon avis.

– Est-ce à cause du mal que le bien est aimé ? **[220c]** et
n'en va-t-il ainsi : si, des trois choses dont nous parlions il
y a un instant, le bien, le mal, et ce qui n'est ni bon ni mauvais, il en restait deux, et que le mal s'en était allé au loin
et ne s'attachait plus à rien, ni au corps ni à l'âme ni aux
autres choses dont nous disons qu'elles ne sont par elles-
mêmes ni bonnes ni mauvaises, est-ce qu'alors le bien ne
nous serait plus d'aucune utilité, étant désormais privé
d'usage [162] ? Si, en effet, rien ne nous causait plus de dom-
mage, nous n'aurions plus besoin d'aucun **[220d]** secours,
et ainsi il deviendrait tout à fait clair que le mal était cause
de notre affection et de notre amour pour le bien, comme
si le bien était un remède contre le mal, et le mal une
maladie ; mais si la maladie n'est plus, il n'y a plus aucun
besoin du remède. Le bien est-il de cette nature et est-ce à
cause du mal qu'il est aimé de nous, nous qui nous situons
entre le bien et le mal, alors que le bien lui-même n'est
d'aucune utilité en vue de lui-même [163] ?

– Il semblerait, répondit-il, qu'il en soit ainsi.

– Ce qui est pour nous un objet d'amitié, celui auquel tendent tous les autres **[220e]** dont nous avons dit qu'ils sont aimés parce qu'ils visent un autre objet d'amour, ne ressemblerait donc en rien à ces derniers. Ils sont en effet appelés amis en vue d'un objet d'amitié, mais ce qui est réellement ami semble par nature tout le contraire de cela, puisqu'il nous est apparu être ami en vue d'un ennemi ; et si l'ennemi disparaissait, nous n'aurions plus d'objet d'amitié [164], semble-t-il.

– D'après ce que tu viens te dire, dit-il, j'ai l'impression que nous n'en aurions plus.

– Par Zeus, repris-je, si le mal était aboli, n'y aurait-il plus ni faim, ni **[221a]** soif, ni rien de ce genre [165] ? Ou bien est-ce que la faim subsistera, pour peu qu'il y ait des hommes et des animaux, mais une faim qui ne sera cependant pas dommageable ? Est-ce que la soif et les autres désirs subsisteront, mais sans être mauvais, puisque le mal aura été aboli ? Ou bien est-il ridicule de poser une question sur ce qui subsistera ou non à ce moment ? Car qui le sait ? En tout cas, nous savons au moins une chose : dans l'état actuel des choses, il est tantôt dommageable, tantôt avantageux d'avoir faim. N'est-ce pas ?

– Tout à fait.

– Eh bien, celui qui a soif **[221b]** ou qui désire toute autre chose de ce genre éprouve-t-il un désir qui est parfois avantageux, parfois dommageable, et parfois indifférent ?

– Absolument.

– Eh bien, si les maux sont abolis, convient-il que les choses qui ne sont pas des maux soient abolies en même temps que les maux ?

– Nullement.

– Les désirs qui ne sont ni bons ni mauvais subsisteront donc même si les maux sont abolis.

– Apparemment.

– Est-il possible que celui qui désire et aime passionnément n'aime pas l'objet de son désir et de son amour passionné ?

– À mon avis, non.

– Il y aura donc, **[221c]** à ce qu'il semble, même si les maux sont abolis, des objets aimés.

– Oui.

– Il n'y en aurait pas si le mal était cause de l'existence
d'un objet d'amour : une fois le mal aboli, il n'y aurait
plus d'objet ami pour qui que ce soit [166]. Car la disparition
de la cause rend impossible, j'imagine, que subsiste
encore la chose dont c'était la cause.

– Ce que tu dis est juste.

– Eh bien, nous avions convenu que l'on aime un certain objet pour une certaine raison ; et nous croyions, du
moins alors, que c'est à cause du mal que ce qui n'est ni
bon ni mauvais aime le bien [167].

– C'est vrai.

– **[221d]** Or il appert à présent, semble-t-il, qu'aimer et
être aimé tiennent à une autre cause.

– Il semblerait.

– Est-ce que le désir, comme nous le disions à l'instant,
est réellement la cause [168] de l'amitié ? Ce qui désire est-il
ami de ce qu'il désire au moment où il le désire ? Et nos
déclarations précédentes sur la nature de l'ami [169] n'étaient-
elles que bavardage [170], à la façon d'un interminable
poème ?

– C'est bien possible, répondit-il.

– Mais ce qui désire, repris-je, désire cela dont il est en
manque [171], **[221e]** n'est-ce pas ?

– Si.

– Ce qui éprouve un manque est donc ami de ce qui lui
manque ?

– C'est mon avis.

– Or il y a manque de ce qui a été enlevé [172].

– Comment n'en serait-il pas ainsi ?

– C'est donc l'apparenté [173], semble-t-il, qui est l'objet
de l'amour, de l'amitié et du désir [174] ; c'est manifeste,
Ménexène et Lysis. » Ils approuvèrent. « Si vous êtes amis
l'un de l'autre, c'est donc que vous êtes naturellement
apparentés de quelque manière [175].

– C'est exact, approuvèrent-ils.

– Par conséquent, les enfants, repris-je, si quelqu'un
éprouve du désir, **[222a]** ou un amour passionné pour une
autre personne, il ne pourrait pas la désirer, ni l'aimer passionnément, ni même lui témoigner de l'amitié, s'il ne se
trouvait pas de quelque manière apparenté à l'aimé sous le

rapport de l'âme, ou d'une disposition de l'âme, ou des occupations, ou de l'aspect physique [176].

– Tout à fait, répondit Ménexène. Mais Lysis demeura silencieux [177].

– Soit, repris-je. C'est donc ce qui est naturellement apparenté qu'il nous est apparu nécessaire d'aimer.

– Il semblerait, répondit-il.

– Il est donc nécessaire que l'amant véritable [178] et qui ne simule pas soit aimé par le garçon qu'il aime [179]. »

[222b] Lysis et Ménexène esquissèrent avec peine un signe d'assentiment, tandis que Hippothalès, sous l'effet du plaisir, passait par toutes les couleurs [180]. Et moi j'ajoutai, car je tenais à passer l'argument au crible :

« Si l'apparenté se distingue du semblable, nous pourrions dire quelque chose de valable, à ce qu'il me semble, Lysis et Ménexène, sur la nature de l'ami ; mais s'il se trouve que le semblable et l'apparenté sont la même chose, on peut difficilement faire fi de notre argument précédent, à savoir que le semblable est inutile au semblable en vertu de leur ressemblance [181] ; quant à admettre que l'inutile puisse être un objet d'amitié, [222c] c'est exclu [182]. Êtes-vous donc prêts, repris-je, puisque nous sommes comme enivrés [183] par la discussion, à ce que nous accordions et soutenions que l'apparenté est autre chose que le semblable ?

– Tout à fait.

– Notre position sera-t-elle aussi qu'à toute chose le bien est apparenté, et le mal étranger [184], ou bien que le mal est apparenté au mal, le bien au bien, et ce qui n'est ni bon ni mauvais à ce qui n'est ni bon ni mauvais ? »

À leur avis, dirent-ils, il en était bien ainsi : chaque genre [222d] est apparenté au même genre.

« Les enfants, repris-je, nous voilà retombés dans les raisonnements sur l'amitié que nous avons précédemment rejetés [185]. Car l'injuste ne sera pas moins ami de l'injuste, et le mauvais du mauvais, que le bon du bon.

– Il semblerait, dit-il.

– Mais quoi ? Si nous affirmons que le bien et l'apparenté sont identiques, cela ne revient-il pas à soutenir que seul le bon est ami du bon [186] ?

– Tout à fait.

– Mais sur ce point aussi nous croyions [187] nous être réfutés nous-mêmes. Ne vous en souvenez-vous pas ?
– Nous nous en souvenons.
– **[222e]** Que pourrions-nous encore tirer de ce raisonnement ? N'est-il pas évident que cela ne servirait à rien ? Je vous prie donc de me laisser, à la façon des experts devant les tribunaux, récapituler tout ce qui a été dit. Si ni les aimés, ni les amants [188], ni les semblables [189], ni les dissemblables [190], ni les bons [191], ni les apparentés [192], ni les autres que nous avons passés en revue – je ne me les rappelle plus très bien à cause de leur nombre [193] –, si aucun d'eux n'est l'ami, je n'ai plus rien à ajouter. »

[223a] Mon intention, en disant cela, était de provoquer l'un des plus vieux [194]. C'est alors que s'approchèrent, pareils à des démons [195], les pédagogues, celui de Ménexène et celui de Lysis, accompagnés des frères des deux garçons ; ils les appelèrent et leur donnèrent l'ordre de rentrer à la maison [196], car il était déjà tard. Nous nous sommes tout d'abord efforcés, ceux qui assistaient et nous, de les chasser. Eux ne faisaient pas attention à nous, mais ils s'emportaient en s'exprimant de façon barbare et ils **[223b]** n'en continuaient pas moins d'appeler les garçons ; comme ils avaient bu aux fêtes d'Hermès et qu'ils avaient l'air intraitables, nous nous sommes rendus et nous avons mis fin à notre réunion [197]. Ils s'éloignaient déjà, lorsque je leur dis : « Lysis et Ménexène ! nous nous sommes tous couverts de ridicule, aussi bien moi, qui suis vieux [198], que vous. Car ceux-ci qui s'éloignent diront que nous croyons être amis les uns des autres [199] – et, de fait, je me compte au nombre de vos amis [200] –, mais que nous n'avons même pas réussi à découvrir ce qu'est un ami [201]. »

NOTES
de la traduction du *Lysis*

1. Les deux sous-titres (« Sur l'amitié » et « genre maïeutique ») ne remontent pas à Platon et c'est d'ailleurs la raison pour laquelle ils ont été placés entre crochets droits. Leur ancienneté ne laisse cependant aucun doute, puisqu'on les trouve déjà, d'après le témoignage de Diogène Laërce (III 56-61), dans le catalogue des dialogues de Platon établi au début du Ier siècle de notre ère par le grammairien alexandrin Thrasylle. Le premier sous-titre indique le sujet (*skopós*) traité par le dialogue, alors que le second précise le « caractère » du dialogue, c'est-à-dire sa tendance philosophique. Le second sous-titre (« genre maïeutique ») est une allusion évidente à la profession d'« accoucheur des esprits » que Socrate se flattait de pratiquer (cf. *Théét.* 149a-151d). De façon générale, les seconds sous-titres sont passablement arbitraires, dans la mesure où ils obéissent davantage à une volonté de systématisation qu'à un réel effort de déterminer le « caractère » du dialogue. Ainsi, il est plutôt étrange que le *Lysis* soit qualifié de « maïeutique », puisque Socrate mène ostensiblement le jeu des questions et des réponses sans se montrer soucieux, à l'exception de son premier entretien avec Lysis (207d-210e), d'aider ses jeunes interlocuteurs à « accoucher » des vérités dont leurs âmes seraient grosses. Sur la question des sous-titres, voir H. Alline (*Histoire du texte de Platon*, Paris, 1915, p. 124-134) et L. Brisson (« Diogène Laërce, "Vies et doctrines des philosophes illustres" », Livre III : « Structure et contenu », *Aufstieg und Niedergang der Römischen Welt*, Berlin, 1992, Band 36.5, p. 3698-3721).

2. L'Académie est un parc consacré au héros Akadêmos ; c'est aussi le site de l'un des trois grands gymnases situés à l'extérieur des murs d'Athènes, les deux autres étant le Cynosarges et le Lycée (voir note suivante). Des écoles philosophiques furent fondées sur l'emplacement de ces trois gymnases : Platon choisit le site de l'Académie (vers 387), les Cyniques s'installèrent au Cynosarges et Aristote, enfin, fixa son école au Lycée (vers 335). Sur l'histoire du site de l'Académie, voir la longue étude de M.-F. Billot, in *DPhA*, I, p. 693-789.

3. Le Lycée doit son nom au fait qu'il était dédié à Apollon *Lykeios* (« le loup ») ; il était situé à l'est, sur la rive droite de la rivière Ilissos. Le Lycée était l'un des endroits de prédilection de Socrate (cf. *Euthyph.* 2a ; *Euthyd.* 271a ; *Banq.* 223d).

4. Sur Hippothalès, voir Introduction, p. 160-161. La mise en scène du début du *Lysis* rappelle le préambule du *Charmide* (153a-b), où c'est également alors qu'il se rend à une palestre que Socrate tombe à l'improviste sur des camarades.

5. Sur Ctésippe, voir Introduction, p. 161-162.

6. Le dème (cf. *infra*, n. 22) de Péanée se situait à environ 12 kilomètres à l'est d'Athènes.

7. Cette question, qui joue le rôle d'une formule de salutation (cf. Bordt 1998, p. 120), se rencontre également au tout début du *Ménexène* (234a), du *Protagoras* (309a), de l'*Ion* (530a) et du *Phèdre* (227a).

8. La question de Socrate laisse clairement entendre que la palestre est non seulement une espèce de gymnase où l'on pratique des sports, mais aussi un genre d'école où enseignent souvent des sophistes, ainsi qu'en témoigne le début de l'*Euthydème* (272d sq. ; cf. aussi Bordt 1998, p. 109 ; J. Delorme, *Gymnasion. Études sur les monuments consacrés à l'éducation en Grèce*, Paris, 1960, p. 59-61, 260-271).

9. Ce personnage ne nous est pas autrement connu.

10. Il n'y a aucune raison de suivre Burnet et de supprimer le terme *autoû* (« ici même ») qui est attesté par tous les manuscrits. Pour justifier la présence de ce terme et donner au passage un sens cohérent, il est préférable de le rattacher au début de la réplique de Socrate (*autoû prôton* […]) plutôt qu'à la fin de la question d'Hippothalès ([…] *autóthi autoû*). Cf. Bordt 1998, p. 121-122.

11. Au début du *Charmide* (153d), alors qu'il vient à peine de rejoindre ses amis, Socrate s'empresse de leur demander s'il y a des jeunes hommes qui se distinguent par leur beauté.

12. Le terme *ákhrēstos* (« bon à rien ») n'a pas été choisi au hasard ; dans la suite de la discussion, Socrate démontre à Lysis que c'est notre utilité qui nous fait aimer, et que cette utilité doit se fonder sur le savoir. Or Socrate qualifie précisément d'*ákhrēstos* celui qui est incompétent, qui n'est bon à rien et qui ne peut donc pas se faire aimer (cf. 210c). Si Socrate se déclare *ákhrēstos*, c'est donc qu'il se reconnaît lui-même incompétent et ignorant dans tous les domaines, à l'exception des choses amoureuses. Ce passage-ci établit donc déjà, entre le savoir et l'utilité, le lien étroit qui sera clairement affirmé en 210d (cf. aussi Introduction, p. 175-180).

13. Il y a dans le corpus platonicien plusieurs passages où Socrate se reconnaît une compétence dans les choses de l'amour (*Banq.* 177d, 198d ; *Phèdre* 257a ; *Théagès* 128d). Dans le *Banquet*, par exemple, Socrate déclare « ne rien savoir d'autre que ce qui a trait à l'amour » (177d). Une telle affirmation n'est-elle pas incompatible avec la fameuse déclaration d'ignorance ? L'amour serait-il une exception à l'inscience de Socrate ? Il est tout à fait remarquable que Platon prenne toujours soin de présenter la divinité comme la source de la connaissance de Socrate en matière amoureuse. Ainsi, dans le *Banquet* (201d), Socrate tient-il de Diotime, une prêtresse, sa connaissance des sujets qui relèvent d'Éros ;

de même, dans le *Phèdre* (257a), il présente sa connaissance amoureuse comme une faveur que lui a accordée Éros lui-même ; enfin, et dans la même veine, Socrate attribue ici à « une sorte de don des dieux » son pouvoir de reconnaître qui aime et qui est aimé. Seul le passage du *Théagès* (128d), qui est probablement une réminiscence du *Banquet* (177d), n'identifie pas explicitement le divin comme la source de la connaissance amoureuse de Socrate. Nous voyons dans cette absence un indice supplémentaire de l'inauthenticité de ce dialogue. En empruntant le détour de la divinité, Platon souligne certes le caractère divin de l'amour, mais il préserve également la cohérence de sa représentation de Socrate. Socrate ne sait rien et s'il se trouve qu'il sait quelque chose, ce n'est pas à lui-même qu'il le doit – sinon il saurait quelque chose ; or il ne sait rien – ni aux autres hommes – sinon ils seraient plus savants que lui ; or il est le plus savant –, mais bien aux dieux. Cette dimension est complètement absente des *Mémorables* de Xénophon, où Socrate se reconnaît une compétence dans les choses de l'amour, mais sans l'attribuer aux dieux (cf. II 6, 28). La compétence amoureuse que Socrate revendique, sans la faire dériver de la divinité, n'entre cependant pas en conflit avec la déclaration d'ignorance, puisqu'il ne reconnaît jamais, dans les écrits socratiques de Xénophon, qu'il est ignorant.

14. Sur le personnage de Lysis, voir Introduction, p. 165-167.

15. À la lumière de 222a, où l'aspect physique (*eîdos*) se situe au bas de la hiérarchie des motifs d'apparentement entre amis, cette occurrence-ci du terme *eîdos* (« formes ») ne semble pas gratuite. Hippothalès est surtout sensible aux « formes » de Lysis et il semble croire qu'elles suffisent à le faire connaître ! Voir aussi *Charmide* 154d, où Chéréphon fait pareillement l'éloge des formes (*eîdos*) de Charmide.

16. Ce Démocrate pourrait correspondre à celui qui fut connu, autour de 430, pour être un amant d'Alcibiade (cf. Plutarque, *Alcibiade* III 1). Il semble que le père de Lysis soit le premier Athénien connu à avoir porté le nom de « Démocrate », qui fut par la suite assez répandu en Attique (cf. *LGPN*, vol. 2, *s.v.*).

17. Dans le *Phèdre* (244a), Socrate présente l'amour comme un genre de folie (*manía*).

18. Socrate se soucie donc assez peu de la forme des écrits d'Hippothalès. La seule chose à laquelle il s'intéresse est le contenu de ces écrits : Hippothalès sait-il ce que l'on doit dire au garçon que l'on cherche à séduire ?

19. C'est la deuxième fois qu'Hippothalès refuse d'accéder à la demande de Socrate (cf. *supra*, 205a). En refusant de lui soumettre ses écrits, Hippothalès refuse en fait de se laisser examiner, de sorte qu'il ne peut espérer aucun profit véritable de l'entretien (cf. Bordt 1998, p. 118).

20. Ctésippe fait allusion aux grands jeux panhelléniques qui se déroulaient respectivement à Delphes (jeux pythiques), Corinthe (jeux isthmiques) et en Argolide (jeux néméens).

21. Cronos est le dieu souverain qui a régné dans un passé très lointain, jusqu'à ce que son fils, Zeus, le chasse du pouvoir (cf. Hésiode, *Théogonie* 485-491). L'expression *kroniótera* est donc une façon de dire : « vieilleries », « choses qui se perdent dans la nuit des temps ».

22. Depuis les réformes démocratiques de Clisthène, à la fin du
VIᵉ siècle, le territoire d'Athènes était divisé en 150 unités administra-
tives, appelées « dèmes ». Les dèmes athéniens se répartissaient en trois
groupes : les dèmes de la ville, ceux de la côte et ceux de l'« intérieur »,
c'est-à-dire de la campagne. Clisthène avait également divisé l'ensemble
des citoyens athéniens en dix groupes, appelés « tribus » ; chaque tribu
possédait un certain nombre de dèmes dans chacune des trois régions
(ville, côte et campagne), de sorte que les principales régions du territoire
athénien étaient toutes représentées au sein des tribus (cf. Aristote, *Cons-
titution d'Athènes* XXI).

23. Les histoires de vieilles ou de « bonnes femmes » (*graîai*)
désignent souvent, chez Platon, les mythes et les histoires fantastiques
que les femmes – aussi bien les nourrices et les mères que les femmes
très âgées – racontent aux enfants (cf. *Gorg.* 527a ; *Rép.* I 350e, II 377c ;
Lois X 887d et L. Brisson, *Platon, les mots et les mythes*, Paris, 1982,
p. 68-69).

24. La description que donne Ctésippe du contenu des écrits d'Hippothalès révèle que ce dernier ne s'adresse pas tant à Lysis lui-même, pour
ce qu'il est, qu'à la famille illustre à laquelle le garçon appartient. Ce qui
séduit Hippothalès, à travers la personne de Lysis, c'est donc le prestige
d'une famille célèbre. Or aimer quelqu'un en fonction de son appartenance à une grande famille, cela revient à l'aimer en raison du mauvais
oikeîon, à savoir la famille, plutôt que pour le bien auquel l'homme est
apparenté (*oikeîon*). Cf. *Charmide* 157e-158a, où Socrate fait allusion
aux poètes qui ont pareillement loué la prospérité de la famille de Charmide.

25. La position du Socrate de Xénophon est, à l'endroit de l'usage et
de l'efficacité des éloges, diamétralement opposée à celle défendue ici
par son jumeau platonicien. Alors que Socrate, dans le *Lysis*, déconseille
l'emploi des éloges pour séduire le bien-aimé, sous prétexte que l'éloge a
pour effet de rendre son destinataire encore plus fier et imbu de lui-
même, le Socrate de Xénophon estime au contraire que l'éloge constitue,
avec le bienfait, l'un des meilleurs moyens d'appâter, de séduire et de
capturer le bien-aimé (cf. *Mém.*, II 6).

26. Socrate se sert ici de la chasse comme d'une comparaison, mais
force est de constater qu'à la différence du Socrate de Xénophon (*Mém.*
II 6, 8 ; 28 ; 29 ; 33 ; 35 ; III 11, 6-11) et de l'Athénien des *Lois* (VII
823b), il n'emploie pas le vocabulaire de la chasse, dans le *Lysis*, pour
désigner les ruses et les stratagèmes qui s'offrent à celui qui est à la
recherche d'amis. Au début du *Protagoras* (309a), toutefois, Socrate est
présenté comme donnant la chasse à la beauté d'Alcibiade. Voir également 218c, où Socrate emploie de nouveau le vocabulaire de la chasse,
mais pour désigner, cette fois, la définition dont il était à la « poursuite ».
Sur la métaphore de la chasse chez Platon, voir C.J. Classen, *Untersu-
chungen zu Platons Jagdbildern*, Berlin, 1960.

27. Socrate associe une fois de plus la compétence au bien et à l'utilité
(cf. *supra*, 204c et n. 12) : l'homme dont les poèmes lui causent du tort
ne peut pas être un bon poète. Comme Socrate l'expliquera bientôt à
Lysis, la compétence a pour corollaires le bien et l'utilité (cf. *infra*,
210d).

28. Dans les *Mémorables* (II 6, 10-14), Socrate expose à Critobule, en réponse à une question que celui-ci lui a posée sur les façons de se faire des amis, ce qu'il faut dire (*lógos*) et faire (*érgon*) pour se lier d'amitié avec les hommes qui paraissent aimables.

29. Alors que la question d'Hippothalès concerne à la fois ce qu'il faut dire et faire pour se gagner les faveurs d'un garçon, la réponse de Socrate a uniquement trait à ce qu'il faut dire. Est-ce à dire que Socrate considère que les actes ne sont d'aucune utilité pour gagner la *philía* de la personne aimée ? Comme nous l'expliquons dans l'Introduction (cf. *supra*, p. 180-182), le premier entretien entre Socrate et Lysis expose à la fois ce qu'il faut dire *et faire* pour gagner la *philía* de l'aimé. – Socrate oppose clairement la discussion (*dialégesthai*) aux discours et aux chants (*légein te kaì aideîn*) qu'Hippothalès compose en l'honneur de Lysis et de sa famille. Pour séduire les garçons, il faut donc, comme Socrate, s'entretenir avec eux, et non pas, comme Hippothalès, leur dédier des textes en vers ou en prose. Cf. aussi *infra*, 210e et n. 66.

30. Le plaisir que l'on prend à la conversation et à écouter (*philékoos*) est, selon la *République* (VII 535d), une qualité essentielle du philosophe.

31. C'est probablement pour éviter une promiscuité propice aux rapports amoureux que les jeunes gens (*neaniskoi*) ne pouvaient pas, en temps normal, se mêler aux enfants (*paîdes*) dans les palestres. Le jour des fêtes d'Hermès, cette interdiction était cependant levée, sans doute parce qu'Hermès, connu pour être le dieu des bornes et des frontières, était aussi le dieu des échanges et de la transgression des frontières – ce qui explique le mélange des enfants et des jeunes gens (cf. Gonzalez 2003, p. 37-39). La permission dont fait état ce passage du *Lysis* est cependant expressément contredite par un passage d'Eschine (*Contre Timarque* [I] 12), qui rapporte au contraire que la « ségrégation » devait être rigoureusement respectée en tout temps, y compris à l'occasion des fêtes d'Hermès. Bordt (1998, p. 125-126 n. 287) résout la contradiction entre les deux textes en alléguant que la loi rapportée au § 12 du *Contre Timarque* est une interpolation. – Sur la signification et l'importance de la référence à Hermès dans le *Lysis*, voir les pages suggestives de Gonzalez 2003, p. 36-43.

32. Le jeu des osselets était l'un des jeux préférés des enfants (cf. *Alc.* 110b).

33. Étant donné que c'est Socrate lui-même qui souligne l'allure noble (*kalós te kagathós*) de Lysis, on peut difficilement mettre en doute qu'il lui reconnaît déjà certaines qualités, qui seront d'ailleurs confirmées dans la suite. Le jugement très positif que Socrate porte d'emblée sur Lysis est sans doute ce qui détermine la forme même de l'entretien qu'il aura bientôt avec lui (cf. Introduction, p. 187-188). Dans le *Charmide* (154b-d), Socrate reconnaît la beauté de Charmide, mais non sa vertu ; certes, Critias vante la modération de son pupille et n'hésite pas à le qualifier de « tout à fait beau et bon » (*pánu kalòs kaì agathós*, 154e), mais l'examen auquel Socrate soumet Charmide révèle qu'il n'est pas sage et qu'il ne méritait pas les compliments dithyrambiques de son oncle Critias. Cela fait donc toute la différence si c'est Socrate ou un autre interlocuteur qui qualifie un jeune homme de « beau et bon ». Dans le *Théétète* (185e),

Socrate qualifie également Théétète de « beau et bon » (*kalòs te kaì agathós* ; cf. aussi 142b), ce qui peut être interprété comme un compliment sincère, car il atteste une réelle aptitude philosophique (voir d'ailleurs le portrait flatteur de Théétète en 143e-144b). F. Bourriot soutient au contraire que l'expression *kalós kagathós*, lorsqu'elle est appliquée aux adolescents des dialogues platoniciens, « est le compliment banal et presque sans signification que l'on utilise pour les jeunes gens de bonne famille, à la vie facile, compliment sans importance qui n'est nullement le présage d'un avenir brillant, en quelque domaine que ce soit » (*Kalos kagathos-kalokagathia : d'un terme de propagande de sophistes à une notion sociale et philosophique. Étude d'histoire athénienne*, Hildesheim, 1995, vol. I, p. 256).

34. Les hésitations de Lysis à rejoindre immédiatement Socrate témoignent de la réserve et de la pudeur qui caractérisent la jeunesse et qui sont, d'après Charmide (159b), l'expression même de la modération. Comme la description de la réserve de Lysis s'insère dans un portrait très flatteur du garçon, Platon laisse à son lecteur l'impression que Socrate fait ici plus grand cas de la réserve et de la pudeur que dans le *Charmide*, où il paraît attacher moins d'importance à ce qui est traditionnellement considéré comme un signe de modération (cf. toutefois 158c).

35. La réponse de Ménexène ne laisse pas d'étonner. Comment peuvent-ils débattre de la question de savoir lequel des deux est le plus âgé ? Platon affirme souvent que les hommes ne débattent pas des questions qui peuvent être tranchées par les nombres et par le calcul (cf. *Euthyph.* 7b-d ; *Alc.* 126c-d ; *Rép.* X 602d ; *Philèbe* 55e). L'âge n'est-il pas l'une de ces questions qui n'admettent pas de débat ? La réponse de Ménexène serait moins déconcertante si la question sur l'âge faisait suite à celles sur la naissance et la beauté. Sa réponse aurait ainsi pu être une façon amusante de signifier que Lysis et lui débattent de tout, y compris de ce dont il n'y a pas lieu de débattre. Or la question sur l'âge est la première que lui pose Socrate. Pour contourner la difficulté, Bordt (1998, p. 130) propose de traduire *presbúteros* par « plus digne », « plus vénérable » (*würdigere*). Il est vrai que *présbus*, dont le sens premier est « vieux », « âgé », « ancien », a également, par extension, le sens de « vénérable » et « respectable », mais il paraît plutôt incongru que Socrate commence par demander aux garçons lequel d'entre eux est le plus vénérable.

36. À en juger par la description qu'il donne de la beauté de Lysis (207a), et le silence qu'il observe quant à l'apparence de Ménexène, il semble que pour Socrate la question soit d'ores et déjà tranchée : la beauté de Lysis éclipse celle de son camarade. Rappelons que Socrate a demandé à Hippothalès, au début du dialogue (204b), s'il y avait un beau garçon dans la palestre. Lysis est donc, comme Charmide (cf. 154b-d), le plus beau garçon présent à l'entretien.

37. L'idée selon laquelle « tout est commun entre amis » serait, selon la tradition, d'origine pythagoricienne (cf. Diogène Laërce VIII 10 ; Aulu-Gelle I 9, 12 ; Jamblique, *Vita Pyth.* 32 ; Porphyre, *Vita Pyth.* 20, etc.). Il s'agit d'un véritable proverbe, fréquemment cité par les auteurs grecs et latins, notamment Platon (cf., *Rép.* IV 424a, V 449c ; *Phèdre* 279c ; *Critias* 112e ; *Lois* V 739c). Ce proverbe est parfois employé,

comme c'est le cas chez Xénophon, en un sens exclusivement économique : les amis dans le besoin n'ont pas à se faire de souci, car les biens de leurs amis leur appartiennent également (cf. *Mém.* II 6, 23 ; *Hiéron* XI 13). Il ne fait aucun doute que Socrate fait ici allusion à l'acception économique de ce proverbe, mais il semble également lui accorder une portée plus générale et plus profonde. Ce qui est commun entre amis, ce ne sont pas seulement leurs richesses, mais aussi, mais surtout ce qui est au fondement même de leur amitié. Si l'ami est un autre soi-même, comme le dira plus tard Aristote (cf. *EN* IX 4, 1166a31-32), il faut que la « communauté » entre les amis déborde le cadre matériel et qu'elle s'étende à ce qui relève de l'âme, comme les sentiments, les goûts, les aspirations, etc. Or l'amitié suppose non seulement une certaine forme de communauté, mais aussi des différences, comme le dialogue l'établira plus tard. Ce bref échange entre Socrate et Ménexène introduit, sous les dehors d'un échange anodin, quelques-unes des questions centrales du dialogue : qu'est-ce qui est commun aux amis ? Les amis sont-ils identiques entre eux ? Si les amis ne sont ni les semblables (214a-215c), ni les opposés (215c-216b), il faut donc que Lysis et Ménexène, qui se prétendent amis, aient certaines choses en commun, tout en différant entre eux sous quelque rapport (cf. Gadamer 1982, p. 284 ; Bordt 2000, p. 167).

38. Les premières questions de Socrate, qui portaient surtout sur des caractéristiques physiques (âge, beauté) et matérielles (richesse), ont montré que les deux garçons sont incapables de s'entendre sur ce qui les distingue sous ce rapport. Or s'ils ne parviennent pas à reconnaître la supériorité de l'un ou de l'autre en des matières qui relèvent de la simple observation ou du calcul, on peut se douter qu'ils seront *a fortiori* incapables de s'entendre sur leur valeur respective en fait de vertu et de ce qui se rapporte à l'âme. Il y a donc bien une progression dans les questions que Socrate adresse aux garçons et cette progression préfigure la hiérarchie des affinités fondatrices de l'amitié (cf. *infra*, 222a et n. 176). Cet échange démontre également que Lysis et Ménexène, qui se déclarent amis, sont incapables de déterminer par où ils se ressemblent et en quoi ils se distinguent. Ce qui demeure obscur aux yeux des principaux intéressés n'échappe cependant pas à Socrate : en ce qui concerne la beauté et l'aptitude à philosopher, Lysis l'emporte de beaucoup sur Ménexène. Enfin, l'intervention impromptue d'un « émissaire » du pédotribe, qui a pour effet d'interrompre l'échange au moment où il s'engageait plus résolument sur le terrain de la philosophie, préfigure l'intervention finale des pédagogues, qui mettra fin au dialogue (cf. *infra*, 223a-b).

39. Le « pédotribe » est le maître de gymnastique, responsable des exercices corporels, qui a pour tâche d'exercer et d'entraîner (*tríbesthai*) les enfants (*paîdes*). De façon générale, le pédotribe est responsable de toutes les activités qui se déroulent à la palestre, y compris les rites religieux.

40. Le premier entretien entre Socrate et Lysis, dont l'interprétation est déterminante pour la compréhension du dialogue, a fait l'objet d'une analyse approfondie dans l'Introduction (cf. *supra*, p. 175-186). On pourrait croire, de ce qu'un entretien sur les relations familiales succède à une discussion sur l'amour pédérastique, que le dialogue a changé

d'objet. Ce serait oublier que la *philía* désigne plusieurs types d'affection, dont l'amour parental et l'amour homosexuel.

41. Socrate procède ici à sa façon habituelle : il pose à son interlocuteur une question dont celui-ci ne se doute pas, du moins pas encore, qu'elle le concerne directement lui-même. La meilleure description de ce procédé socratique a été donnée par Nicias dans le *Lachès* (187e-188a). – Lysis semble se trouver dans une situation analogue à celle des esclaves, puisqu'il ne fait rien de ce qu'il désire. En fait, sa situation semble moins enviable encore que celle des esclaves, puisqu'on accorde à ceux-ci de faire certaines choses qui sont interdites à Lysis.

42. Sur les nombreuses courses de chars remportées par les chevaux appartenant à la famille de Lysis, cf. *supra*, 205c.

43. « Se gouverner soi-même » (*árkhein heautoû*) est l'expression courante pour désigner l'état d'un jeune qui ne se trouve plus sous la surveillance et sous la dépendance d'un pédagogue (cf. note suivante) : « Quand les enfants deviennent des adolescents (*eis tò meirakioûsthai*), les autres Grecs les délivrent des pédagogues et les délivrent des maîtres (*didaskálōn*) ; nul ne les gouverne (*árkhousi*) plus désormais, mais on les laisse vivre à leur guise (*autonómous*) » (Xénophon, *Rép. Lac.* III 1, trad. Ollier). Comme Lysis se trouve encore sous la dépendance d'un pédagogue, on peut déduire qu'il n'est pas encore en âge de se gouverner lui-même. Dans la *Lettre VII* (324b), Platon fait part de son ambition de faire de la politique aussitôt qu'il serait devenu « son propre maître » (*emautoû kúrios*), ce qui fait probablement allusion à son émancipation de la tutelle d'un pédagogue. Cf. aussi Xénophon, *Mém.* II 1, 21 : « [...] Héraklès, au moment où il sortait de l'enfance (*ek paídōn*) pour entrer dans l'adolescence (*eis hḗbēn*), à cet âge où les jeunes gens, désormais devenus maîtres d'eux-mêmes (*autokrátores*) [...] ». Le pédagogue joue un rôle qui n'est pas sans rappeler celui qu'assumait, naguère, la (bien nommée) *gouvernante* d'enfants.

44. Le pédagogue a pour fonction de conduire (*ágein*) les enfants (*paîdes*) chez le maître d'école, à la palestre, etc. Le pédagogue doit également protéger les enfants contre les hommes d'âge mûr qui sollicitent leurs faveurs (cf. *Banq.* 183c). Voir aussi *Lois* VII 808d-e.

45. Selon L. Brisson, le juron par Héraklès « manifeste la colère et l'exaspération » (*Platon : Banquet*, Paris, GF-Flammarion, 1999, p. 216 n. 500). Dans le cas présent, il s'agit à l'évidence d'une colère simulée : Socrate feint d'être en colère contre Lysis, car, suppose-t-il avec ironie, si Lysis mérite d'être frappé par ses parents, ce ne peut être qu'en raison d'une injustice qu'il aurait commise à leur endroit. Pour d'autres occurrences du juron « par Héraklès » dans le corpus platonicien, cf. *Charmide* 154d ; *Euthyph.* 4a ; *Euthyd.* 303a ; *Hippias maj.* 290d ; *Ménon* 91c ; *Banq.* 213b ; *Rép.* I 337a.

46. Il ne faut évidemment pas prendre cette affirmation de Socrate au pied de la lettre. L'intention de Socrate n'est pas, comme le croit à tort Bolotin (1979, p. 85, 103), de faire prendre conscience à Lysis à quel point il est malheureux par la faute de ses parents, et de l'inciter à se rebeller contre eux, mais plutôt de lui faire comprendre que la véritable liberté, loin d'être la licence de faire tout ce dont on a envie, consiste à accomplir les tâches pour lesquelles on a la compétence requise. Inverse-

ment, l'esclavage ne consiste pas à être sous la tutelle d'un pédagogue, mais à être le jouet de sa propre ignorance.

47. On voit déjà poindre la principale conclusion de l'entretien avec Lysis : le savoir est la condition de toute utilité, que ce soit envers soi-même ou à l'égard d'autrui. Celui qui est ignorant n'est pas en mesure de se gouverner lui-même, ni, partant, d'être utile à lui-même et aux autres. Pour le Socrate de Xénophon, la condition de l'utilité à soi-même et aux autres ne réside pas dans le savoir, mais dans l'*egkráteia*, qui est la faculté de se dominer et de résister à l'attrait des plaisirs corporels (cf. *Mém.* I 5 ; II 1 ; IV 5).

48. L'exemple de la lecture et de l'écriture ne semble pas le plus pertinent, en ce qu'il n'est guère une illustration d'une pleine et entière liberté d'exécution. Contrairement à ce que semble insinuer Socrate, on ne peut ni lire ni écrire la lettre de notre choix dans l'ordre qui nous plaît. Il y a un ordre strict qui s'impose au lecteur, puisque le texte est déjà rédigé et qu'on ne peut pas en faire la lecture en choisissant les mots au gré de sa fantaisie. Celui qui écrit a certes la liberté, relative, de choisir l'ordre de succession des mots, mais il n'empêche que chacun de ces mots s'écrit d'une façon déterminée que l'on doit respecter. C'est d'ailleurs l'exemple de l'écriture qu'Épictète choisit, dans les *Entretiens* (I 12, 13), pour expliquer que la véritable liberté n'est pas le caprice : de même que l'homme qui sait écrire écrit les mots comme ils doivent l'être, et non au gré de sa fantaisie, de même l'homme vraiment libre est celui qui cherche à régler son désir sur l'ordre du monde, plutôt qu'à imposer au monde les diktats de son désir.

49. Socrate choisit ses exemples en fonction de son interlocuteur (cf. aussi *Charmide* 160a et 161d). Comme Lysis est jeune et qu'il est encore sous la dépendance d'un pédagogue, il suit très certainement les leçons d'un maître d'écriture et d'un maître de musique. L'écriture et la musique sont en effet, avec la gymnastique, les principales composantes de l'« éducation libérale », c'est-à-dire de l'éducation qui convient à un jeune garçon de condition libre (cf. *Prot.* 312b). En choisissant comme exemples des disciplines où Lysis possède déjà une certaine compétence, Socrate poursuit son objectif qui est de faire comprendre au garçon que la véritable liberté est celle que nous assure le savoir.

50. Le savoir est donc la condition non seulement du gouvernement de soi, mais aussi du pouvoir que l'on exerce sur les autres. Depuis 209a, on assiste à la progression suivante : le savoir est la condition de la conduite de sa propre vie, de l'administration de son domaine et du gouvernement de la cité. Cette progression en trois étapes (soi-même, la maison et la cité), qui est en tous points identique à celle que l'on observe également chez Xénophon (cf. *Mém.* I 6, 9 ; II 1, 19 ; II 6, 1 ; IV 2, 11 ; IV 5, 3-6 ; IV 5, 10 ; *Apol.* 31, etc.) - à cette différence près, toutefois, que la condition de cette progression n'est pas la même (cf. *supra*, n. 47) -, repose tout entière sur la conviction qu'il n'y a pas solution de continuité entre le contrôle de sa propre vie, l'administration de son domaine et le gouvernement de la cité. Autrement dit, on ne peut pas avoir l'ambition de commander aux autres si au préalable l'on ne se commande pas à soi-même.

51. L'expression « le Grand Roi » (*mégas basileús*) désigne toujours le roi de Perse (cf. *Apol.* 40d ; *Alc.* 120a ; *Charmide* 158a ; *Gorg.* 470e, etc.).

52. En procédant à cette généralisation, Socrate laisse entendre que l'ascendant de Lysis sur les Barbares pourrait déborder le cadre de la cuisine et de la médecine et s'étendre à la politique (cf. aussi *infra*, n. 54).

53. Les exemples du cuisinier et du médecin ont paru absurdes et suspects à certains commentateurs. Il est vrai que ces exemples relèvent de l'hyperbole, en ce qu'il paraît douteux que le Grand Roi puisse ainsi accorder sa confiance à Lysis et à Socrate, mais il ne faut pas perdre de vue que Socrate s'adresse à un jeune adolescent. La dimension hyperbolique de ces exemples vient peut-être tout simplement de ce que Socrate cherche, pour illustrer son propos, des exemples choc propres à frapper son jeune interlocuteur, comme nous faisons tous, encore aujourd'hui, lorsque nous cherchons à nous faire bien comprendre d'un enfant (cf. Bolotin 1979, p. 87). En tout état de cause, le caractère hyperbolique de ces exemples ne suffit pas à discréditer, ni même à mettre en doute le propos qu'ils sont destinés à illustrer, à savoir que la connaissance et la compétence d'un homme sont le fondement de la confiance que les autres sont prêts à lui accorder.

54. Socrate fait miroiter à Lysis, depuis 209c, la possibilité que son père, son voisin, ses concitoyens, les Grecs et les Barbares s'en remettent à lui pour la gestion de leurs propres affaires, pour peu qu'il acquière la compétence requise. Cette progression (parents, concitoyens, Grecs, Barbares), de même que l'ambition politique qui la sous-tend, se retrouve dans deux autres dialogues de Platon, l'*Alcibiade* (105b-d) et la *République* (VI 494b-d). Le passage de l'*Alcibiade* est particulièrement intéressant pour la mise en garde que Socrate lance à Alcibiade : si Alcibiade dédaigne l'aide et les conseils que Socrate est prêt à lui fournir, il ne parviendra pas à satisfaire ses ambitions politiques. On peut déduire de ces rapprochements que Socrate a perçu en Lysis une « bonne nature » (cf. 207a et 213d), à qui toutes les ambitions (politiques et philosophiques) sont permises, pourvu que Lysis ne gâche pas ses bonnes dispositions à l'endroit de la philosophie et qu'il s'applique à devenir savant.

55. Les couples « Grecs/Barbares » et « hommes/femmes » sont deux façons différentes de désigner l'ensemble du genre humain. Dans un passage du *Politique* (262d-e) où il précise certaines règles de la méthode dichotomique, Platon explique que la division du genre humain en Grecs et Barbares est erronée, dans la mesure où il ne s'agit pas de deux entités naturelles, et qu'il faut, pour cette raison, lui préférer la division en hommes et femmes.

56. On peut s'étonner de ce que Socrate affirme à Lysis qu'il puisse y avoir quelque chose qui lui soit encore plus parent ou plus apparenté (*ti... oikeióteron*) que son père et sa mère. Ce qui apparaît ici comme une énigme est en fait une anticipation de la dernière section du dialogue (221b-222d), où Socrate révèle que le véritable objet de l'amitié est le bien et qu'il est le plus apparenté (*oikeîon*) à chacun (cf. Bordt 1998, p. 142-143). Il y a donc quelque chose (*ti*, neutre), et non pas quelqu'un,

qui est encore plus apparenté à l'homme que ses propres parents (cf. Introduction, p. 175-178).

57. Socrate met Lysis devant l'alternative suivante : ou bien il devient savant et il commandera alors aux autres, ou bien il demeure ignorant et il sera soumis au pouvoir des autres. L'acquisition du savoir garantit à son détenteur non seulement le pouvoir sur les autres, mais également leur *philía*, dans la mesure où ils reconnaissent son savoir et s'en remettent spontanément à lui. Le savoir est ainsi la condition simultanée du pouvoir exercé sur les hommes et de l'amitié entre les hommes au sein d'une communauté politique. – On n'a jamais observé, sauf erreur, que ce premier entretien avec Lysis est l'analogue parfait de l'entretien entre Socrate et Aristippe dans les *Mémorables* (II 1) de Xénophon. Le rapprochement est frappant ; dans les deux cas, au seuil d'une discussion approfondie sur l'amitié, Socrate place son interlocuteur devant une alternative politique : gouverner ou être gouverné. Dans le *Lysis*, Socrate présente le savoir comme la condition de l'exercice du pouvoir et de la *philía* entre les hommes ; dans les *Mémorables* (II 1), Socrate présente non pas le savoir, mais l'*egkráteia* (« maîtrise de soi »), comme la condition de l'exercice du pouvoir et de la *philía* entre les hommes. Rappelons que le Socrate de Platon voit dans le savoir la source de toute utilité, alors que pour le Socrate de Xénophon, l'utilité découle plutôt de l'*egkráteia*.

58. En ce qui concerne l'opposition entre « ce qui est nôtre » et « ce qui nous est étranger », qui s'articule étroitement à d'autres oppositions (savoir/ignorance, liberté/esclavage, *philía*/absence de *philía*), cf. *infra*, 222c.

59. Dans cette longue intervention, Socrate présente le savoir comme la condition de la liberté, du pouvoir, de l'utilité, de la *philía* et de la « propriété » (au sens de : « ce qui nous est propre », « ce qui est nôtre »), alors que, de façon symétrique et inversée, l'ignorance est associée à l'esclavage, à l'asservissement, à l'inutilité, à l'absence de *philía* et à ce qui est étranger. La corrélation entre le savoir, l'utilité, la *philía* et l'« apparenté » (« ce qui est nôtre ») est donc affirmée dès le premier entretien avec Lysis et l'on peut considérer que la suite du dialogue est une tentative de réappropriation et d'approfondissement de ce qui est exposé en 210b-d (cf. Introduction, p. 175-182).

60. À la fin du dialogue (222b-c), Socrate affirme derechef qu'il est impossible d'aimer quelque chose d'inutile.

61. D'aucuns se sont offusqués de ce que Socrate affirme ici, de même qu'en 210d, que l'amour des parents pour leurs enfants est suspendu à une condition, à savoir l'utilité de leurs enfants. L'amour des parents, proteste-t-on, est inconditionnel. Toute tentative de déterminer la position de Socrate doit également tenir compte de 213a et de 219d-e (cf. *infra*, n. 90, et *supra*, Introduction, p. 178, 205-206).

62. La réponse de Lysis peut prêter à malentendu. Sa réponse négative ne doit pas être interprétée, à la suite de Bolotin (1979, p. 29, 100-101), comme l'expression d'une opposition à Socrate (« Il ne semble pas qu'il en soit comme tu le dis »), mais bien, au contraire, comme un assentiment à la position de Socrate (« Il ne semble pas qu'on puisse aimer quelqu'un d'inutile »).

63. Cette affirmation fait l'objet d'une analyse détaillée dans l'Introduction (p. 176 sq.).

64. On relève dans ce passage de nombreuses occurrences du terme *phroneîn*, employé seul ou dans des locutions. Nous nous sommes efforcé de respecter les nombreux jeux de mots autour du terme *phroneîn*, mais le français ne dispose pas d'un terme qui convienne à toutes les occurrences de *phroneîn* dans ce passage. Voici donc les expressions grecques et les traductions françaises correspondantes : *phroneîn* (« être avisé » et « avoir idée de ») ; *méga phroneîn* et *megalóphrōn* (« avoir une haute idée de soi ») ; *áphrōn* (« dépourvu d'idées »).

65. Socrate reconnaît lui-même la réserve et la pudeur de Lysis (207a-b) et, de fait, il n'y a rien, aussi bien dans le comportement que dans le discours de Lysis, qui trahisse une forme d'orgueil, de suffisance ou de fatuité. Comme la première fonction de l'*élegkhos* est d'assagir ceux qui s'imaginent, à tort, qu'ils détiennent des connaissances (cf. Introduction au *Charmide*, p. 60-62), l'*élegkhos* n'est pas de mise avec Lysis (cf. Introduction, p. 182-183). Voir aussi *infra*, n. 67.

66. Conformément à l'engagement qu'il a pris en 206c, Socrate a donné à Hippothalès une démonstration de la façon dont il faut s'entretenir (*dialégesthai*) avec son bien-aimé. Pour séduire un garçon, la dialectique se révèle plus efficace que les odes et les éloges composés en son honneur (cf. *supra*, 206c et n. 29).

67. Il est plutôt curieux d'entendre Socrate affirmer qu'il a humilié et rabaissé Lysis, car l'humiliation de l'interlocuteur est l'un des effets de l'*élegkhos* (*Soph.* 230b-d) ; or le premier entretien avec Lysis, comme nous l'expliquons longuement dans l'Introduction (p. 182-183), ne comprend aucune réfutation. Lorsqu'on lit attentivement ce premier entretien, on s'aperçoit que Socrate est au contraire bienveillant à l'endroit de Lysis et que celui-ci ne fait aucune réponse propre à lui faire encourir la honte. C'est donc plutôt à titre préventif, semble-t-il, que Socrate parle d'abaissement et d'humiliation. Qu'est-ce à dire ? Socrate n'a certes pas humilié Lysis, au sens où il lui aurait fait reconnaître qu'il ne détenait aucune des connaissances qu'il aurait revendiquées, mais il ne l'a pas non plus encensé, puisqu'il lui a bien fait comprendre qu'il a encore tout à apprendre. Le discours de Socrate a pour effet de préserver la modération de Lysis, tout en le faisant aspirer au savoir, et c'est en cela que ce type de discours est plus approprié que les louanges d'Hippothalès, qui risquent au contraire de transformer un garçon modeste et réservé en un adolescent suffisant et vaniteux. Par ailleurs, si l'entretien avec Lysis est une illustration de la façon dont il faut s'entretenir avec un jeune homme pour le séduire, le discours de Socrate doit, s'il est efficace, se doubler de sa propre confirmation pragmatique, c'est-à-dire que Socrate doit accomplir, en discutant avec Lysis, cela même dont il promettait de faire la démonstration à Hippothalès, soit la séduction de Lysis. De ce point de vue, le discours de Socrate semble avoir atteint son objectif, car l'amitié de Lysis est manifestement acquise à Socrate au terme de l'entretien (cf. *infra*, n. 200). – Le premier entretien entre Socrate et Euthydème, dans les *Mémorables* (IV 2) de Xénophon, est un excellent exemple de la façon dont Socrate pouvait, en maniant l'*élegkhos* et l'humiliation, séduire les jeunes gens. À la différence de Lysis, Euthydème est un jeune

homme ambitieux qui se fait une haute opinion de son savoir. Pour le rendre plus modéré et lui faire reconnaître qu'il ne sait rien, Socrate lui inflige quatre réfutations cinglantes au terme desquelles Euthydème reconnaît qu'il ne sait rien et qu'il ne vaut pas mieux qu'un esclave. Loin d'en vouloir à son réfutateur de l'avoir ainsi traité sans ménagement, Euthydème est à ce point subjugué par Socrate qu'il le prend pour modèle et qu'il ne le quitte plus d'une semelle.

68. L'entretien que Lysis expose la réponse de Socrate à la question que lui a posée Hippothalès (206c) sur ce qu'il faut dire (*lógos*) et faire (*érgon*) pour séduire le bien-aimé (cf. Introduction, p. 180-182). Hippothalès, qui assiste à l'entretien, devrait être en mesure de saisir les deux volets de la réponse de Socrate, c'est-à-dire qu'il devrait comprendre qu'il doit lui-même s'appliquer à devenir savant avant de chercher à tenir le type de discours propre à séduire le bien-aimé. Or force est de reconnaître que Socrate ne fait rien pour aider Hippothalès à saisir le lien entre l'*érgon* et le *lógos*, puisqu'il n'insiste, en se tournant vers lui, que sur l'un des deux aspects de sa réponse. Faut-il s'étonner, dès lors, qu'Hippothalès ne retienne de cet entretien que la façon dont on doit s'adresser à l'aimé ?

69. Ce geste amical (*philikôs*), au terme de l'entretien, est l'indice de l'amitié naissante entre Lysis et Socrate.

70. Lysis, dont on sait déjà qu'il aime écouter (cf. 206c et n. 30), sait donc également faire preuve d'une grande attention. Cette capacité de concentration, dont le dialogue fournira bientôt un nouvel exemple (cf. 213d), est une confirmation supplémentaire de ses aptitudes philosophiques.

71. Cette réplique de Socrate est une espèce de préfiguration de la méthode narrative qui sert à introduire des dialogues plus tardifs, notamment le *Banquet* (173b) et le *Théétète* (143a). Ces dialogues sont en effet rapportés par des personnages qui se sont assurés auprès de Socrate de l'exactitude des propos qu'ils prêtent à tel ou tel interlocuteur.

72. Il n'est pas étonnant que Socrate associe l'aptitude à réfuter à la compétence en éristique (*eristikós*), car l'éristique – terme qui dérive du grec *éris* (« lutte ») – est précisément l'art de pratiquer la réfutation pour elle-même, indépendamment de toute visée morale (l'amélioration de l'interlocuteur) et sans égard à la vérité ou à la fausseté des propositions qui sont prises comme cibles de la réfutation. Ainsi que l'affirme l'éristique Dionysodore, dans l'*Euthydème* (275e), peu importe la réponse avancée par l'interlocuteur, elle deviendra de toute façon l'objet d'une réfutation. L'école des Mégariques, fondée par Euclide, un disciple de Socrate, était réputée pour la pratique de l'éristique, au point même que Alexinos, un philosophe rattaché à cette école, fut surnommé *Elegxînos*, « le Réfutateur » (Diogène Laërce II 109). Pour Platon, l'éristique est une dialectique dévoyée pour autant qu'elle fait de la réfutation une fin en elle-même, et non pas un moyen, ou plus exactement un instrument pédagogique au service de l'éducation morale (cf. *Soph.* 229d-230e). Cf. aussi *Ménon* 75c-d et *Euthyd.* 272a-b, où l'éristique est étroitement associée à la pratique de la réfutation.

73. Par où l'on voit que le fait d'être réfuté entraîne le ridicule, comme Socrate le reconnaît également dans l'*Hippias majeur* (286d-e).

74. Le sens usuel du verbe *kolázein*, que nous traduisons par « donner une leçon », est « corriger », « châtier ». C'est donc bien une « correction » que Lysis demande à Socrate d'administrer à son camarade Ménexène. Bien qu'il se montre réticent, sous prétexte que Ménexène est un redoutable jouteur, Socrate accède à la demande de Lysis. Cette correction, qui se présentera sous la forme d'une leçon d'éristique, permettra à Socrate de montrer à Ménexène qu'il peut lui-même lui en remontrer en matière d'éristique – ce qui fait même dire à Guthrie (1975, p. 147), qui est scandalisé par la profusion de sophismes contenus dans le *Lysis*, que Socrate est en réalité le seul véritable éristique du dialogue –, mais, plus fondamentalement, par-delà la petite vanité qui consiste à montrer à l'autre qu'on en sait plus que lui sur cela même qu'il se pique de connaître, elle fournira à Socrate l'occasion de faire comprendre à Ménexène que l'éristique n'est pas une forme de dialectique appropriée à la recherche en commun de la vérité. Il ne faut donc pas lire l'entretien qui va suivre comme une recherche sérieuse menée en commun, mais plutôt comme une leçon d'éristique destinée à révéler la stérilité de cette forme d'argumentation. – Le verbe qu'emploie Lysis, lorsqu'il demande à Socrate de « corriger » (*kolázein*) Ménexène, est celui-là même auquel Xénophon a recours lorsqu'il expose la finalité de l'*élegkhos* socratique (cf. *Mém.*, I 4, 1).

75. Sur la compétence de Ctésippe en matière d'éristique, cf. Introduction p. 161-162.

76. Platon compare souvent la discussion à un « festin » et à un « régal » (cf. *Phèdre* 227b ; *Rép.* I 352b, 354a-b ; *Timée* 17a, 27b).

77. Lysis n'a certes jamais confessé qu'il ne saisissait pas bien l'une ou l'autre des affirmations de Socrate, mais ce dernier se doute probablement que son jeune interlocuteur n'a pas entièrement compris le détail ni la portée de leur premier entretien. Malgré ses aptitudes précoces pour la philosophie (cf. 213d), Lysis trahit parfois son incompréhension des propos de Socrate (cf. *infra*, 222a, 222c et n. 177, 184). À un premier niveau, donc, Socrate n'est pas autorisé à dire que Lysis n'a pas compris l'une de ses affirmations, puisque Lysis ne lui a rien confessé de tel ; mais sur un autre plan, et ainsi que la suite du dialogue le confirmera, Socrate est pleinement justifié de déclarer que Lysis n'a pas encore parfaitement saisi tous les tenants et aboutissants du premier entretien. En raison de l'absence de Ménexène, Socrate doit reprendre les choses depuis le début, mais ce second départ s'adresse non seulement à Ménexène, mais à tous les interlocuteurs, y compris Lysis, car la signification et la portée des conclusions énoncées en 210b-d méritent d'être approfondies.

78. Une fois de plus, Lysis n'a rien dit de tel, mais il faut bien voir que Socrate se donne ici le prétexte qui justifie, sur le plan philosophique, les réfutations qu'il est sur le point d'administrer à Ménexène. La réfutation ne s'adresse en effet qu'à ceux qui ont une prétention au savoir, si timide soit-elle. Comme Lysis est modéré et qu'il ne revendique aucun savoir, il ne mérite pas que Socrate lui administre l'*élegkhos*. En attribuant à Ménexène une revendication au savoir que celui-ci n'a en fait jamais formulée, Socrate dote ses réfutations d'une justification qui est plus hono-

rable, sur le plan philosophique, que l'intention inavouable d'administrer une correction.

79. Les amants offraient souvent en cadeau à leur bien-aimé (*paidiká*) un coq ou une caille (cf. Aristophane, *Oiseaux* 707 ; K.J. Dover, *Homosexualité grecque*, Paris, 1982, p. 117). Par ailleurs, les Athéniens étaient de grands amateurs de combats de coqs ou de cailles (cf. *Hippias maj.* 295c-d ; *Lois* VII 789b ; Xénophon, *Banq.* IV 9 ; Bordt 1998, p. 158). Platon fait parfois allusion à des éleveurs de cailles (cf. *Alc.* 120a-b ; *Euthyd.* 290d).

80. Dans le passage parallèle des *Mémorables* (I 6, 14), Socrate affirme à Antiphon : « de même qu'un autre se réjouit de posséder un bon cheval, un chien, ou un oiseau, de même je me réjouis plus encore d'avoir des amis vertueux ». Plus loin, en III 11, 5, Socrate affirme derechef qu'il vaut mieux posséder des amis que des troupeaux de moutons, de chèvres ou de bœufs. Voir aussi II 4, 5 et *Cyropédie* VIII 3, 26. La comparaison entre un ami et des animaux peut paraître déconcertante, mais il ne faut pas oublier qu'un ami appartient à la catégorie des biens extérieurs (cf. Aristote, *EN* IX 9, 1169b10), au même titre que les animaux, lesquels constituent une grande source de richesse. Affirmer que l'on préfère un ami à des troupeaux entiers revient donc à soutenir qu'un ami, fût-il pauvre, est un bien beaucoup plus considérable que celui, pourtant monnayable, procuré par la possession d'animaux.

81. Sur ce juron, qui est caractéristique de Socrate, voir *Charmide* (172e) et n. 190.

82. Il est impossible de déterminer avec certitude si Platon songe à Darius Ier (522-486) ou à Darius II (424-404). Cf. Bordt 1998, p. 94. Quoi qu'il en soit de ce problème d'identification, qui ne revêt pas une très grande importance, la richesse du roi des Perses était proverbiale (cf. *Alc.* 123b ; *Ménon* 78d ; *Théét.* 175c).

83. En soulignant que Ménexène a acquis l'amitié de Lysis, et Lysis celle de Ménexène, Socrate semble insister sur la nécessaire réciprocité de toute dimension de *philía*. De même, quelques lignes plus bas, il affirme qu'il ne sait même pas comment on devient amis *l'un de l'autre* (*phílos héteros hetérou*), ce qui montre bien, une fois de plus, que l'amitié doit être réciproque. Tout à la fin du dialogue (222a et 223b), Socrate mettra à nouveau l'accent sur la dimension réciproque de l'amitié. Or, dans l'entretien qui est sur le point de s'engager avec Ménexène, la réciprocité est rapidement évacuée de la discussion (cf. 212d-e et n. 87).

84. Cette affirmation de Socrate est évidemment fausse, puisqu'il vient à peine d'exposer à Lysis ce qu'il doit faire pour que l'on recherche son amitié, et de donner une démonstration, à l'intention d'Hippothalès, de ce qu'il faut dire pour gagner l'amitié de la personne aimée. Il ne faut pas non plus prendre au sérieux son autre affirmation suivant laquelle il n'a pas d'amis. Non seulement il vient à peine de se faire un ami en la personne du jeune Lysis, mais il reconnaît expressément comme des amis plusieurs interlocuteurs présents dans d'autres dialogues. Pensons, entre autres, à Chéréphon et à Criton, qui sont deux amis d'enfance de Socrate (cf. *Apol.* 21a ; *Criton* 43c, 44b, 44e, 53b, 54a-c ; *Gorg.* 473a, etc.). Ces deux affirmations, qui sont liées – Socrate n'a pas d'amis, de sorte qu'il

ne peut pas savoir comment l'on devient amis –, sont en fait une espèce d'avatar de la fameuse déclaration d'ignorance et elles jouent le même rôle que celle-ci dans la stratégie dialectique de Socrate. Dans plusieurs dialogues (cf. *Euthyph.* 5a-b ; *Hippias maj.* 286c), Socrate prétexte de son ignorance pour justifier sa demande d'être instruit par son interlocuteur. C'est par le biais de cette feinte, en quoi consiste son ironie, que Socrate incite son interlocuteur à s'engager dans un entretien dialectique.

85. Étant donné que le terme *phílos* (« ami ») peut désigner tantôt celui qui aime, tantôt celui qui est aimé et tantôt celui qui tout à la fois aime et est aimé (cf. Robinson 1986, p. 66 ; Price 1989, p. 3-4), la question de Socrate ressemble à un véritable piège, car il ne faut pas choisir un sens à l'exclusion des autres. Comme la suite du dialogue le mettra en lumière, la compréhension de l'amitié suppose que l'on identifie le sujet et l'objet d'une relation de *philía*. – Sur l'ambiguïté du terme *phílos*, cf. Aristote, *Rhétorique* II 4, 1381a1-3 : « Est ami (*phílos*) celui qui aime (*ho philôn*) et qui est aimé en retour (*antiphiloúmenos*). Se considèrent amis (*phíloi*) ceux qui considèrent qu'ils se comportent ainsi l'un envers l'autre. »

86. Ce cas de figure – l'amant qui souffre de ce que son amour pour un garçon n'est pas payé de retour – correspond en fait à la situation d'Hippothalès par rapport à Lysis.

87. La réciprocité est une dimension essentielle de toute relation d'amitié entre deux personnes (cf. *supra*, n. 83). Cela dit, si l'on considère qu'une relation de *philía* s'établit entre au moins trois termes (deux personnes et le *prôton phílon* qu'ils recherchent l'un et l'autre), la réciprocité existe seulement entre les personnes qui s'aiment, mais non entre elles d'une part, et le *prôton phílon* d'autre part. La relation de *philía* entre un homme qui aspire au bien, et le bien lui-même, n'est pas une relation réciproque. Lorsque Socrate s'applique à démontrer que la réciprocité n'est pas essentielle à la *philía*, cela vaut uniquement pour la relation entre l'homme et le troisième terme (bien = *prôton phílon* = *oikeîon*) et non pas pour la relation entre deux hommes.

88. D'aucuns ont dénoncé le caractère verbal de l'argument de Socrate, en ce qu'il reposerait entièrement sur une caractéristique de la langue grecque qui permet la composition, en un seul mot, du sujet et de l'objet de l'amour (cf. Hoerber 1959, p. 21 ; Guthrie 1975, p. 147). Ainsi *phílippoi* désigne-t-il ceux qui aiment les chevaux ; *philórtuges*, ceux qui aiment les cailles ; *philókunes*, ceux qui aiment les chiens ; *phíloinoi*, ceux qui aiment le vin ; *philogumnastaí*, ceux qui aiment les exercices physiques ; *philósophoi*, ceux qui aiment le savoir. Cette critique nous paraît cependant dénuée de fondement. L'argument de Socrate n'exige pas qu'il soit possible de composer, en un seul mot, le sujet et l'objet de l'amour, car il suffit, pour fonder cet argument, qu'une langue puisse dire, à l'aide d'un mot ou d'une périphrase, qu'il y a des individus qui aiment les chevaux, ou les cailles, ou les chiens, ou le vin, ou la gymnastique, ou le savoir. L'argument de Socrate serait purement verbal s'il était inopérant une fois traduit dans une autre langue. Or cet argument ne perd rien de son efficacité quand il est traduit en français, qui ne permet pourtant pas la composition, en un seul mot, du sujet et de l'objet de l'amour. Dans cette énumération de six objets de *philía* qui excluent la réciprocité,

la « philosophie » représente clairement un cas à part. Nous savons déjà que toute relation de *philía* doit se fonder sur le savoir (cf. 210b-d) ; il est donc indispensable, si nous désirons établir de véritables relations de *philía*, que nous aspirions au savoir et que nous devenions tous « philosophes ». Mais le savoir ne peut être qu'un *objet* d'aspiration, en ce sens qu'il ne peut pas rendre l'amour dont il est précisément l'objet (cf. Introduction, p. 190-191). Voir aussi 218b. Enfin, la question se pose de savoir si les Grecs ont reconnu la possibilité d'une relation d'amitié entre les hommes et les animaux. Dans le cas de Platon, cela semble exclu, puisque les trois exemples d'animaux, qui sont mis sur le même pied que des objets inanimés, ont précisément pour but d'illustrer des relations de *philía* non réciproques. Le cas du chien, qui n'aimerait donc pas son maître en retour, ne laisse pas d'étonner, car les Grecs reconnaissaient que le chien est le meilleur ami de l'homme. Xénophon affirme en effet du chien qu'il est *philánthropos* (cf. *De la chasse* III 9 et VI 25) ; or s'il y a des hommes qui aiment les chiens, et que ceux-ci sont « philanthropes », n'avons-nous pas les conditions requises pour qu'il y ait une relation d'amitié ? Quant à Aristote, il rejette clairement la possibilité d'une relation de *philía* entre les hommes et les animaux (cf. *EN* VIII 13, 1161b2-3).

89. Citation d'une élégie de Solon (fr. 23 West). Socrate donne ici une fausse interprétation du vers de Solon : il lit ce vers comme si Solon affirmait, comme lui, que l'on peut avoir pour amis des animaux qui ne payeront pas cette amitié de retour. Une telle lecture suppose que le terme *phíloi* soit en facteur commun à chacun des termes de l'énumération (enfants, chevaux, chiens et hôte), alors qu'il ne se rapporte, en réalité, qu'à « enfants ». D'où cette traduction, plus fidèle au vers de Solon : « Fortuné, celui qui a des enfants qui lui sont chers (*phíloi*), des chevaux solipèdes, des chiens de chasse et un hôte à l'étranger. » Il est fréquent que Socrate détourne ainsi à son avantage le sens d'une citation (cf. *infra*, 215c-d et n. 109).

90. L'amour des parents pour leur enfant serait donc inconditionnel, et non pas proportionnel à l'utilité de leurs enfants, comme Socrate le soutient en 210c-d. En outre, si l'on rapproche ce passage-ci, où le nouveau-né représente ce que les parents ont de plus cher (*phíltata*), de l'exemple du père qui est prêt à tout pour sauver son fils malade qui, à la façon du *prôton phílon*, est ce en vue de quoi son père accorde du prix à tout le reste (cf. 219d-220a), il semblerait que la position de Socrate concernant l'amour des parents pour leurs enfants soit assez traditionnelle, et qu'elle ne corresponde pas à celle qu'il exprime en 210c-d (cf. Morris 1986, p. 270). Il ne fait aucun doute, au vu de ces trois passages (210c-d, 213a, 219d-220a), que la position de Socrate est ambivalente ; cela dit, si l'on a tort d'accorder au fils malade le statut de *prôton phílon* (cf. Introduction, p. 205-206), et que Socrate se borne, dans ce passage-ci, à *constater* l'amour inconditionnel que les parents vouent à leur nouveau-né, les passages 213a et 219d-220a nous paraissent insuffisants pour contester que Socrate, en 210b-d, exprime le fond de sa pensée sur les conditions de la *philía* entre les parents et leurs enfants (cf. Introduction, p. 176-178). Pour le Socrate de Xénophon, l'amour des parents pour leur enfant est à ce point inconditionnel qu'il n'exige pas la réciprocité, qui est pourtant

une condition *sine qua non* de la *philía* entre les hommes. De ce point de vue, l'amour des parents pour leur progéniture est la forme la plus élevée de *philía* (cf. *Mém.*, II 2, 5).

91. L'hypothèse de la réciprocité n'a pas réellement fait l'objet d'un examen, si bien que l'exclusion dont elle fait ici l'objet paraît illégitime. L'hypothèse de la réciprocité a été très rapidement effleurée en 212d, mais elle a été rejetée presque aussitôt, sous prétexte que si la réciprocité est une caractéristique essentielle de l'amitié, on ne pourrait donc pas dire, en dépit de l'existence de termes qui attestent le contraire, que quelqu'un est ami des animaux, du vin, ou même du savoir. Or de ce que certaines formes d'amitié ne sont pas réciproques (comme l'amour du savoir), il ne découle pas que les cas de réciprocité ne sont pas des formes d'amitié. L'on aurait toutefois tort de prendre ce passage-ci au pied de la lettre et de conclure que Socrate n'accorde aucune importance à la réciprocité, car le but qu'il poursuit est, en plus de confondre Ménexène par tous les moyens, de montrer qu'au fondement de l'amitié réciproque entre les hommes il y a une aspiration non réciproque pour le bien et le savoir (cf. Introduction, p. 190-191, 210-211).

92. Cette question de Socrate a la valeur d'un constat : l'entretien qui précède n'est pas une recherche bien conduite. Cet échec n'a rien de surprenant, car Socrate n'a jamais eu l'intention de poursuivre, en compagnie de Ménexène, une recherche sérieuse sur les conditions de l'amitié (cf. *supra*, n. 74).

93. Nouvelle manifestation de la pudeur et de la réserve de Lysis (cf. *supra*, 207a-b).

94. Sur la capacité de concentration de Lysis, cf. *supra*, 211a.

95. Mot à mot : « charmé par la philosophie (*têi philosophíai*) » de Lysis. L'attention et la concentration dont a fait preuve Lysis, ainsi que son aptitude à reconnaître une argumentation stérile, sont autant de signes de ses heureuses dispositions à l'égard de la philosophie, que Socrate avait perçues d'emblée (207a). Une fois de plus, Ménexène sort perdant de la comparaison avec son camarade : alors qu'il s'est laissé mener par le bout du nez, sans rien percevoir des failles de l'argumentation, son ami Lysis a été à ce point attentif et concentré qu'il a immédiatement compris que cette discussion était mal engagée.

96. Socrate fait sans doute référence à 212e, où il a cité un vers de Solon, et peut-être également à 207c, où il a fait allusion à un proverbe d'origine pythagoricienne.

97. D'après Bordt (1998, p. 162), l'expression « pères de la sagesse » (*patéres tês sophías*) désigne Homère et Hésiode, qui sont les poètes les plus anciens et les plus vénérés. De fait, la première citation que Socrate examine est tirée de l'*Odyssée* (voir note suivante), et la seconde (215c-d) des *Travaux et les Jours* d'Hésiode (voir *infra*, n. 109).

98. *Odyssée* XVII 218. Ce vers d'Homère avait déjà valeur de proverbe à l'époque de Platon, ainsi qu'en témoigne un passage du *Banquet* (195b). La conviction que l'amitié suppose une certaine similitude et qu'elle s'établit entre semblables est souvent exprimée dans les dialogues (cf. Introduction, p. 193 n. 1). Ce vers d'Homère est également cité dans les trois exposés qu'Aristote consacre à l'amitié (cf. *EN* VIII 2, 1155a34 ; *EE* VII 1, 1235a7 ; *GM* II 11, 1208b10). Ce proverbe grec est

la source lointaine, semble-t-il, du proverbe français « Qui se ressemblent s'assemblent ».

99. Les « grands savants » qui soutiennent la même chose que les poètes sont donc les philosophes de la nature, ceux qu'Aristote appelait les « physiologues » et que nous avons plutôt coutume d'appeler, aujourd'hui, les « Présocratiques ». Peut-on identifier les philosophes qui ont soutenu la thèse de l'attraction des semblables ? Aristote, qui suit de très près l'exposé du *Lysis*, fait expressément mention d'Empédocle : « Et les philosophes de la nature ordonnent la nature entière selon le principe que le semblable tend vers le semblable ; c'est ainsi qu'Empédocle a dit que le chien s'assied sur la tuile parce qu'elle lui est très semblable » (*EE* VII 1, 1235a10 ; trad. Décarie). Outre Empédocle, les commentateurs ont proposé plusieurs noms, qui Anaxagore, qui les Atomistes, qui les Éléates, etc. Comme il s'agit, de fait, d'une position très répandue parmi les philosophes qui ont écrit sur la nature, il est sans doute vain de chercher à identifier un philosophe ou une école philosophique en particulier (cf. Bordt 1998, p. 178-179).

100. Si deux méchants se fréquentent, il y en a nécessairement un qui exerce l'injustice aux dépens de l'autre ; or il est impossible qu'il y ait amitié entre celui qui commet l'injustice et celui qui la subit. Cet argument, qui vise à démontrer l'impossibilité d'une relation de *philía* entre méchants, laisse à désirer. Lorsque des méchants se fréquentent, ce n'est pas pour se faire du tort entre eux, mais pour commettre l'injustice aux dépens d'autrui. Aristote semble donc avoir raison lorsqu'il affirme que l'amitié entre méchants est possible et qu'elle se fonde sur leur recherche commune du plaisir et du profit (cf. *EN* VIII 5, 1157a16-20 ; 10, 1159b7-10 ; IX 12, 1172a8-10). Cela dit, on peut également donner raison à Socrate dans la mesure où les méchants en viendront sans doute, tôt ou tard, à commettre des injustices les uns aux dépens des autres. Comme leur association est fondée sur l'intérêt et le profit, ils n'hésiteront pas à se trahir et à se faire du tort les uns aux autres aussitôt que leurs intérêts respectifs divergeront. L'amitié entre les méchants ne dure qu'un temps, celui de leur intérêt commun.

101. Socrate approfondit de façon remarquable la première explication qu'il a fournie pour rendre compte de l'impossibilité de la *philía* entre méchants. Si l'amitié n'est possible qu'entre semblables, il faut en exclure les méchants, car ils ne sont pas véritablement semblables entre eux. En effet, les méchants sont à ce point instables et changeants qu'ils ne sont, pour ainsi dire, jamais semblables à eux-mêmes, de sorte qu'ils peuvent difficilement être semblables à des hommes qui sont tout aussi instables qu'ils le sont eux-mêmes. Dans un texte saisissant, Aristote fait un portrait terrifiant des luttes qui se livrent dans l'âme des méchants et qui les empêchent d'être amis d'eux-mêmes (cf. *EN* IX 4, 1166b2-29 ; cf. aussi VIII 10, 1159b7-10). Cette analyse d'Aristote est pour ainsi dire préfigurée dans ce passage-ci du *Lysis*, où l'on trouve également une anticipation de la thèse, chère à Aristote, que l'amitié pour soi (*philautía*) est la condition de l'amitié pour autrui (cf. *EN* IX 4).

102. Dans le *Charmide* (161c, 162a), c'est la formule « faire ses propres affaires » que Socrate compare à une énigme. La formule du *Charmide* et le proverbe du *Lysis* ont donc en commun d'être des expres-

sions dont la signification semble obvie au premier abord, mais dont l'analyse révèle que leur signification profonde est en réalité obscure.

103. Sur l'impossibilité pour les méchants d'être amis, cf. aussi *Phèdre* 255b. Dans la *République* (I 351c-352d), Socrate reconnaît que ceux qui ne sont pas entièrement méchants peuvent se lier entre eux, mais que ceux qui sont entièrement méchants sont impuissants à former quelque association que ce soit. Bordt (1998, p. 165 n. 392 ; 2000, p. 166) compte également *Gorgias* 507e au nombre des passages où Platon refuserait aux méchants toute forme de *philía* mutuelle. Outre que ce passage n'affirme pas explicitement une telle position, un autre passage du *Gorgias* reconnaît au contraire qu'une forme d'amitié est possible entre méchants. En 510b-d, Socrate explique qu'un tyran « grossier, sans éducation ni culture » (510b) ne pourra jamais se lier d'amitié avec un homme qui lui serait supérieur, ni même avec un homme plus médiocre que lui, et que le seul homme dont il puisse devenir l'ami est un homme qui lui ressemblerait en tout point, ce qui laisse clairement entendre que l'amitié entre semblables est possible. Sur l'impossibilité de l'amitié entre méchants, cf. aussi Xénophon, *Mém.* II 6, 19 ; Cicéron, *De amicitia* 18 ; Diogène Laërce VII 124.

104. Pour réfuter la position suivant laquelle seuls les bons peuvent être amis des bons, Socrate développe deux arguments qui ont fait l'objet d'un commentaire approfondi dans l'Introduction (p. 191-199).

105. L'amour suppose, pour se manifester, une lacune et un manque préalable, qu'il cherche précisément à combler. L'amour n'est donc pas l'expression d'une plénitude, mais bien d'une déficience. C'est là une conviction très profonde de Platon, qui sera à nouveau formulée un peu plus loin dans le dialogue (221d-e), de même que dans le *Banquet* (200a-e). Étant donné que plusieurs commentateurs sont d'avis que ce passage (215a-c) développe un argument auquel Platon ne souscrirait pas, il nous paraît important de souligner que cette affirmation est authentiquement platonicienne.

106. Comme nous le signalons dans l'Introduction (p. 196-197), la position ici défendue par Socrate est en accord avec l'affirmation que Platon lui prête dans la *République* (III 387b-e).

107. La formule « j'ai entendu dire à quelqu'un » sert à introduire une distance entre la thèse rapportée et l'interlocuteur qui la rapporte (cf. Bordt 1998, p. 180). Par exemple, Charmide utilise la même formule (161b) lorsqu'il rapporte l'opinion, dont on apprendra plus tard (162c-e) qu'elle est de Critias, suivant laquelle la sagesse consiste à faire ses propres affaires. Voir aussi *Théét.* 201c. Cela dit, Socrate emploie parfois la même formule pour rapporter une opinion à laquelle il souscrit (cf. *Ménon* 81a ; *Gorg.* 493a ; *Rép.* IX 583b). En ce qui a trait à l'identité de celui dont Socrate s'apprête à rapporter l'opinion, voir la note suivante.

108. La doctrine visée est probablement celle d'Héraclite, ainsi que le suggère l'occurrence du terme *polemiótatoi*. Héraclite soutient en effet que la guerre (*pólemos*) est la loi du monde sensible et qu'elle unit les contraires pour les concilier en une harmonie supérieure (cf. DK A1, B53, B80, B126). D'aucuns ont proposé d'autres identifications (cf. Hoerber 1959, p. 22), qui paraissent cependant plus incertaines que la piste héraclitéenne. Aristote mentionne expressément Héraclite lorsqu'il

rapporte l'opinion selon laquelle ce sont les contraires qui deviennent amis (cf. *EN* VIII 2, 1155b4-6 ; *EE* VII 1, 1235a25-29).

109. Hésiode, *Travaux* 25. Cette citation d'Hésiode mérite d'être commentée, car elle fait ici l'objet d'une mésinterprétation. Pour bien saisir les tenants et aboutissants de cette mésinterprétation, il nous paraît indispensable de citer le texte d'Hésiode : « Ne disons plus qu'il n'est qu'une sorte de Lutte : sur cette terre, il en est deux. L'une sera louée de qui la comprendra, l'autre est à condamner. Leurs deux cœurs sont bien distants. L'une fait grandir la guerre (*pólemon*) et les discordes funestes, la méchante ! Chez les mortels, nul ne l'aime ; mais c'est contraints, et par le seul vouloir des dieux, que les hommes rendent un culte à cette Lutte cruelle. L'autre naquit son aînée de la Nuit ténébreuse, et le Cronide, là-haut assis dans sa demeure éthérée, l'a mise aux racines du monde et faite bien plus profitable aux hommes. Elle éveille au travail même l'homme au bras indolent : il sent le besoin du travail le jour où il voit le riche qui s'empresse à labourer, à planter, à faire prospérer son bien : tout voisin envie le voisin empressé à faire fortune. Cette Lutte-là est bonne aux mortels. Le potier en veut (*kotéei*) au potier, le charpentier au charpentier, le pauvre est jaloux (*phthonéei*) du pauvre, et le chanteur du chanteur » (11-25 ; trad. Mazon). On relève les différences suivantes entre le texte cité par Platon et celui qui nous est transmis par les manuscrits des *Travaux* : l'oubli du charpentier, l'inversion de l'aède et du pauvre, et, enfin, l'omission du verbe « jalouse » (*phthonéei*). Ces divergences ne paraissent pas significatives, sauf peut-être l'omission de *phthonéei* (voir plus bas), mais la mésinterprétation est plus sérieuse. Le passage cité par Platon se situe manifestement, chez Hésiode, dans le contexte de ce qu'il appelle la « bonne lutte » (*éris agathê*), qui est ni plus ni moins qu'une forme d'émulation. Or Platon cite ce passage en guise de témoignage en faveur de l'affirmation suivant laquelle les semblables sont les plus hostiles aux semblables. Hésiode ne veut toutefois pas dire que le semblable est en guerre avec le semblable, et que l'amitié entre eux est donc impossible, mais, tout simplement, qu'il y a une saine émulation entre eux. La traduction du verbe *koteîn* est ici déterminante. Dans la perspective qui est celle de l'interprétation rapportée par Platon, la traduction par « haïr » (Croiset) est pleinement justifiée, car les semblables sont en guerre. Mais au regard de la signification usuelle du verbe *koteîn*, la traduction par « haïr » n'est pas justifiée, car ce verbe signifie le plus souvent « jalouser quelqu'un », ce qui convient parfaitement à un contexte d'émulation. C'est d'ailleurs ainsi que traduisent Mazon (« en veut à »), Robin (« jalouser ») et Chambry (« envie »). L'omission du verbe *phthonéei*, qui signifie précisément « jalouse » ou « envie », n'est probablement donc pas accidentelle, car ce verbe se prête mal à l'interprétation rapportée par Platon. La mésinterprétation n'est sans doute pas le fait de Platon, mais plutôt de celui – vraisemblablement Héraclite (cf. note précédente) – qui a affirmé que ce sont les ennemis et les opposés qui sont amis entre eux : « L'homme que Socrate a rencontré a simplifié – sinon trahi – la pensée d'Hésiode » (Vicaire 1963, p. 91). Ce vers d'Hésiode est également cité par Aristote dans ses exposés sur l'amitié (cf. *EN* VIII 2, 1155a35-b1 ; *EE* VII 1, 1235a18).

110. Après l'examen et le rejet de l'hypothèse que les amis sont les semblables, on s'attendrait à ce que Socrate considère la possibilité que les amis soient les dissemblables. Or après avoir mentionné furtivement, ici même, l'hypothèse de la dissemblance fondatrice de l'amitié, Socrate passe presque immédiatement à l'hypothèse de la contrariété (215e), comme si c'était la même chose que la dissemblance. De même qu'il avait traité le semblable comme s'il s'était agi de l'identique (cf. Introduction, p. 192), de même Socrate infléchit la dissemblance dans le sens de la contrariété. Entre le semblable et le dissemblable, la distance est beaucoup moins considérable qu'entre l'identique et le contraire. En tout état de cause, il est beaucoup plus facile de réfuter l'hypothèse de la contrariété que celle de la dissemblance : on peut certes trouver, ainsi que Socrate s'y emploiera ici même, des contre-exemples à l'hypothèse de l'attirance des contraires – deux ennemis ne peuvent être amis entre eux –, mais on pourrait difficilement en trouver à l'hypothèse de la dissemblance (ceux qui deviennent amis ne sont jamais parfaitement identiques l'un à l'autre).

111. La « nécessaire » amitié entre le pauvre et le riche est illustrée par les deux derniers entretiens du long exposé que Xénophon consacre à l'amitié (cf. *Mém.*, II 9-10). Ces amitiés entre personnes de conditions opposées sont des amitiés purement utilitaires, au sens où les entend Aristote (cf. *EN* VIII 3), et qui durent uniquement le temps que subsiste l'intérêt commun. Contrairement à Xénophon, qui a su mettre en relief l'intérêt commun qui peut pousser des hommes de conditions opposées à nouer entre eux des liens d'amitié, Socrate présente ici des amitiés à sens unique, puisque c'est toujours le plus défavorisé (le pauvre, le malade, l'ignorant) qui a intérêt à aimer le plus avantagé (le riche, le médecin, le savant), sans que l'on voie l'intérêt que pourrait avoir celui-ci à se lier d'amitié avec le plus défavorisé. Pour Aristote, l'amitié qui se noue entre hommes de conditions opposées est une amitié purement utilitaire qui n'exclut pas la réciprocité : « C'est l'amitié basée sur l'utilité (*dià tò khrêsimon*) qui, semble-t-il, se forme le plus fréquemment à partir de personnes de conditions opposées (*ex enantíōn*) : par exemple l'amitié d'un pauvre pour un riche, d'un ignorant pour un savant ; car on se trouve dépourvu d'une chose dont on a envie, on donne une chose en retour pour l'obtenir » (*EN* VIII 10, 1159b12-15 ; trad. Tricot). Cf. aussi *EE* VII 5, 1239b23-27.

112. Par rapport au cas précédent (le pauvre et le riche), cet exemple introduit un nouvel élément, à savoir la finalité en vue de laquelle le faible aime le fort. Comme nous le verrons, le véritable objet d'amour n'est pas celui que l'on aime (ici le fort), mais ce en vue de quoi on l'aime (ici l'aide dont on a besoin). En raison de la présence d'une cause finale, exprimée par la préposition *héneka* (« en vue de »), cet exemple-ci peut être considéré comme une anticipation du développement où Socrate distingue ce que l'on aime de ce en vue de quoi on l'aime (218d-219b).

113. Cet exemple du malade qui aime le médecin (ou encore la médecine, cf. 219a) sera repris et complété dans la suite du dialogue. Ainsi que l'exemple précédent le montre déjà, la relation de *philía* suppose un troisième terme, qui agit à titre de cause finale ; dans le cas du malade, ce

troisième terme est la santé : le malade aime le médecin (ou la médecine) en vue de la santé (218e-219a).

114. On rejoint la conclusion et la leçon du premier entretien entre Socrate et Lysis : dans tous les domaines, celui qui détient le savoir est un objet d'amour pour les autres (cf. 210c-d). La nature de la relation de *philía* entre l'ignorant et le savant sera précisée dans la suite du dialogue (cf. 218a-b) ; mais plutôt que d'affirmer que c'est l'ignorant qui aime le savant, Socrate soutient que c'est l'ignorant conscient de son ignorance qui aime le *savoir*. La substitution du savoir au savant est probablement à interpréter comme le signe que l'objet d'amour ultime poursuivi par le philosophe (= l'ignorant conscient de son ignorance) n'est pas une personne, si savante soit-elle, mais le savoir lui-même, qui se confond avec le bien (cf. Introduction, p. 213-214).

115. Comme la suite du dialogue l'établira, ce n'est pas le contraire qui désire le contraire, mais plutôt ce qui manque d'une chose qui désire ce dont il éprouve le manque, ce qui implique qu'il possède déjà, mais de façon lacunaire, ce qu'il désire. Si le contraire désirait le contraire, le mal désirerait le bien, ce qui est exclu par Socrate, car ce qui est complètement mauvais n'éprouve aucune aspiration au bien. C'est plutôt le ni bon ni mauvais, c'est-à-dire celui qui n'est ni entièrement bon ni entièrement mauvais, qui désire le bien.

116. À la différence de la première série d'exemples (215d), qui illustrait une *philía* à sens unique (cf. *supra*, n. 111), cette deuxième série illustre des relations réciproques (le vide désire le plein, et vice versa), mais l'on ne voit pas très bien pourquoi les contraires se désirent l'un l'autre (cf. Bordt 1998, p. 173). La position décrite par Platon est celle défendue par la plupart des physiologues, qui expliquent le changement par l'action des contraires les uns sur les autres. Aristote critique cette position en montrant que le changement suppose un troisième terme, le substrat (ou sujet). Par exemple, ce n'est pas le sec qui désire l'humide, mais *ce qui* est sec (le champ) qui désire l'humide (la pluie). Cf. *Physique* I 7.

117. Ménexène échoue à nouveau à faire preuve de sens philosophique. Socrate lui soumet une thèse qu'il sait fausse et il obtient sans difficulté l'accord enthousiaste et empressé de Ménexène. Aussitôt que Ménexène s'est prononcé en faveur de cette thèse, Socrate lui montre qu'elle est à rejeter.

118. L'attribution d'un savoir universel aux spécialistes de la contradiction (*antilogikoí*) est ironique et doit être comprise comme suit : si les contradicteurs donnent l'impression d'être savants en toutes choses (*pássophoi*), c'est tout simplement parce qu'ils sont capables de réfuter toute proposition qu'on leur soumet, sans égard à la vérité de cette proposition ou à leur propre compétence dans le domaine dont relève cette proposition. Comme le démontre la pratique de l'*élegkhos* par Socrate, et ainsi qu'Aristote le souligne dans les *Réfutations sophistiques* (11, 172a21-36), il n'est pas nécessaire, pour réfuter quelqu'un, de détenir une compétence particulière, sinon celle de la réfutation elle-même. Par ailleurs, on voit mal en quoi les *antilogikoí* se distinguent des éristiques (cf. 211b et *supra*, n. 72) ; en effet, les uns et les autres usent de la réfutation et

s'attaquent à toute proposition qu'on leur soumet, d'où cette apparence de compétence universelle (cf. *Euthyd.* 271c).

119. Cette occurrence du terme *sôphron* mérite d'être signalée, car elle correspond à la conception usuelle de la *sôphrosúnē*, à savoir la maîtrise des désirs et de l'attrait du plaisir, par opposition à l'absence de contrôle qui caractérise le débauché (*akólastos*). Assez curieusement, cette conception traditionnelle de la *sôphrosúnē* est absente du *Charmide* (cf. Introduction au *Charmide*, p. 37-41).

120. Cette affirmation marque un tournant dans le dialogue en ce qu'elle jette les premières bases du modèle de l'amitié que Socrate va désormais s'appliquer à élaborer (cf. Introduction, p. 200 sq.). Socrate identifie ici l'objet (le bien) et le sujet de l'amour (le ni bon ni mauvais). Ces deux éléments seront maintenus, en dépit des apparences, jusqu'à la fin du dialogue. Ainsi que plusieurs commentateurs l'ont déjà souligné (cf. Levin 1971, p. 248 ; Bolotin 1979, p. 143 et 163 ; Kahn 1996, p. 285 ; Bordt 2000, p. 168 ; Kühn 2000, p. 217), le dialogue s'intéresse désormais à la relation non réciproque entre le sujet de la *philía* et l'objet ultime qu'il poursuit, qui est irréductible à une personne. Il est incontestable que le dialogue, à partir de 216c, relègue à l'arrière-plan le caractère réciproque de la *philía* entre deux personnes. Est-ce à dire, ainsi que d'aucuns l'ont soutenu, que la réciprocité est définitivement abandonnée ? Cette position nous paraît excessive ; outre qu'elle fait bon marché des passages, postérieurs à 216c, où la nécessaire réciprocité de la *philía* réapparaît (cf. 221e-222a, 223b), elle méconnaît la signification de ce changement de perspective. Comme le dialogue a été jusqu'à maintenant impuissant à déterminer qui devient l'ami de qui, Socrate prend congé de la relation réciproque pour se demander plutôt quel est le fondement de la relation de *philía* entre deux êtres. Ce fondement, qui correspond au troisième terme, n'est pas une personne et il ne peut donc pas être le partenaire d'une relation réciproque, mais c'est lui qui permet l'amour réciproque entre deux êtres. Le changement de perspective n'est donc pas un abandon de la réciprocité, mais le point de départ de la recherche de son fondement. Par ailleurs, ceux qui affirment que la réciprocité est abandonnée doivent soutenir, par la force des choses, que le véritable objet d'amour n'est pas une personne ; inversement, ceux qui croient au maintien de la réciprocité sont contraints de reconnaître que l'amour pour le *prôton phílon* n'est pas un amour exclusif.

121. Ce que Platon présente comme un ancien proverbe correspond sans doute au « beau chant » (*kalòn épos*) que Théognis prête aux Muses : « Chose belle est aimable (*Hótti kalón, phílon estí*) ; rien d'aimable qui n'est point beau (*tò d'ou kalòn ou phílon estín*) » (v. 17 ; trad. Carrière). Voir aussi Euripide, *Bacchantes*, 881.

122. Les adjectifs dont se sert Socrate pour caractériser la beauté (doux, lisse, brillant) peuvent, pour peu qu'on leur prête une connotation sexuelle, désigner la peau et le corps huilé d'un éphèbe (cf. Bordt 1998, p. 185). Le bien dont Socrate est amoureux est aussi fuyant et insaisissable que l'est, pour Hippothalès, le corps du beau Lysis (cf. Gonzalez 2003, p. 29 n. 37).

123. L'équivalence et l'interchangeabilité du beau et du bien découlent de ce qui précède immédiatement. Au début de 216c, Socrate affirme que

le bien est l'ami du ni bon ni mauvais ; il rapporte ensuite un proverbe suivant lequel c'est le beau qui est ami. Il s'ensuit que l'objet d'amitié (*phílon*) est le bien ou le beau indifféremment, et que le bien est beau. L'interchangeabilité du beau et du bien est également affirmée dans le *Banquet* (204e). Le mouvement suivi dans le *Banquet* est cependant l'inverse de celui que l'on observe dans le *Lysis*, où l'objet de la *philía* est d'abord le bien, que l'on assimile ensuite au beau ; le *Banquet* procède à rebours : l'objet de l'*érōs* est le beau et c'est dans un deuxième temps qu'on affirme son identité avec le bien. Cette différence s'explique aisément : l'amitié recherche d'abord le bien, et accessoirement le beau, alors que l'amour poursuit d'abord la beauté, et si possible le bien. La *philía* et l'*érōs* ont donc fondamentalement le même objet, mais leur objet premier est différent, puisque la *philía* recherche avant tout le bien alors que l'*érōs* s'attache surtout à la beauté. Sur l'identité du beau et du bien, cf. aussi *Charmide* 160e ; *Alc.* 115a-116e ; *Hippias maj.* 297c-d ; *Prot.* 360b ; *Gorg.* 474c-d ; *Ménon* 77b ; *Philèbe* 64e, etc.

124. Socrate emploie ici la même expression que dans le *Charmide*, alors qu'il est sur le point de « prophétiser » (*manteúesthai*) que la modération est quelque chose d'utile (cf. 169b et n. 159). Le contexte est rigoureusement identique dans les deux dialogues, où le verbe *manteúesthai* est employé pour introduire une proposition importante dont Socrate ne saurait justifier lui-même la vérité, puisque sinon il contreviendrait à sa déclaration d'ignorance. En se plaçant sous le signe de la divinité et en employant le vocabulaire de la divination, Socrate déjoue la déclaration d'ignorance et parvient à affirmer une proposition qui lui paraît essentielle et de la vérité de laquelle il est certainement convaincu. C'est un indice supplémentaire de l'importance qu'il faut accorder à l'affirmation que c'est le ni bon ni mauvais qui aime le bien (cf. *supra*, 216c et n. 120). De même que l'utilité de la sagesse n'est pas remise en question dans la suite du *Charmide*, de même Socrate maintient jusqu'à la fin du *Lysis* sa position concernant le sujet (le ni bon ni mauvais) et l'objet (le bien) de l'amour. – Le recours au vocabulaire de l'inspiration s'expliquerait, au moins en partie, par le fait que Socrate situe l'origine de l'amitié dans un bien qui dépasse la condition humaine (cf. Gonzalez 1995, p. 78 n. 21). Cette explication est certes séduisante, mais elle présente l'inconvénient de ne pas convenir à l'occurrence du même verbe (*manteúesthai*) dans le *Charmide*. Gonzalez a toutefois raison de renvoyer à un passage de la *République* (VI 505e) où Socrate emploie à nouveau le verbe *apomanteúesthai* à propos du bien.

125. Sur cette division tripartite, cf. aussi *Gorg.* 467e ; *Banq.* 201e-202b ; *Euthyd.* 280e-281a. Le passage du *Banquet* est particulièrement intéressant car c'est Éros lui-même qui est présenté comme ni bon ni mauvais, ni beau ni laid. Et comme Éros, dans le *Banquet*, est le sujet de l'amour, il y a une correspondance très étroite entre le sujet de l'amour du *Lysis* (le ni bon ni mauvais) et celui du *Banquet* (Éros).

126. Cf. *supra*, 214a-215c, où Socrate rejette l'hypothèse que le semblable soit l'ami du semblable. Socrate réaffirme ici l'impossibilité que les bons soient amis entre eux (cf. *supra*, 215a-c ; Introduction, p. 191-199).

127. Robin (1950, p. 340 n. 1) et Chambry (1967, p. 331 n. 115) comprennent cette affirmation comme suit : le ni bon ni mauvais est l'ami ou du bien, ou de quelque chose qui lui ressemble, c'est-à-dire qui ressemble au bien ; or ce qui ressemble au bien est le beau ; le ni bon ni mauvais est donc l'ami du bien ou du beau. Cette interprétation suppose que l'expression *hoîon autó* (« tel qu'il est lui-même ») renvoie au bien, ce qui est toutefois démenti par la suite du texte. À ce stade de l'argumentation, Socrate n'a pas encore exclu que le ni bon ni mauvais puisse être l'ami d'un autre ni bon ni mauvais. Cette possibilité sera exclue dans les prochaines répliques, où Socrate rappelle que les semblables ne peuvent pas être amis entre eux. Or lorsque Socrate écarte définitivement la possibilité d'une amitié entre ni bons ni mauvais, il emploie à nouveau la même expression : comme le ni bon ni mauvais ne peut pas être ami de quelque chose qui lui ressemble (*hoîon autó*, 216e7), il reste qu'il soit l'ami du bien, et de lui seul. La première occurrence de l'expression *hoîon autó*, dans ce passage-ci, ne désigne donc pas le bien ou quelque chose qui lui ressemble (le beau), mais le ni bon ni mauvais lui-même.

128. La raison pour laquelle rien ne peut devenir l'ami du mauvais est qu'il n'y a aucun homme qui désire le mal en connaissance de cause, c'est-à-dire en sachant que c'est le mal (cf. *Gorg.* 468c et *Ménon* 77c-78b). Étant donné que la discussion précédente a rejeté l'amitié entre semblables (bon/bon, mauvais/mauvais), de même que celle entre contraires (bon/mauvais), et que Socrate conteste ici que le mal puisse être cher (*phílon*) à qui que ce soit, il ne reste donc qu'une seule possibilité : le ni bon ni mauvais a pour ami le bien.

129. Cf. *supra*, 214e sq.

130. Il est entendu que le bien est l'objet ultime de la *philía* et qu'il ne se réduit pas à une personne. Cela dit, la *philía* entre le ni bon ni mauvais et le bien peut difficilement faire l'économie de *philíai* intermédiaires, qui s'établissent nécessairement parmi les hommes. Or si la très grande majorité des hommes ne sont ni bons ni mauvais, il est inévitable qu'il y ait des amitiés entre les ni bons ni mauvais, donc entre semblables. Si Socrate soutient réellement que l'amitié entre les ni bons ni mauvais est impossible, pour autant qu'il s'agit d'une amitié entre semblables, c'est l'amitié même entre les hommes qui devient incompréhensible. Voir aussi Introduction, p. 194.

131. Cet argument rappelle beaucoup celui que Socrate a développé concernant l'autarcie du bon. De même que le bon se suffit à lui-même sous le rapport de la bonté, de sorte qu'il n'a pas besoin des hommes bons, de même le corps en santé se suffit à lui-même sous le rapport de la santé, de sorte qu'il n'a pas besoin du médecin ou de la médecine. Platon a recours au même terme, dans les deux passages, pour exprimer cette suffisance à soi (*hikanós*, 215a ; *hikanôs*, 217a).

132. C'est la première allusion à une cause efficiente de l'amitié : la maladie est cause de l'amitié que le malade porte au médecin. Le mal sera bientôt identifié comme ce qui, par sa présence chez un être, suscite l'aspiration à un bien propre à le surmonter.

133. Socrate associe une fois de plus la bonté et l'utilité (cf. 210d). C'est également en tant qu'elle est un savoir que la médecine se révèle bonne et utile. Cf. aussi 220c et n. 162. Dans le *Charmide*, en revanche,

Socrate semble douter que la médecine soit vraiment utile et bonne (cf. 164a-c).

134. La causalité du mal, pour rendre compte de l'origine de l'amitié, sera abandonnée en 221a-e, où Socrate lui substitue une autre causalité, celle du désir.

135. Cf. *supra*, 216d-e. Le mauvais ne peut devenir l'ami du bon en vertu du principe de l'impossibilité de la *philía* entre les contraires (216a-b). Si la présence du mal est cause de l'amitié du ni bon ni mauvais pour le bien, il faut toutefois que ce mal ne soit pas omniprésent, car sinon il submergerait le ni bon ni mauvais, au point que celui-ci deviendrait complètement mauvais et ne pourrait donc plus désirer le bien. Autrement dit, on ne peut aspirer au bien que si l'on n'est pas entièrement mauvais.

136. Cf. *supra*, 216d-e et 217c.

137. Socrate n'exclut donc pas, du moins en principe, que des hommes puissent parvenir à un tel degré de savoir qu'ils n'aient plus besoin de philosopher, c'est-à-dire de rechercher le savoir. Nous avons traduit les cinq occurrences du verbe *philosopheîn*, dans ce passage, par les expressions « rechercher le savoir » ou « aspirer au savoir », afin d'insister sur le fait que le philosophe est celui qui aspire (*phileî*) à un savoir (*sophía*) dont il se sait dépourvu. La philosophie n'est pas la possession du savoir, ni son exercice, mais sa recherche.

138. Se connaître soi-même, c'est en effet reconnaître son ignorance et c'est à la faveur de cette prise de conscience que l'on devient sage (cf. *Charmide* 167a).

139. On a l'impression que Socrate répète, ou plus exactement anticipe l'enseignement qu'il reçoit de Diotime dans le *Banquet*. Le parallèle entre les deux passages est assez frappant : « Par ailleurs, il [*scil.* Éros] se trouve à mi-chemin entre le savoir et l'ignorance. Voici en effet ce qui en est. Aucun dieu ne tend vers le savoir (*philosopheî*) ni ne désire devenir savant (*epithumeî sophòs genésthai*), car il l'est ; or, si l'on est savant, on n'a pas besoin de tendre vers le savoir (*philosopheî*). Les ignorants ne tendent pas davantage vers le savoir (*philosophoûsin*) ni ne désirent devenir savants (*oud'epithumoûsin sophoì genésthai*). Mais c'est justement ce qu'il y a de fâcheux dans l'ignorance : alors que l'on n'est ni beau ni bon ni savant, on croit l'être suffisamment. Non, celui qui ne s'imagine pas en être dépourvu ne désire pas ce dont il ne croit pas devoir être pourvu » (203e-204a ; trad. Brisson). Cf. aussi *Phèdre* 278d ; *Rép.* V 475b. – On pourrait croire, à première vue, que le philosophe n'est qu'un analogue du ni bon ni mauvais, et que l'exemple de la philosophie sert uniquement à illustrer en quel sens l'aspiration à quelque chose n'est possible que chez celui qui se trouve à mi-chemin entre ce à quoi il aspire et ce dont il désire s'affranchir : de même que seul celui qui se trouve à mi-chemin entre l'ignorance et le savoir peut aspirer au savoir, de même seul celui qui n'est ni complètement bon ni entièrement mauvais peut aspirer au bien. Mais l'exemple de la philosophie est bien plus qu'une simple analogie, car Socrate articule très étroitement entre elles la condition du philosophe et celle du ni bon ni mauvais. En effet, Socrate présente clairement l'ignorance comme un mal et le savoir comme un bien. Si l'ignorance est identique au mal, et le savoir au bien, il en découle que

le philosophe, qui n'est ni ignorant ni savant, est également ni bon ni mauvais. Cette articulation entre le philosophe et le ni bon ni mauvais est affirmée très nettement dans la conclusion de Socrate : « Voilà pourquoi ceux qui aspirent au savoir (*philosophoûsin*) sont les ni bons ni mauvais, alors que tous ceux qui sont mauvais n'aspirent pas au savoir (*ou philosophoûsin*), non plus que les bons. » En outre, ce passage établit entre le bien et le savoir un lien qui est déjà présent dans le premier entretien avec Lysis (210d). Ce passage sur la philosophie peut également être lu comme une confirmation supplémentaire de l'impossibilité de la *philía* entre les bons (215a-b). Affirmer que les bons ne philosophent pas revient à dire que le savoir n'est pas pour eux un *philon*, un objet d'amour, puisqu'ils sont déjà savants ; or comme le savoir est également le bien, dire du bon qu'il ne philosophe pas revient à dire qu'il n'aspire (*phileî*) pas au bien, puisqu'il est déjà bon. Cf. aussi Gonzalez 1995, p. 79.

140. Nous adoptons ici l'ingénieuse et séduisante correction de Sedley (1989), qui paraît indispensable à la bonne compréhension non seulement de ce passage-ci, mais de tout l'argument développé par Socrate depuis 216c. Si l'on traduit fidèlement le texte des manuscrits, on obtient « nous avons enfin trouvé ce qu'est l'ami et ce qu'il n'est pas (*hò éstin tò phílon kaì oú*) », comme si Socrate n'avait en réalité découvert qu'une chose, à savoir le sujet de la *philía*. Or dans la phrase qui suit immédiatement celle-ci, et qui débute par une liaison forte (*gár* = « car », « en effet »), Socrate présente les trois éléments de la « découverte » : le sujet de l'amitié (le ni bon ni mauvais), son objet (le bien) et la cause de l'amitié (la présence du mal). Cette affirmation s'harmoniserait beaucoup mieux à la précédente si l'on apportait à celle-ci, comme le propose Sedley, une très légère correction : au lieu de la négation *oú*, il faut lire le pronom relatif *hoû*. La première affirmation se lit alors comme suit : « nous avons trouvé qui est l'ami et son objet ». Cette affirmation énoncerait donc déjà deux des trois éléments que l'affirmation suivante précisera, à savoir le sujet de l'amitié (le ni bon ni mauvais) et son objet (le bien). Mais pourquoi Socrate ne fait-il pas mention du troisième élément, à savoir la causalité ? Il est vrai, comme l'affirme expressément Socrate, que ses interlocuteurs et lui ont découvert le sujet de l'amitié et son objet. Ces deux éléments apparaissent comme des acquis définitifs, puisqu'ils seront conservés jusqu'à la fin du dialogue (cf. 221c et 222c). Socrate n'affirme donc pas avoir découvert quelle est la cause de l'amitié ; et, de fait, la cause qu'il mentionne dans la phrase suivante, la présence du mal, sera par la suite abandonnée (cf. 221a-e). Étant donné que la causalité retenue jusqu'ici sera contestée et réfutée ultérieurement, il ne faut pas s'étonner qu'elle ne figure pas au nombre des choses que Socrate déclare avoir découvertes. Ce n'est donc pas sans raison que la découverte de Socrate mentionne uniquement deux des trois éléments qui ont jusqu'à maintenant été dégagés. La correction de Sedley est également adoptée par Kahn (1996, p. 286 n. 35) et par Bordt (1998, p. 196 ; 2000, p. 157 n. 4).

141. Depuis 217b, où Socrate a affirmé pour la première fois que c'est la présence du mal qui suscite, chez le ni bon ni mauvais, l'aspiration au bien, on relève quatorze occurrences du verbe *pareînai* (« être présent »)

et du substantif *parousía* (« présence »). Comme Platon emploie les
mêmes termes, dans les dialogues de la maturité, pour désigner l'un des
modes possibles de relation entre les formes intelligibles et les choses
sensibles – ce qui fait qu'une chose est belle, c'est la « présence » en elle
de la forme de la Beauté (cf. *Phédon* 100d) –, il n'en fallait pas plus pour
que certains commentateurs soutiennent que la fréquence des termes
pareînai et *parousía*, en 217b-218c, atteste que Platon avait déjà, à
l'époque de la rédaction du *Lysis*, jeté les bases de sa théorie des formes
intelligibles (cf. Taylor 1929, p. 70-71 ; Shorey 1933, p. 117). Outre qu'il
n'y a aucun passage du *Lysis* qui fasse allusion, directement ou indirecte-
ment, à la théorie des formes intelligibles, ainsi qu'aux grandes dichotomies métaphysiques qui en sont le corollaire, il est tout à fait courant, en
grec ancien, de dire d'une chose qu'elle est X en raison de la présence de
X en elle (cf. Vlastos 1973, p. 35-37 ; *Alc.* 126a-b ; *Gorg.* 497e, 498d,
506d ; *Charmide* 158e, etc.). De plus, il paraît invraisemblable que le
passage 217b-218c puisse être une allusion à la théorie des formes intelligibles, car il y est question de la présence du mal ; or il ne peut pas y
avoir de forme intelligible du mal, puisque sinon Platon reconnaîtrait du
même coup que le monde intelligible, qui est par définition divin et parfait, est à la source du mal (cf. aussi Glidden 1981, p. 54 n. 129).

142. Socrate a une fois de plus recours à la métaphore de la chasse,
mais l'objet de la chasse n'est pas le même qu'en 206a, où le « gibier »
était la personne aimée. Dans ce passage-ci, l'objet pourchassé est une
connaissance.

143. Cette exclamation de Socrate pourrait laisser croire qu'il ne
retiendra aucun des trois éléments qu'il vient d'identifier, à savoir le ni
bon ni mauvais (sujet de l'amitié), le bien (objet de l'amitié) et le mal
(cause efficiente de l'amitié). Or seul le troisième élément sera finalement rejeté, lorsque Socrate substituera le désir au mal en tant que cause
efficiente de l'amitié.

144. Socrate distingue ici deux types de causes, soit la cause efficiente,
qu'il exprime le plus souvent à l'aide de la préposition *diá* (« en raison
de ») et la cause finale, qui correspond à la préposition *héneka* (« en vue
de »). Comme la suite de la discussion le révélera, la cause efficiente ne
suffit pas à rendre compte de l'aspiration à une chose, d'où la nécessité
de prendre en considération un autre type de causalité. Socrate a déjà fait
allusion à la cause finale en 215d (cf. *supra*, n. 112).

145. Nous sommes d'avis, avec Bordt (1998, p. 208), que le référent
de l'article neutre *tó*, dans ce passage, est une chose et non une personne.
Cette question revêt une très grande importance ; en effet, comme
l'article *tó* désigne ici la cause finale (ce en vue de quoi l'on aime), et que
celle-ci correspond au *prôton phílon*, l'objet d'amour ultime, cela fait
toute la différence que le référent désigne une chose plutôt qu'une personne. Ce qui nous permet d'affirmer que le référent de *tó* n'est pas une
personne, c'est d'une part l'élucidation de *tó* par l'expression « cette
chose » (*ekeínou toû prágmatos*) dans la réplique suivante, et d'autre part
l'identité des choses que Platon présente comme des causes finales ; il
appert, après examen, qu'il ne s'agit jamais d'une personne.

146. La question que Ménexène avoue ne pas avoir comprise rappelle,
par sa formulation obscure et alambiquée, les questions contenues dans

la section éristique du dialogue (212b-213c). Il est donc dans l'ordre des choses que Ménexène (et Socrate lui-même !) n'en saisisse pas immédiatement la signification. Socrate rappellerait donc à nouveau que l'éristique ne convient pas à une recherche poursuivie en commun.

147. Cf. *supra*, 217a-b, où Socrate fait successivement du médecin et de la médecine l'objet d'amour du malade, comme si cela ne faisait aucune différence. C'est peut-être déjà l'indice que le véritable objet d'amour du malade est ni l'un (le médecin) ni l'autre (la médecine) : s'il aime indifféremment les deux, c'est pour autant qu'ils lui procurent la santé, qui est son véritable objet d'amour. On observe la même oscillation dans ce passage-ci : après avoir affirmé que le médecin est un objet d'amour relatif (218e), Socrate lui substitue la médecine (219a et 219c).

148. Cette réponse de Ménexène pourrait ne pas engager Socrate, car ce n'est pas lui qui affirme en son nom propre que la santé est un bien. Il ne fait cependant aucun doute que Socrate regarde également la santé comme un bien, puisqu'il reprend sous peu cette position à son propre compte (cf. 219a). Or il est un peu curieux que Socrate présente la santé comme un bien, car il insiste ailleurs sur le fait que la santé est susceptible d'un bon usage, aussi bien que d'un mauvais (cf. *Euthyd.* 279b, 281a ; *Ménon* 87e-88a ; cf. aussi Xénophon, *Mém.* IV 2, 31-32), et que son bon emploi dépend d'un savoir, de sorte que la santé n'est pas en elle-même un bien – puisqu'elle peut être employée à mauvais escient – et qu'elle ne peut être considérée comme un bien qu'à la condition d'être placée sous l'autorité d'un bien supérieur et inconditionné, le savoir. Dans le *Charmide* (164a-c), Socrate démontre pareillement que le médecin est impuissant, à partir de la science médicale, à déterminer dans quelles circonstances et pour quels individus la santé représente un bien. Enfin, selon l'anthropologie développée dans l'*Alcibiade* (129b-132b), la santé n'est pas non plus un bien *stricto sensu*, puisque seuls les biens de l'âme sont des biens à proprement parler, par opposition aux biens inférieurs que sont les biens du corps (santé, beauté, force) et les biens extérieurs (richesse, renommée, bonne naissance). Toutefois, dans le *Gorgias* (467e-468a), Socrate range la santé parmi les bonnes choses, plutôt que parmi les mauvaises ou celles qui ne sont ni bonnes ni mauvaises. Il semble donc qu'il y ait un certain flottement concernant le statut de la santé. Tout bien considéré, il n'est pas non plus assuré, en dépit des apparences, que la santé soit véritablement un bien dans le *Lysis*, puisque si la santé n'est pas le *prôton phílon*, et que seul ce dernier soit le véritable bien digne d'être aimé, il s'ensuit que la santé n'est, au mieux, qu'un bien intermédiaire ou relatif.

149. Socrate refuse de considérer la difficulté suivante : si l'ami devient ami de l'ami, cela ne revient-il pas à dire que le semblable devient l'ami du semblable, ce qui avait été pourtant réfuté plus tôt dans le dialogue ? Cette apparente difficulté, que Socrate soulève mais refuse d'examiner, n'est en fait qu'une « objection fallacieuse » (cf. Kühn 2000, p. 221 n. 8). De ce que l'ami devient ami de l'ami, il ne s'ensuit pas que le semblable devient ami du semblable, puisque ce n'est pas dans le même sens que Socrate emploie le terme *phílon*. « L'ami qui devient ami de l'ami » n'est pas une formulation équivalente à « le semblable devient ami du semblable », puisque « ami » désigne tantôt celui qui aime (le ni

bon ni mauvais), tantôt celui qui est aimé (le bien). Cette difficulté est donc purement verbale.

150. Socrate applique à la santé le même raisonnement qu'à la médecine : de ce que la médecine est aimée en vue de quelque chose, il résulte, puisque la santé est aimée, qu'elle est aussi aimée en vue de quelque chose. Ce raisonnement n'est pas entièrement satisfaisant, car il néglige la différence de statut entre la médecine et la santé. Ce n'est pas pour les mêmes raisons que la médecine et la santé sont aimées : la première l'est à titre de moyen ou d'instrument en vue de la santé, alors que celle-ci l'est pour elle-même, comme il convient à une cause finale. Comme la médecine n'est pas une cause finale, et qu'elle n'est donc pas aimée pour elle-même, il paraît abusif de transposer à la santé l'analyse qui est vraie de la médecine. Cela dit, rien n'empêche que l'on aime la santé en vue d'autre chose, par exemple le bonheur, mais ce « dépassement » de la santé peut difficilement s'autoriser de la transposition à laquelle procède Socrate.

151. Si ce que l'on aime est toujours aimé en vue d'un autre objet d'amour, on s'expose au risque d'une régression à l'infini.

152. À la suite de plusieurs commentateurs récents (cf. Narcy 1997, p. 224 n. 17 ; 2000, p. 186 n. 14 ; Bordt 1998, p. 209), nous lisons le texte des manuscrits B et T (*ióntas kaì aphikésthai*) au lieu de la correction de Schanz (*ióntas è aphikésthai*), et nous accordons au verbe *apeipeîn* le sens de « refuser ».

153. Les nombreux problèmes soulevés par le « premier objet d'amour » (*prôton phílon*) ont été discutés dans l'Introduction (cf. *supra*, p. 202-211).

154. La discussion sur la question de savoir si le terme *eídōla* désigne ici les copies sensibles d'une forme intelligible, qui correspondrait au *prôton phílon* (cf. Introduction, p. 209-210), élude le vrai problème soulevé par ce passage. La question n'est pas de savoir si ce passage comprend une allusion à la théorie des formes intelligibles – cela paraît exclu (cf. Introduction, p. 209-210) –, mais quelle est la signification qu'il faut prêter au terme *eídōla*. La traduction par « fantômes » (Croiset) ou « simulacres » (Robin) est lourde de conséquences, puisqu'elle implique que les amours intermédiaires ne sont, au regard du *prôton phílon*, que de faux amours. Si le *prôton phílon* n'est pas une personne et qu'il est le seul véritable objet d'amour, les amours entre les hommes ne seraient donc rien de plus que des amours « fantômatiques », sans consistance ni réalité. Si, en revanche, on traduit *eídola* par « images » (Chambry), les amours intermédiaires retrouvent une certaine légitimité ; certes, elles ne sont pas l'ultime objet d'amour, mais elles en sont, à tout le moins, des images qui le donnent à voir. La traduction du terme *eídōlon* engage toute la question, âprement débattue (cf. Introduction, p. 206-208), de savoir si le *prôton phílon* constitue le seul objet d'amour. Si cette question, chez Platon, demeure ouverte, il ne fait cependant aucun doute qu'une certaine tradition platonicienne, dans l'Antiquité, s'est refusée à considérer que l'on puisse aimer d'un amour véritable les « fantômes » (*eídōla*) du bien : « les objets que nous aimons ici sont mortels et caducs ; nous n'aimons que des fantômes (*eidōlōn*) instables ; et nous ne les aimons pas réellement ; ils ne sont pas le bien (*tò agathón*) que nous cherchons. Le

véritable objet de notre amour (*tò alēthinòn erómenon*) est là-bas, et nous pouvons nous unir à lui, en prendre notre part et le posséder réellement, en cessant de nous dissiper dans la chair » (Plotin, *Ennéades*, VI 9, 9, 42-47 ; trad. Bréhier). Plotin fait du bien un objet d'amour exclusif ; telle n'est pas, croyons-nous, la position de Platon (voir note suivante).

155. Le *prôton phílon* est ici qualifié de « véritable objet d'amour » (*hōs alēthôs phílon*) et, un peu plus loin, de « ce qui est réellement aimé » (*tôi ónti phílon*, 220b). Cela ne fait pas pour autant du *prôton phílon* un objet d'amour exclusif. Si le *prôton phílon* est le véritable objet d'amour, ce n'est pas au sens où il serait le seul objet digne d'être aimé à l'exclusion de tous les autres, mais au sens où il est et doit demeurer l'objet d'amour en vue duquel l'homme s'engage dans les différentes relations de *philía*. Les objets d'amour intermédiaires ne peuvent induire l'homme en erreur que s'ils se donnent pour ce qu'ils ne sont pas, à savoir des objets d'amour que l'on aime exclusivement pour eux-mêmes. Autrement dit, rien n'empêche que l'on aime véritablement un *phílon* intermédiaire, pour peu que cet amour se greffe sur celui du bien ultime auquel on aspire.

156. L'exemple qui suit (219d-220a) a fait l'objet d'une analyse dans l'Introduction (cf. p. 205-206).

157. Le cotyle valait 27 centilitres.

158. À la suite de plusieurs commentateurs (cf. McTighe 1983, p. 79-80 ; Bordt 1998, p. 209 ; Kühn 2000, p. 223 n. 14), nous rejetons la correction de Hermann (*hetérou*), retenue par Burnet, et nous lisons plutôt le texte des mss (*hetérōi*). À la lumière du *Philèbe* (13a), où Platon emploie une expression presque identique (*hetérōi… onómati*), *rhḗmati* doit ici se construire avec *hetérōi*. Un *héteros rhêma* est un terme « étranger » à la chose dont on parle, donc un terme inapproprié (cf. toutefois note suivante).

159. Si l'on prend ce passage au pied de la lettre, seul le *prôton phílon* aurait droit au titre de *phílon*, et les objets d'amour intermédiaires ne seraient que de « prétendues » ou de « soi-disant » amitiés (*legómenai philíai*). Est-ce donc en vertu d'un abus de langage que l'on qualifie de *phílon* tout ce que l'on aime en sus, ou plutôt en deçà du *prôton phílon* ? Force est de constater que Socrate contrevient très rapidement à un usage aussi restrictif du terme *phílon*, puisqu'il n'hésitera pas, dans la suite du dialogue, à continuer d'employer les termes *phileîn* et *phílon* à l'endroit d'objets d'amour intermédiaires (cf., notamment, 222a et 223b). On ne peut donc pas se fonder sur ce passage-ci pour soutenir que le *prôton phílon* est un objet d'amour exclusif.

160. La traduction de cette question par Croiset (« ce qui est vraiment ami ne l'est pas en vue d'autre chose ? ») implique que le *prôton phílon* n'est subordonné à aucune finalité, quelle qu'elle soit. Or le texte grec dit plutôt : « ce qui est vraiment ami est-il ami en vue d'un autre ami ? », ce qui signifie uniquement que le véritable objet d'amour n'est pas aimé en vue d'un autre *phílon* ; il n'est donc pas exclu qu'il puisse être aimé en vue d'autre chose, par exemple le mal, comme il sera établi en 220d-e (cf. *infra*, n. 164).

161. C'est un passage important, car Socrate assimile le bien au *prôton phílon* (cf. Vlastos 1973, p. 10-11 ; Samb 1991, p. 516 ; Gonzalez

1995, p. 81). Après avoir rappelé que ce qui est aimé (*phílon*) n'est pas aimé (*phílon*) en vue d'un autre objet d'amour (*phílon*), Socrate demande si le bien est lui-même un *phílon*. Or comme le *phílon* qui n'est pas *phílon* en vue d'un autre *phílon* ne peut être que le *prôton phílon*, et que le bien est lui-même un *phílon* de ce genre, il résulte que le bien coïncide avec le *prôton phílon*. Le bien est donc le terme ultime de toutes nos aspirations, comme l'est également le Beau dans le *Banquet*. Sur la nature de ce bien, cf. Introduction, p. 203-204.

162. Socrate associe une fois de plus le bien à l'utilité (cf. 210c-d). Comme le bien est fondamentalement utile en lui-même, il faut que son utilité soit inconditionnée, c'est-à-dire qu'elle ne dépende pas d'une condition qui lui serait extrinsèque. Or si le bien ne nous était utile qu'en raison de la présence du mal, son utilité serait ainsi suspendue à une condition qui lui est non seulement extrinsèque, mais aussi contraire. Socrate doit donc démontrer que l'utilité du bien ne dépend pas du mal.

163. Si le mal, en tant que cause efficiente (*dià tò kakón*), est à l'origine de notre aspiration au bien, il semblerait que le bien soit par lui-même impuissant à nous le faire rechercher, d'où son apparente inutilité en tant que cause finale (*heautoû héneka*).

164. Ce passage doit être lu avec le plus grand soin, car l'argumentation y est passablement subtile et elle recèle sans doute un sophisme (cf. déjà Grote 1865, I, p. 513 n. y). Socrate distingue le *prôton phílon* des autres objets d'amitié, que l'on peut qualifier de « relatifs » ou d'« intermédiaires » dans la mesure où ils ne sont pas aimés pour eux-mêmes, mais en vue du *prôton phílon*. Comme le *prôton phílon* est identique au bien (cf. *supra*, n. 161), les objets d'amour relatifs sont aimés en vue du bien. Or le *prôton phílon* se distingue de ces objets d'amour relatifs en ceci qu'il est aimé non pas en vue d'un autre bien, ni non plus pour lui-même, mais en vue du mal (*ekhthroû héneka*, 220e), ce qui n'est pas sans poser problème. En effet, si les objets d'amour relatifs sont aimés en vue du *prôton phílon* (= le bien), qui est lui-même aimé en vue du mal, le mal apparaît comme la cause ultime de tout ce qui est aimé, de sorte que si le mal disparaissait, le *prôton phílon* et les objets d'amour intermédiaires disparaîtraient eux aussi. Cette argumentation semble reposer sur un sophisme, qui consiste à confondre la causalité efficiente et la causalité finale. Dans ce qui précède, Socrate n'a jamais employé, comme il le fait ici, la préposition *héneka* pour signifier la causalité du mal ; il a plutôt eu recours, et ici même au début de sa réplique, à la préposition *diá* (cf. 219a : *dià tò kakón* ; 219b : *dià tò kakón* ; 220b : *dià tò kakón* ; 220d2 : *dià tò kakón* ; 220d5 : *dià tò kakón*). Le partage des tâches semble très net entre ces deux prépositions : *diá* (« à cause de », « en raison de ») désigne la cause efficiente, et *héneka* (« en vue de ») la cause finale. Or Socrate contrevient ici à ce partage des rôles et emploie *héneka* pour désigner la causalité du mal. L'attribution au mal d'une causalité finale fait toute la différence, car si le mal est uniquement cause efficiente, cela ne change rien au fait que le bien est cause finale et qu'il peut être, à ce titre, aimé pour lui-même. Autrement dit, si le mal disparaissait, on pourrait néanmoins aspirer au bien étant donné que celui-ci demeurerait la cause finale de tout ce que l'on aime. Mais si le mal est cause finale, il est donc ce en vue de quoi l'on aime le *prôton phílon*

(cf. *supra*, n. 160) et, partant, tous les objets d'amour relatifs, puisqu'ils sont aimés en vue du *prôton phílon*, qui est lui-même aimé en vue du mal. De plus, comme le *prôton phílon* est identique au bien, la causalité finale exercée par le mal entraînerait que le bien est aimé en vue du mal, ce qui est absurde et intolérable. Si le mal apparaît comme la cause finale de tout ce que l'on aime, il n'y a pas lieu de s'étonner de ce que Socrate s'appliquera bientôt (= 220e-221d) à abolir la causalité du mal. Or pour exclure la causalité du mal, Platon fabrique de toutes pièces un épouvantail (le mal = cause finale du bien et de tout ce qui est aimé) ; en effet, Platon semble d'autant plus justifié de rejeter la causalité du mal qu'il l'a préalablement et frauduleusement présentée sous les traits d'un épouvantail, à savoir d'une causalité finale à laquelle seraient suspendus le *prôton phílon* et tous les objets d'amour. La substitution de *héneka* à *diá* pour exprimer la causalité du mal n'est donc pas un point de détail et l'on aurait tort de ne pas accorder à cette substitution toute l'attention qu'elle mérite. Cf. aussi Shorey 1930 ; Bolotin 1979, p. 161, 173-175 ; Adams 1995, p. 278 n. 28 ; Bordt 1998, p. 216 n. 539 ; Kühn 2000, p. 224 n. 16.

165. Comme le mal a été (faussement) présenté comme la cause finale du *prôton phílon* (cf. note précédente), Socrate cherche à abolir la causalité du mal et à lui substituer une autre causalité, celle du désir. Cette substitution s'opère à l'occasion d'une hypothèse qui conduit Socrate à imaginer un monde d'où le mal serait absent. Si le mal disparaissait, les désirs, comme la faim et la soif, n'en subsisteraient pas moins, de sorte que ces désirs ne sont pas intrinsèquement mauvais, sans être bons pour autant. On constate, à la lecture de ce passage, que Platon fait l'impasse sur les désirs bons. Outre que la notion même d'un « désir bon » est problématique, pour autant qu'elle juxtapose le manque (désir) et la suffisance (bon), elle impliquerait la possibilité que le bon soit l'ami du bon, puisque le désir bon aspirerait nécessairement au bien. De plus, Socrate affirme, dans le *Gorgias* (496d), que tout désir ou tout besoin est pénible, ce qui semble exclure qu'un désir puisse être bon. En revanche, Socrate reconnaît l'existence, dans la *République* (VIII 561c), de plaisirs qui proviennent de désirs « beaux et bons ». Quelles que soient les raisons pour lesquelles Socrate fait ici l'impasse sur les désirs bons, il est manifeste qu'il cherche à assimiler le désir au sujet de l'amour, c'est-à-dire au ni bon ni mauvais. À l'exemple de celui qui aspire au bien, le désir est tantôt utile, tantôt nuisible, de sorte qu'il n'est ni bon ni mauvais. Si, en l'absence du mal, nous n'éprouvons pas moins de désirs, et que ceux-ci aspirent à une forme de bien qui les soulagera, le désir apparaît donc comme la source et la cause de notre aspiration au bien. Le désir physique, qui trahit un manque que notre nature cherche à combler, sert ainsi à introduire la section suivante (221e-222e), où Socrate montrera que l'aspiration au bien se fonde également sur une déficience de notre être. – Dans le *Théétète* (176a), Socrate soutient qu'il est impossible que le mal disparaisse du monde sensible.

166. Que l'abolition du mal n'entraîne pas la disparition de tout objet d'amour ne signifie pas que le mal ne soit pas une cause de la *philía*. Tout ce que cela prouve, c'est que le mal n'est pas la cause unique de l'amitié, ni non plus une cause nécessaire. Pour démontrer que le mal n'est pas du tout une cause de l'amitié, Platon aurait dû montrer que l'abolition du

mal laisse intacts tous les objets d'amour. Le simple fait de mettre en lumière que l'abolition du mal n'entraîne pas la disparition de tous les objets d'amour ne constitue pas une preuve ou une démonstration que le mal n'est pas une cause, fût-elle partielle, des relations de *philía*.

167. Ce renvoi à 218b-c confirme que le seul élément rejeté par Socrate, dans le modèle exposé dans ce passage, est la causalité du mal. L'identité de celui qui aime (le ni bon ni mauvais) et de son objet d'amour (le bien) est préservée. Cf. *supra*, n. 140. *Contra*, cf. Kühn 2000, p. 224.

168. Si c'est en vertu de la présence (accidentelle) du mal en nous que nous aimons le bien, la cause de notre aspiration au bien est donc contingente et extérieure à nous. Mais si la cause de cette aspiration est plutôt le désir, la cause apparaît tout à la fois nécessaire et interne à notre nature propre.

169. Ce que Socrate rejette, ce n'est pas l'identification du sujet (le ni bon ni mauvais) et de l'objet (le bien) de la *philía*, mais la cause de l'amour de ce sujet pour cet objet. Socrate substitue une cause (le désir) à une autre (le mal), mais l'identité du sujet et de l'objet demeure inchangée.

170. Contrairement à Kühn (2000, p. 224), qui voit dans cette affirmation la confirmation que Platon ne retient aucun des éléments du modèle de l'amitié élaboré depuis 216c, nous croyons que seul le mal, en tant que cause efficiente de l'amitié, est abandonné au profit d'une nouvelle cause, le désir. Quant au sujet et à l'objet de l'amitié (le ni bon ni mauvais et le bien respectivement), ils sont, en dépit de ce que la présente déclaration pourrait laisser croire, conservés jusqu'à la fin du dialogue.

171. Socrate expose la même idée dans le *Banquet* : « […] quiconque éprouve le désir de quelque chose désire ce dont il ne dispose pas et ce qui n'est pas présent ; et ce qu'il n'a pas, ce qu'il n'est pas lui-même, ce dont il manque (*endeḗs*), tel est le genre de choses vers quoi vont son désir et son amour » (200e ; trad. Brisson). Cf. aussi 200a et *Philèbe* 35a.

172. Socrate semble considérer que l'on ne peut manquer que de ce qui nous a été enlevé. Mais n'y a-t-il vraiment que de ce qui nous a été enlevé que nous éprouvions le manque ? Rien n'est moins sûr. On peut manquer de vivres sans que personne nous ait enlevé de nourriture. Ce qui nous manque n'est pas nécessairement, dans tous les cas où nous éprouvons un manque, quelque chose qui nous a été enlevé (cf. Morris 1986, p. 276 ; Bordt 1998, p. 223). Toujours est-il qu'en identifiant l'objet du manque à une chose dont nous aurions été dépossédés, Socrate prépare l'introduction, ou plutôt le retour, du terme *oikeîon* (« apparenté », mais aussi « propre ») : si tout ce dont nous éprouvons le manque est quelque chose qui nous a été enlevé, il s'ensuit que ce quelque chose a déjà été nôtre (*oikeîon*). Or si l'*oikeîon* correspond au bien et au *prôton phílon* (cf. Introduction, p. 216-220), l'homme aurait donc été dépossédé du bien, d'où la nostalgie qu'il en a et son aspiration ardente à le « retrouver ». À la lumière des dialogues de la maturité, qui suivent probablement de peu le *Lysis*, cette doctrine du bien « enlevé » à notre nature, et dont nous serions à la recherche, s'explique très bien : comme l'âme a pu contempler les formes intelligibles avant sa chute dans un corps, elle a déjà eu accès au bien et à l'intelligible, en quoi consiste sa

véritable nature. Dans le *Phédon* (75e), Platon emploie précisément le terme *oikeîon* pour désigner la connaissance qui fait l'objet de la réminiscence. Autrement dit, on voit déjà poindre dans le *Lysis* la doctrine d'après laquelle le désir du bien est chevillé à l'âme parce que celle-ci y a déjà eu accès et qu'elle en a été dépossédée. Dans le mythe de l'androgyne (*Banquet* 189a-193d), ce qui a été enlevé à l'homme primitif, et dont il éprouve une lancinante nostalgie, est la moitié de sa nature corporelle. Le propre (*oikeîon*, 192c, 193d) qui lui a été arraché, et dont il est à la poursuite dans l'espoir de se réapproprier sa pleine nature, est donc de nature exclusivement corporelle. C'est là une différence fondamentale avec l'*oikeîon* du *Lysis*, car ce qui assure l'unité de la nature humaine, pour Socrate, ce n'est pas l'unité retrouvée d'un corps originel, mais la redécouverte, par l'âme, du bien dont elle a été séparée.

173. Socrate réintroduit le thème de l'*oikeîon* (ce qui nous est « apparenté » ou « propre »), qui a joué un rôle essentiel lors du premier entretien avec Lysis (cf. 210c-d et Introduction, p. 176-177). La dernière section du dialogue (221e-222e), où Socrate tente d'articuler l'un à l'autre l'*oikeîon* et le bien, a fait l'objet d'une analyse approfondie dans l'Introduction (p. 216-220).

174. Sous le rapport de leur objet, il n'y a aucune différence entre l'amour (*érōs*), l'amitié (*philía*) et le désir (*epithumía*), car chacun porte sur ce qui lui paraît apparenté (*oikeîon*). Au début de sa prochaine réplique, Socrate affirmera à nouveau que l'amour, l'amitié et le désir ont pour objet ce qui leur est, d'une façon ou d'une autre, apparenté.

175. S'il suffit d'éprouver du désir, de l'amour ou de l'amitié à l'endroit d'une chose ou d'un être pour considérer aussitôt que cet être nous est apparenté, qu'il nous a été « enlevé » et que nous devons nous le réapproprier, Socrate justifierait n'importe quelle forme de désir. Pour éviter cette justification *a priori* et universelle du désir, quel qu'il soit, Socrate doit à tout prix montrer qu'il existe une gradation et une hiérarchie au sein de l'*oikeîon* : il y a des choses et des êtres qui sont plus étroitement apparentés à notre nature que d'autres. En affirmant à Lysis et Ménexène que leur amitié suppose qu'ils sont par nature apparentés *en quelque façon* (*phúsei pēi oikeîoi*), Socrate laisse entendre qu'il y a plusieurs modalités d'apparentement et qu'elles ne se valent sans doute pas toutes (cf. note suivante).

176. Cette énumération des points de vue par rapport auxquels il y a apparentement établit une hiérarchie. En effet, Socrate énumère suivant un ordre décroissant d'importance les différents sujets qui sous-tendent un apparentement (cf. Introduction, p. 215-216). Cette énumération obéit également à un ordre décroissant d'universalité : l'apparentement le plus universel, qui s'adresse à tous les hommes (cf. *infra*, 222c), est celui qui se fonde sur l'âme et sur son aspiration au bien. L'apparentement le moins universel, qui ne peut réunir que certains êtres en particulier, est l'attirance fondée sur l'apparence physique. Cet apparentement est toujours singulier et il est aussi le plus fragile, puisqu'il repose sur une caractéristique physique éphémère. Socrate reconnaît donc, en un sens, qu'il existe autant de types d'amitiés qu'il y a de modes distincts d'apparentement. Certains de ces types d'amitié sont d'ailleurs représentés par le dialogue : l'amitié naissante entre Lysis et Socrate illustre l'amitié la

plus élevée, celle qui se fonde sur l'aspiration de l'âme au savoir et au bien ; l'amitié juvénile entre Lysis et Ménexène repose sans doute sur des occupations communes ; enfin, la passion d'Hippothalès pour Lysis se fonde sur l'apparence physique (*eîdos*) du garçon (cf. *supra*, 204e). Selon Bolotin (1979, p. 184-185), il est significatif que Socrate ne mentionne pas les liens familiaux dans cette énumération des modes d'apparentement naturel. Bien que les membres d'une même famille soient naturellement « parents » les uns des autres, ce type d'*oikeîon* n'est pas valorisé par Socrate.

177. Lysis se montre à nouveau plus perspicace et plus pénétrant que son compagnon Ménexène. Contrairement à celui-ci, qui n'entrevoit pas les conséquences de la position élaborée par Socrate, Lysis croit saisir les implications de cette position eu égard à l'amour dont il est objet de la part d'Hippothalès. Si tout amour suppose une forme d'apparentement, et qu'Hippothalès est amoureux de lui, Hippothalès et lui seraient donc apparentés ! Voilà la conclusion qui consterne Lysis et qui explique sans doute son silence, signe d'un profond désarroi. Mais ce que Lysis n'a pas compris, c'est que l'amour d'Hippothalès à son endroit procède du type d'apparentement le plus bas, soit l'apparence physique. Qui plus est, il s'agit d'un apparentement non réciproque, car cette attirance physique n'est pas partagée. Lysis fait donc preuve d'une plus grande pénétration que Ménexène, mais ses aptitudes philosophiques ont également des limites (cf. aussi 222c et n. 184).

178. L'amant authentique (*gnêsios erastês*), ici campé par Socrate, est celui qui s'éprend, chez le jeune homme, de ce qui est la forme la plus élevée d'apparentement, soit l'aspiration au bien qui sourd de l'âme. L'amant authentique est le plus constant et le plus fidèle, car étant épris d'une âme qui aspire au bien, il ne risque pas de se détourner du jeune une fois que celui-ci ne sera plus dans la fleur de l'âge (cf. *Alc.* 131d, cité dans l'Introduction, p. 219). Le rôle de Socrate, dans une liaison amoureuse, est toutefois inversé une fois qu'il a séduit le garçon dont il est épris : d'amant il devient aimé, de chasseur il devient pourchassé… Ce renversement des rôles, qui est décrit par Alcibiade dans le *Banquet* (222b), vient de ce que Socrate refuse obstinément les faveurs que sont prêtes à lui offrir ses nouvelles conquêtes, ce qui a pour effet, bien entendu, d'exaspérer le désir de ces jeunes pour ce maître qui se montre indifférent à leurs charmes. Sur l'amour que le garçon doit éprouver pour l'amant véritable, cf. Xénophon, *Banquet*, VIII 16.

179. Confirmation additionnelle du caractère réciproque de la *philía* et de l'amour : l'amour de l'amant véritable doit nécessairement être payé de retour. Ce qui rend possible cet amour réciproque entre l'amant véritable et le garçon dont il est épris, c'est ce qui les apparente l'un à l'autre, en l'occurrence l'aspiration commune de leurs âmes au bien. C'est donc une *philía* non réciproque (l'aspiration au bien) qui fonde l'amour réciproque entre deux êtres. Ce passage apporte également la confirmation que l'aspiration au bien n'exclut pas l'amour authentique pour autrui. Nous n'avons pas à choisir entre l'aspiration au bien et l'amour pour autrui, puisque c'est l'aspiration au bien qui permet l'amour authentique pour un être qui éprouve également le besoin de s'améliorer.

180. La description des différents personnages montre qu'ils n'ont rien compris au discours de Socrate. Si Ménexène et Lysis approuvent du bout des lèvres les paroles de Socrate, c'est probablement parce qu'ils craignent d'être contraints, en vertu de cette conception de l'amour, d'accorder leurs faveurs à quiconque se présenterait comme leur amant. Mais leur crainte est injustifiée, car Socrate songe uniquement à l'amant véritable qui préfère à l'attirance des corps l'élan commun des âmes vers le bien (cf. note précédente). D'un autre côté, Hippothalès ne devrait pas se réjouir si vite ; il se trompe en effet lourdement s'il s'imagine que Socrate est en train de plaider sa cause et qu'il invite les deux garçons à accorder tout de go leurs faveurs au premier venu qui se présentera comme leur amant. Étant donné qu'Hippothalès est surtout amoureux du prestige que lui conférerait la conquête de Lysis (cf. 205e), il ne se qualifie pas du tout au titre d'amant véritable.

181. Cf. *supra*, 214e-215a.

182. Socrate rappelle ici ce qui a été établi dès 210d, lors du premier entretien avec Lysis : la principale caractéristique de l'objet d'amitié (*phílon*) est d'être bon (à quelque chose), ce qui le rend utile aux autres. Il n'y a aucune raison de ne pas prendre cette affirmation au pied de la lettre. Cf. aussi *supra*, 220c et n. 162.

183. Il est plaisant de rapprocher ce passage de celui qui relate l'intervention intempestive des pédagogues… avinés (223a-b). Dans les deux cas, c'est en effet l'ivresse, métaphorique ou non, qui met un terme à la discussion. Dans ce passage-ci, Socrate prétexte de l'ivresse pour couper court à la discussion et forcer l'admission, sans discussion, que l'*oikeîon* est différent du semblable. À la fin du dialogue, l'irruption des pédagogues avinés empêche Socrate de poursuivre la discussion avec les garçons et des interlocuteurs plus âgés.

184. Comme nous nous efforçons de le montrer dans l'Introduction (p. 217-218), cette question comprend la solution au problème de la *philía*. En posant une question sous forme d'alternative, Socrate offre aux garçons une bonne et une mauvaise piste. Comme on peut s'en douter, ils choisissent la mauvaise branche de l'alternative. Par ce mauvais choix, Lysis trahit, une fois de plus, les limites de ses aptitudes philosophiques.

185. Cf. *supra*, 214b-215a, où Socrate réfute l'hypothèse que c'est le semblable qui est l'ami du semblable. Voir aussi 216d, *in fine*.

186. Cette réplique de Socrate est beaucoup plus complexe qu'elle ne peut le sembler à première vue. On peut y voir une seconde tentative d'articuler l'*oikeîon* au bien (cf. *supra*, 222c), mais cette nouvelle tentative avortera en raison d'une mystification de la part de Socrate. La question de Socrate se compose d'une hypothèse et d'une conséquence qui en découle. Or l'hypothèse est ambiguë et peut donc s'entendre de deux façons ; Socrate est mystificateur en ceci qu'il tire une conséquence qui découle de la mauvaise signification de son hypothèse, par où il induit lui-même ses interlocuteurs en erreur. Voyons les deux sens de l'hypothèse : 1) selon un premier sens, qui est à la source de la conséquence tirée par Socrate, l'apparenté et le bon désignent deux individus différents qui seraient identiques (*tautón*) entre eux, auquel cas (et ceci correspond à la conséquence) le bon serait ami du bon ; or l'amitié entre les bons a été réfutée plus tôt dans le dialogue, comme Socrate le rappelle

à la réplique suivante. 2) Suivant le deuxième sens possible de l'hypothèse, l'apparenté et le bon ne désignent pas deux individus qui seraient
identiques entre eux, mais une seule et même chose, soit l'objet d'amour,
auquel cas la conséquence tirée par Socrate est non seulement fausse,
mais aussi étrangère à l'hypothèse. Autrement dit, si l'apparenté est identique au bien (*tò agathòn kaì tò oikeîon tautón*), en tant qu'objet
d'amour, il ne s'ensuit pas que seul le bon est ami du bon, car l'on sait
déjà que c'est le ni bon ni mauvais qui désire le bien. L'hypothèse peut
donc être lue, suivant le deuxième sens que nous lui prêtons, comme une
nouvelle tentative d'articuler l'*oikeîon* au bien. L'échec de cette tentative
incombe entièrement à Socrate, puisque c'est délibérément qu'il tire une
fausse conséquence de l'hypothèse posée au départ. Tout se passe donc
comme si Socrate s'amusait à brouiller les pistes et à semer la confusion
dans l'esprit de ses interlocuteurs (cf. aussi *Charmide* 174d et n. 210).
D'un point de vue textuel, notre interprétation est renforcée par la présence du neutre (*tò agathón*) dans l'hypothèse, et par l'emploi du masculin dans la conséquence (*ho agathós*). Si Socrate emploie le neutre
dans l'hypothèse pour désigner le bien, c'est donc, semble-t-il, qu'il ne
songe pas à un individu, mais plutôt à l'objet d'amour. Le passage du
neutre au masculin, entre l'hypothèse et la conséquence, apporte ainsi la
confirmation que Socrate change frauduleusement, et sans préavis,
d'objet.

187. Les commentateurs qui considèrent, en dépit de 215a-b, que seuls
les bons peuvent être amis des bons, accordent beaucoup d'importance à
l'emploi de l'imparfait (*ōiómetha*, « nous croyions »). Si Socrate parle au
passé de leur croyance en la fausseté de cette position (l'amitié entre les
bons), c'est donc qu'il ne partage plus, à ce stade-ci, cette croyance (cf.
Kahn 1996, p. 291 n. 48). Cette interprétation de *ōiómetha* nous paraît à
la fois abusive et désespérée. Pour fonder une telle interprétation, il faudrait mettre en lumière quels sont les nouveaux éléments du dialogue,
postérieurs au rejet de l'amitié entre les bons (215a-b), qui permettent de
considérer que Socrate accepte désormais que les bons puissent être amis
entre eux. Or non seulement ces éléments nouveaux n'existent pas, mais
ce passage-ci (222c-d) confirme de la plus éclatante façon que l'amitié
entre les bons demeure une hypothèse à rejeter. Si nous avons raison de
considérer que Platon, dans le passage 222c-d, indique assez clairement
à son lecteur que l'*oikeîon* est identique au bien en tant qu'objet d'amour,
et que le sujet de l'amour demeure le ni bon ni mauvais, l'amitié entre
semblables, de même qu'entre bons, apparaît aussi impossible à la fin du
dialogue qu'elle le paraissait déjà en 214c-215a. Enfin, l'emploi de
l'imparfait s'explique par la concordance des temps et ne signifie donc
pas que Socrate ne partage plus cette croyance. De même, lorsqu'on dit,
en français, « je croyais t'avoir dit de te brosser les dents », l'usage de
l'imparfait ne signifie pas que l'on ne croit plus qu'il soit nécessaire de se
brosser les dents !

188. Cf. *supra*, 212b-213c (l'ami n'est ni l'amant, ni l'aimé).
189. Cf. *supra*, 214a-215b.
190. Cf. *supra*, 215c-216b.
191. Cf. *supra*, 215a-b.
192. Cf. *supra*, 221e-222d.

193. La mémoire de Socrate est en effet défaillante, puisque l'énumé-ration des hypothèses considérées n'est pas exhaustive. Il est sans doute révélateur que Socrate a omis de mentionner, dans cette énumération, la seule hypothèse qui n'a pas été réfutée, à savoir que ce sont les ni bons ni mauvais qui deviennent amis du bien. Si cette omission est délibérée – ce dont nous ne doutons pas –, il faut l'interpréter comme un indice qui laisse entrevoir la solution du dialogue (cf. Bolotin 1979, p. 196-197 ; Tessitore 1990, p. 128 n.31 ; Gonzalez 1995, p. 82 n. 28 ; 2003, p. 31).

194. Si la discussion a abouti à une impasse, c'est en partie en raison du très jeune âge de Lysis et de Ménexène. Comme ils en sont encore à l'âge où l'amitié se fonde surtout sur des occupations et des jeux com-muns, ils ne sont pas en mesure de se faire une claire représentation de la forme d'amitié plus élevée que leur a présentée Socrate. L'intervention d'interlocuteurs plus âgés permettrait peut-être de mieux dégager les implications et la portée de ce qui a déjà été dit. – On rapprochera ce pas-sage du *Charmide* (162e), où Socrate fait également appel à un plus vieux (Critias) pour sortir de l'impasse où a abouti la conversation avec un plus jeune (Charmide).

195. Croiset est-il justifié de traduire *hôsper daímonés tines* par « comme des divinités malfaisantes » ? Cette traduction a été sévèrement jugée par Narcy : « Non seulement il s'agit là d'une glose qui n'a aucun fondement textuel, mais cette acception péjorative de *daímōn* est, dans la bouche de Socrate, inhabituelle et peu vraisemblable » (1997, p. 212 n. 8). Pour peu que l'on se souvienne que le propre du *daímōn* est d'être une divinité intermédiaire qui intervient dans les affaires humaines, on voit assez bien en quel sens métaphorique (*hôsper*, « à la façon de ») Socrate traite les pédagogues de *daímones*. De même que le *daímōn* se manifeste à l'improviste pour modifier le cours des affaires humaines, de même les pédagogues surgissent inopinément et s'interposent entre Socrate et les enfants pour mettre fin à la discussion. Pour une autre inter-prétation de cette métaphore, cf. Narcy 1997, p. 212-213.

196. Plus tôt dans le dialogue, Lysis a mentionné qu'il était prêt à suivre la discussion jusqu'à ce que vienne le temps pour lui de rentrer à la maison (*oíkade*, 211b). Or lorsque les pédagogues, qui représentent l'autorité parentale, viennent justement les chercher, Ménexène et lui, pour les ramener à la maison (*oíkade*, 223a), ils se joignent à Socrate pour repousser les pédagogues et, partant, s'opposer à la volonté de leurs parents. Il est ainsi tentant de lire la scène finale du *Lysis* comme une illustration métaphorique de la nouvelle doctrine de l'*oikeîon* que Socrate développe dans le dialogue : si ce qui nous est vraiment appa-renté (*oikeîon*) ne ressortit pas aux liens du sang, mais à l'aspiration au bien que l'on partage avec ceux, nos véritables amis, qui nous ont éveil-lés à cette aspiration, le refus de Lysis et de Ménexène de retourner à l'*oikía* de leurs parents, pour demeurer auprès de Socrate, symbolise à merveille cette subversion de la conception traditionnelle de l'*oikeîon* (cf. Gonzalez 2000, p. 397).

197. La fin du *Lysis* rappelle la fin de l'*Euthyphron* (15e-16a), où Socrate doit également renoncer, à son corps défendant, à son ardent désir de poursuivre la discussion ; en raison du départ inopiné d'Euthy-phron, qui prétexte un rendez-vous imaginaire pour échapper enfin aux

réfutations successives que lui inflige Socrate, la discussion tourne court, au grand dam de Socrate. Voir également la fin du *Lachès* (201b-c), où Socrate se déclare prêt à reprendre le lendemain, dès l'aurore, la discussion que ses interlocuteurs et lui doivent ajourner en raison de l'heure tardive.

198. Il ne faut sans doute pas prendre cette indication au pied de la lettre (cf. Introduction p. 169). En comparaison de Lysis et de Ménexène, qui sont de jeunes adolescents, Socrate paraît évidemment « vieux », mais cela demeure trop vague pour que nous puissions déterminer son âge avec précision.

199. En affirmant que les deux garçons et lui sont amis les uns des autres (*allēlōn phíloi*), Socrate insiste à nouveau, tout à la fin du dialogue, sur la nécessaire réciprocité de l'amitié.

200. Par cette déclaration, Socrate dément et désamorce à l'avance, en quelque sorte, le constat d'aporie qui va immédiatement suivre (cf. note suivante). En affirmant qu'il est maintenant un ami des deux garçons, Socrate laisse clairement entendre que les garçons et lui sont devenus amis au cours du dialogue. Ce que le dialogue ne parvient pas, du moins en apparence, à déterminer sur le plan du discours, il le réalise dans les faits, puisque c'est à l'occasion du dialogue et grâce au dialogue que Socrate est devenu l'ami de Lysis et de Ménexène. Voir aussi Bosch-Veciana 1998.

201. Ce constat d'aporie semble à première vue en contradiction avec une affirmation antérieure, où Socrate se félicite d'avoir découvert le sujet et l'objet de l'amitié (cf. 218b). Cette contradiction n'est toutefois qu'apparente, puisque ce n'est pas Socrate qui dresse ici un constat d'aporie. En effet, ce n'est pas Socrate qui déclare que les garçons et lui n'ont pas été capables de découvrir ce qu'est l'ami, mais « ceux qui s'éloignent », c'est-à-dire ceux qui ont assisté à l'entretien. On ne peut donc pas conclure, de ce que Socrate prête un constat d'aporie aux auditeurs, que le dialogue se termine réellement sur une impasse. Le dialogue renferme suffisamment d'indices, à l'adresse du lecteur, qui permettent de reconstituer le modèle socratique de l'amitié. La fin du dialogue peut donc être lue comme un défi lancé au lecteur : alors que les auditeurs qui s'éloignent croient à tort que l'entretien s'est soldé par un échec, le lecteur attentif saura-t-il redécouvrir et assembler pour son propre compte les principaux éléments du modèle socratique de l'amitié ? C'est le défi que nous avons, ensemble, tenté de relever.

Tableau généalogique de la famille de Platon

Dropide I

Critias I
fils de Dropide

Dropide II (630?)

Critias II (600?)

Léaidès (560?)

Critias III (520?)

Callaischros (490)

Glaucon (489)

Critias IV (460-403)

Périctionè (459)

Charmide

Platon (427-348)
fils d'Ariston

Ce tableau a été constitué à partir de ces deux sources : Warman Welliver, *Character, Plot and Thought in Plato's* Timæus-Critias, Leyde, Brill, 1997, p. 51 ; et J.K. Davies, *Athenian Propertied Families (600-300 B.C.)*, Oxford, Clarendon Press, 1971, p. 322-335 par Luc Brisson, *Timée/Critias*, Paris, GF-Flammarion, 1992.

La Grèce et la Macédoine à l'époque de Platon

INDEX THÉMATIQUE
Charmide

INDEX DES NOMS PROPRES
Lysis

INDEX THÉMATIQUE
Lysis

TABLE

DERNIÈRES PARUTIONS

GF Flammarion

04/08/109089-VIII-2004 – Impr. MAURY Eurolivres, 45300 Manchecourt.
N° d'édition FG0100601. – septembre 2004. – Printed in France.